ANOSIOS

Catalogage avant publication de Bibliothèque et Archives nationales du Québec
et Bibliothèque et Archives Canada

Guay, Daniel, 1981-
Anosios
Sommaire: t. 1. Retour au royaume des hommes.
ISBN 978-2-89585-069-4 (v. 1)
I. Titre. II. Titre: Retour au royaume des hommes.
PS8613.U26A66 2010 jC843'.6 C2010-940414-9
PS9613.U26A66 2010

Image de couverture : Chantal McMillan, Polygone Studio

Les Éditeurs réunis bénéficient du soutien financier de la SODEC
et du Programme de crédits d'impôt du gouvernement du Québec.

Nous remercions le Conseil des Arts du Canada
de l'aide accordée à notre programme de publication.

Nous reconnaissons l'aide financière du gouvernement du Canada
par l'entremise du Fonds du livre du Canada pour nos activités d'édition.

Édition :
LES ÉDITEURS RÉUNIS
www.lesediteursreunis.com

Distribution au Canada :
PROLOGUE
www.prologue.ca

Distribution en Europe :
DNM
www.librairieduquebec.fr

Imprimé au Canada

Dépôt légal : 2010
Bibliothèque et Archives nationales du Québec
Bibliothèque nationale du Canada
Bibliothèque nationale de France

DANIEL GUAY

1. RETOUR AU ROYAUME DES HOMMES

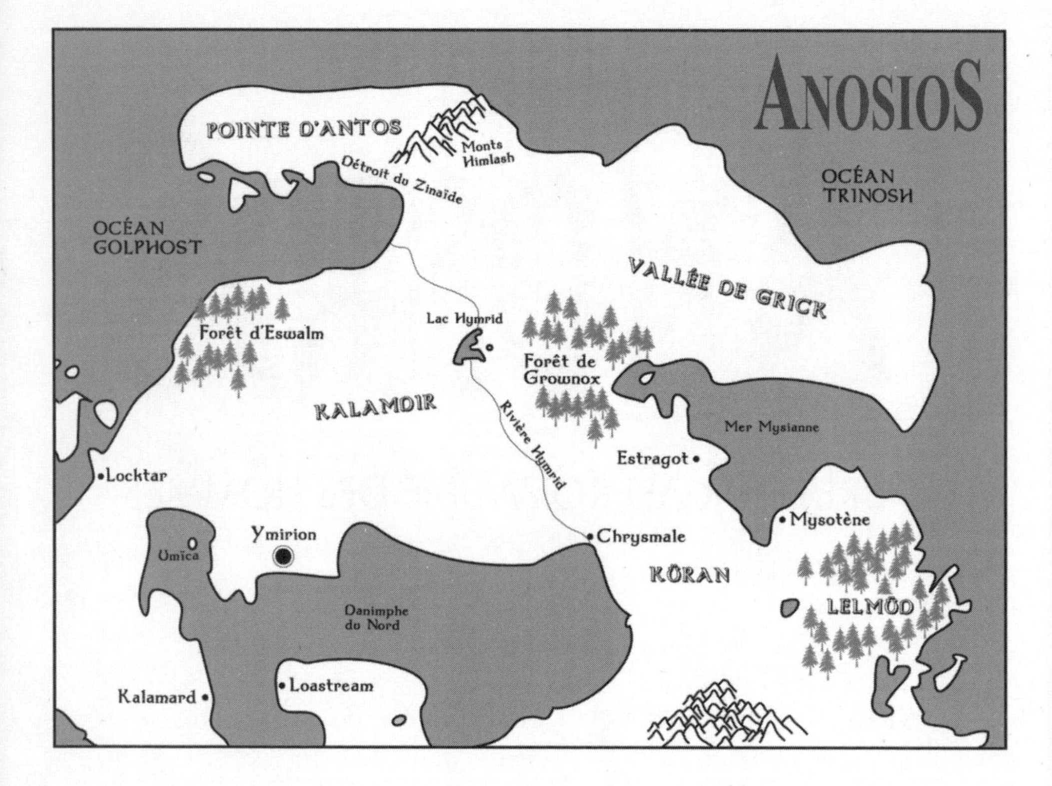
ANOSIOS
POINTE D'ANTOS
Monts Himlash
Détroit du Zinaïde
OCÉAN TRINOSH
OCÉAN GOLPHOST
VALLÉE DE GRICK
Forêt d'Eswalm
Lac Hymrid
Forêt de Grownox
KALAMOIR
Rivière Hymrid
Mer Mysianne
Estragot
Locktar
Mysotène
Ymirion
Chrysmale
Umica
KÖRAN
LELMÖD
Danimphe du Nord
Loastream
Kalamard

Prologue

Une grande agitation régnait dans la cité d'Ymirion. La salle d'audience du palais était submergée par une foule de curieux. Nobles, conseillers, soldats et marchands étaient réunis ; même les paysans étaient présents. Une rumeur courait dans la cité : le roi attendait la venue d'une ambassadrice de la lointaine forêt de Lelmüd. Les hylianns étaient de moins en moins nombreux à fouler le continent d'Anosios et peu d'hommes pouvaient se vanter d'avoir déjà rencontré un représentant du peuple d'Ackémios. L'excitation était à son comble. Tous espéraient quelque bienfait de cette rencontre. Le grand royaume de Kalamdir étant en guerre depuis fort longtemps, le roi avait espoir que les hylianns lui assureraient la victoire.

Bien que l'assemblée fût beaucoup plus nombreuse qu'à l'habitude, un silence complet régnait dans la salle. De forme circulaire, celle-ci pouvait accueillir plus de trois mille hommes. D'immenses colonnes de marbre soutenaient son dôme. Le sol était recouvert de zimz, un métal rare ayant la propriété de refléter plus fidèlement qu'un miroir. Portant hommage aux dieux, de gigantesques tapisseries couvraient les murs. Aucun autre édifice sur Nürma, la terre bienfaitrice, ne pouvait rivaliser avec cette architecture. Hormis la présence de la garde d'Ymirion, armée d'arcs et d'épées, on se serait cru dans un temple.

Le silence fut bientôt brisé par une voix grave et autoritaire.

AnosioS

— Seigneur Limius, suzerain de Kalamdir, désigné par les dieux pour gouverner, j'ai l'honneur de vous présenter l'ambassadrice de la lointaine Lelmüd, contrée d'Ackémios l'hyliann d'or.

Confortablement installé dans son trône surélevé, le roi prenait plaisir à regarder de haut ses invités. Son orgueil n'avait d'égal que les majestueux bijoux dont il était paré. Ses longs cheveux gris formaient un répugnant contraste avec sa couronne étincelante. Son visage terne suggérait qu'il ne profitait pas souvent des rayons du soleil. Comme l'eau qui trace son chemin dans la pierre, le temps avait fait son œuvre sur le visage du suzerain. Néanmoins, ses yeux bleus perçants étaient toujours aussi vifs que dans sa jeunesse. Il en était de même pour son esprit fourbe.

— Soyez la bienvenue dans la cité d'Ymirion, commença tranquillement le monarque. Je suis heureux que le légendaire seigneur des hylianns se préoccupe à nouveau du sort de mon peuple. La guerre fait rage en Anosios depuis longtemps déjà. Seule une alliance entre les hommes et les hylianns pourra assurer une victoire définitive contre nos ennemis.

D'un geste lent et avec la grâce propre à sa race, la diplomate abaissa le capuchon qui lui couvrait la tête.

— Hélas ! grand roi du royaume de Kalamdir, je ne suis pas ici pour attiser votre fureur à la guerre. Ackémios, sage parmi les hylianns, ne peut vous apporter son appui. Il y a plus de cent ans déjà, votre grand-père a presque entièrement exterminé les warraks, un peuple aussi combatif que les hommes, mais qui n'était pas votre ennemi. Votre père a par la suite assujetti toutes les cités des hommes qui étaient pourtant ses alliées. À présent vous voici, en manque d'ennemi, cherchant querelle aux nains. Une guerre basée sur des motifs diplomatiques absurdes qui ne servent en vérité qu'à combler votre soif de pouvoir et de richesse.

À ces mots, le visage serein du seigneur Limius se transforma en une hideuse grimace. La diplomate n'y porta pas attention.

— En vérité, continua l'hyliann, votre pays et votre peuple sont en sécurité. Mon suzerain vous supplie de cesser ces agressions contre les enfants de Nürma. Faites taire votre colère et souvenez-vous du grand Kalam dont vous êtes le noble descendant, celui qui sacrifia tant pour la liberté de nos peuples. De grâce, faites la paix avec les nains et renvoyez dans leurs foyers les soldats qui ont combattu loyalement sous votre bannière. Laissez à nouveau couler une eau pure et claire sur vos terres. Le sang rend le sol dur et aride. Rien de bon ne sortira de la guerre que vous menez sans relâche.

— Assez ! s'écria soudain Limius du haut de son trône. Comment osez-vous être aussi péremptoire envers moi ? Ce n'est pas la paix qui guide vos paroles, mais la peur. La peur de perdre votre si précieuse jeunesse éternelle. Est-ce là tout ce qui reste du légendaire peuple d'Ackémios ? J'ai bien peur que, s'il ne sait pas être mon allié, l'hyliann d'or doive un jour en payer les conséquences. Nul ne m'empêchera d'accomplir mon dessein et d'être le digne descendant de mes aïeux. Kalamdir est le royaume choisi par les dieux pour être la lumière du monde et je suis l'élu qui doit le gouverner. Gardes ! Mettez aux arrêts cet être impudent.

— Vous faites une grave erreur, sire, dit l'hyliann d'une voix désespérée. Vous n'êtes plus le gardien de la liberté, mais l'oppresseur des races libres. Le mal ne peut durer éternellement en ce monde. La grande Nürma, l'astre qui nous abrite, mère de toute forme de vie, ne le permettrait pas.

— De quoi aurais-je peur ? ricana le roi. Aucun peuple n'est assez puissant pour défier les armées de l'indomptable Limius. Autrefois, il est vrai, les magiciens ont su renverser les forces de ce monde. Mais ils furent tous exterminés et l'art de la magie est depuis longtemps oublié. Je ne crains rien ni personne. Ma destinée est de faire du monde un seul et unique royaume et de le gouverner.

CHAPITRE 1

Sous un vent glacial, les warraks se préparaient à l'hiver qui s'annonçait encore plus rude que le précédent. La majorité d'entre eux étaient occupés à renforcer la palissade du camp. Certains patrouillaient, prêts à se défendre au moindre signe ennemi. Une sinistre inquiétude circulait entre les regards qu'ils échangeaient. Avec les peaux qu'ils portaient par-dessus leur cuirasse et leurs épaisses bottes de fourrure, ce n'était pas l'hiver qu'ils craignaient. Une menace bien plus inquiétante occupait leur esprit.

Du haut de la palissade, le jeune chef du clan fixait les lointaines montagnes. D'une taille considérable, Ithan'ak pouvait rivaliser avec les warraks les plus grands. Comme tous ceux de sa race, son visage avait quelques attributs empruntés aux loups, tout en ayant plusieurs traits humains. Sa peau était recouverte d'une épaisse fourrure grisâtre. Certaines parties de son corps étaient protégées d'écailles, ce qui lui procurait une défense naturelle très efficace. Il avait ajouté à cette protection une solide cuirasse de cuir brun. Tous les warraks affichaient un aspect dur et féroce, mais celui-ci semblait avoir la force et la détermination d'un taureau.

Perdu dans ses pensées, Ithan'ak scrutait l'horizon d'un air songeur. Qu'adviendrait-il de son peuple ? La pointe d'Antos était devenue un cimetière pour les warraks. Depuis trop longtemps, ils étaient prisonniers de la péninsule glacée. Un jour viendrait où le noble peuple de guerriers sortirait enfin de sa retraite. En vérité, jamais cette terre déchue n'avait été leur refuge. Une prison aux murs d'eau, voilà ce que représentait pour eux la pointe d'Antos.

Un toussotement sortit Ithan'ak de sa réflexion. C'était son bras droit, Yrus'ak, qui revenait d'une mission à l'ouest du camp. Il était parti depuis dix-huit jours déjà.

— Bonjour capitaine, dit Ithan'ak, votre voyage s'est-il passé sans encombre ?

— Nous avons eu droit à une féroce tempête, répondit Yrus'ak, mais nous en avons l'habitude. Par contre, il y a autre chose dont je dois vous informer. Selon vos instructions, nous sommes allés quérir des nouvelles du clan des hatycas.

— Alors, comment se porte leur chef ? demanda Ithan'ak.

— Il est mort, répondit Yrus'ak. Ils sont tous morts.

— Que leur est-il arrivé ? demanda le jeune chef sans sourciller. S'agit-il encore d'une querelle entre deux clans ?

— Cela est fort peu probable, répondit Yrus'ak. Leurs cadavres ont été mutilés, leurs fourrures arrachées et leurs peaux étaient couvertes de signes étranges, inscrits avec l'acier.

Le capitaine dut marquer une pause avant de continuer. Malgré le sang warrak qui coulait dans ses veines et sa grande expérience des combats, ce qu'il avait vu semblait l'avoir perturbé au plus haut point.

— Ne vous laissez pas aller, sévit Ithan'ak.

— Pardonnez-moi, se hâta de répondre Yrus'ak. Aucun de mes guerriers n'avait déjà vu une chose semblable auparavant. C'était un affreux massacre, une abomination.

Ithan'ak sentait la voix du capitaine trembler en prononçant ces mots. Il savait que ce n'était pas l'émotion qui mettait son subalterne dans un tel état, mais bien une profonde colère envers les agresseurs inconnus. Si les warraks maîtrisaient leur peur comme aucune autre race sur Nürma, ils avaient davantage de difficulté à contenir leur colère.

— Calmez-vous Yrus'ak ! tonna Ithan'ak. Vos yeux tournent au rouge un peu trop facilement ces temps-ci. Je vous suggère de conserver ce regard pour le champ de bataille. Vous savez que je ne tolérerai aucun relâchement de votre part, d'aucun membre de ce clan, d'ailleurs. À présent, reprenez votre calme et terminez votre rapport. Qu'est-ce qui vous fait croire que ce que vous avez vu n'est pas le résultat d'une guerre entre différents clans ? Elles sont de plus en plus fréquentes avec la tension qui règne en ce pays depuis quelque temps.

— Aucun warrak ne traiterait son semblable de cette façon, expliqua plus posément Yrus'ak. Leurs corps n'avaient reçu aucune sépulture. On avait même arraché leurs entrailles pour les enrouler sur la palissade. Vous savez comme moi qu'aucun des nôtres n'oserait défier ainsi la colère de Kumlaïd, le dieu de la guerre.

Le capitaine continua son récit en racontant de quelle façon il avait perdu plus de la moitié de ses guerriers sur le chemin du retour. Ces histoires d'ombres meurtrières commençaient à fortement irriter Ithan'ak. Depuis quelques mois, il avait entendu plus d'une fois raconter ces contes à dormir debout. Mais cette fois-ci, ils lui étaient rapportés par un warrak qu'il respectait au plus haut point. Il aurait voulu remédier à la situation, mais que pouvait-il faire contre un ennemi invisible ?

Durant la matinée, le chef des kourofs reçut ses capitaines l'un après l'autre. Il était fort tourmenté depuis quelques semaines. Une importante décision devait être prise pour le clan. La rumeur circulait que plusieurs chefs entraînaient les leurs vers le détroit du Zinaïde, un étroit passage situé entre les monts Himlash et l'océan Golphost et qui constituait la seule porte de sortie de la pointe d'Antos. Apparemment, les attaques des ombres avaient des répercussions sur l'ensemble de la péninsule. Ithan'ak ne savait que penser de cette soudaine migration. Si la mort ne frappait pas les warraks sous la forme d'une créature éthérée, ne le ferait-elle pas lorsqu'ils rencontreraient de nouveau les troupes de Kalamdir ? D'autant plus que la guerre contre les nains n'avait jamais rassemblé une telle concentration de troupes en cette partie du monde. Si les warraks s'étaient autrefois réfugiés en Antos, c'était pour assurer la survie de leur peuple. Même s'ils arrivaient à traverser le Zinaïde, il y avait peu de chance qu'ils survivent une fois de retour dans le monde. La majeure partie d'Anosios était gouvernée et habitée par les hommes. Les warraks en exil et les nains repoussés dans leurs montagnes et leurs souterrains, seuls les hylianns n'étaient pas en proie à la tyrannie des hommes. D'ailleurs, cette liberté tenait davantage de la crainte qu'avait d'eux le seigneur de Kalamdir que de l'estime qu'il avait pour eux. En effet, personne ne savait vraiment si les hylianns étaient toujours nombreux à fouler le sol d'Anosios. Pour cette raison, le roi Limius préférait les laisser tranquilles, pour l'instant.

Quoi qu'il en soit, Ithan'ak devait prendre une décision pour l'avenir de son clan. Après avoir longuement pesé le pour et le contre, il invita tous les kourofs à se réunir en début d'après-midi. Seuls les guetteurs devraient demeurer à leur poste.

À l'intérieur du camp, le bruit se répandait que le chef annoncerait le grand départ. Après tout, la majorité des clans migraient vers l'est depuis plusieurs semaines. Les avis étaient très partagés à ce sujet. Certains disaient que seule la mort attendait ceux qui quitteraient la pointe d'Antos. D'autres étaient convaincus que les ombres meurtrières finiraient par atteindre le clan des kourofs. Les discussions allaient bon train, devenant de plus en plus violentes. Deux guerriers entretenaient une querelle particulièrement mouvementée. L'un disait qu'il était temps pour les warraks de reprendre leur place dans le monde. L'autre rétorquait qu'aucune ombre ne serait maître de sa destinée.

— Quand avons-nous eu des nouvelles d'un autre clan pour la dernière fois ? disait le premier. Ceux qui n'ont pas encore quitté la péninsule sont morts ou le seront bientôt, croyez-moi.

— Imbécile ! Ce ne sont que des histoires, rétorqua l'autre. Laisseras-tu une ombre te chasser de tes terres ? À moins que ce ne soit la peur ?

À ces mots, les yeux verts du premier guerrier tournèrent au rouge. Il sortit rapidement son glaive et se rua sur son adversaire. Au moment où il allait lui porter un coup fatal, il sentit un métal froid lui transpercer le cœur. Plus aucun son ne montait de l'assemblée. Tous regardaient la lame tachée de sang de leur chef. Ithan'ak était arrivé sans que personne le remarque. Résolu à garder l'ordre dans son clan, il n'avait pas hésité à tuer l'un des siens. Satisfait d'avoir restauré le calme, il monta sur l'estrade qui lui était réservée.

— Kourofs, commença Ithan'ak, je sais que vous attendez de moi une décision. Sachez qu'elle est prise et que je ne changerai pas d'avis. Il est donc inutile d'argumenter avec moi. J'ai choisi de demeurer sur la pointe d'Antos. Je suis convaincu que c'est la meilleure chose à faire pour l'instant. Nous manquons d'information sur ce qui se passe au-delà du Zinaïde. Il se peut même qu'aucun clan n'ait pu le traverser. Dans moins d'une heure, un détachement commandé par le capitaine Yrus'ak quittera le camp. Il aura pour mission de se rendre jusqu'au détroit et de vérifier s'il est toujours gardé par les hommes. Si le passage est libre, je vous mènerai possiblement hors de ces plaines de glace. À présent, si l'un d'entre vous est en désaccord avec ma décision, qu'il m'affronte dans un combat singulier, comme le veut la coutume.

Bien entendu, Ithan'ak savait que personne ne serait assez téméraire pour relever le défi. Ses guerriers ne connaissaient pas la peur, mais ils étaient assez sages pour reconnaître qu'ils n'étaient pas de taille face à lui.

— Retournez à vos tâches, ordonna le jeune chef. Je tiens à ce que ce camp soit mieux tenu que jamais. Que les femmes diminuent immédiatement les rations ! L'hiver promet d'être long et difficile. Chacun d'entre nous devra y mettre du sien si nous voulons survivre.

La nuit tombée, la majorité du clan plongea dans un profond sommeil. Ithan'ak, tourmenté par le choix qu'il avait fait, avait du mal à dormir. Ses inquiétudes le suivaient jusque dans ses rêves. Si seulement il connaissait son ennemi, il saurait quelles mesures prendre pour le combattre. La seule chose à faire pour l'instant était malheureusement d'attendre que ce fléau atteigne son clan.

En réponse à ses rêves, un cri déchirant le réveilla soudainement. Il semblait venir de l'enceinte ouest du camp. Rapidement, Ithan'ak enfila sa cuirasse et ses bottes. Le glaive à la main, il se dirigea promptement vers le bruit. Sur place, plusieurs guerriers formaient un cercle compact. Un prénommé Ulak était allongé sur le sol, blessé à mort dans le dos. Nul doute qu'il n'avait jamais vu venir son agresseur. Alors qu'Ithan'ak examinait la blessure du pauvre warrak, un autre cri retentit à l'autre bout du camp.

— Allez chercher mes capitaines, s'écria le jeune chef. Réveillez tout le monde et dites aux guerriers de gagner leur poste. Je crois qu'on tente de sonder nos défenses. Il faut à tout prix faire un prisonnier.

Déjà, sept warraks étaient morts sans qu'un ennemi ait été capturé. Ithan'ak s'empressait d'examiner les corps des victimes et d'interroger ceux qui auraient pu apercevoir les agresseurs. Chaque fois, il recevait la même réponse : une histoire d'ombre meurtrière munie d'une épaisse lame à deux tranchants.

« Est-ce l'œuvre d'une seule créature ? » se demandait Ithan'ak.

— Capitaine Horl'ak ! lança-t-il. Réunissez vingt de vos meilleurs combattants. Nous allons effectuer une sortie. Je ne laisserai pas mourir mes guerriers sans réagir. Venez me rejoindre à la porte nord dans quinze minutes.

Un quart d'heure plus tard, Ithan'ak s'adressait aux warraks qui allaient probablement mourir à ses côtés.

— Je crois que le capitaine Horl'ak vous a déjà dit de quoi il est question. Le but de cette expédition est d'apprendre à qui nous avons affaire. Je veux savoir qui ils sont et quel est leur nombre.

Contrairement à ses attentes, Ithan'ak ne rencontra aucune résistance à la sortie du camp. La nuit était aussi silencieuse que l'abîme. Dans ces circonstances, le jeune chef décida de mener ses guerriers à couvert en bordure de la forêt. Cette position lui donnerait peut-être la chance d'apercevoir quelque chose.

Les heures passèrent sans qu'un bruit trouble la nuit. Ithan'ak s'apprêtait à retourner au camp lorsqu'il aperçut un reflet scintiller dans la plaine. Chargeant comme un taureau, il parcourut en un éclair la distance le séparant de la lueur. Une fois arrivé, ce qu'il avait cru apercevoir s'était volatilisé. Il se retrouva donc seul, ses guerriers trop surpris par son geste pour avoir eu le temps de le suivre. La situation s'éclaircit dans l'esprit du jeune chef. Il avait mis les pieds dans une embuscade. Alors qu'il en venait à cette conclusion, une brise froide se glissa dans son dos.

Sans réfléchir, il fit tournoyer son énorme glaive dans toutes les directions. S'il ne pouvait voir son adversaire, son unique chance était de le tenir à distance en attendant les renforts qui accouraient vers lui. Se débattant pendant des secondes qui lui parurent des heures, il parvint à repousser l'ennemi suffisamment longtemps pour que les secours arrivent. Les vingt guerriers n'avaient pas vu ce qui avait attaqué leur chef. Pourtant, cette chose devait posséder une force considérable pour le mettre dans un pareil état.

Ithan'ak était blessé à plusieurs endroits, dont une blessure profonde qui aurait été fatale à un warrak moins robuste que lui. Bien que la douleur lui soit insupportable, il demanda qu'on établisse un quartier général sous sa hutte, d'où il entendait diriger la défense du camp.

Lorsque le jour se leva, le bilan des morts atteignait seize warraks. Cela ne faisait plus aucun doute : la ou les créatures étaient venues dans le but de connaître les effectifs des kourofs. La tension était à son comble. On n'avait aucune idée de ce qui avait attaqué le clan et on racontait que le chef avait été grièvement blessé.

Ithan'ak avait réuni tous ses capitaines sous sa tente. Il regrettait amèrement qu'Yrus'ak ne fût pas là pour lui prêter mainforte. Il n'avait pas l'habitude d'être pris au dépourvu, mais la situation devenait très alarmante. Le jeune chef en était certain, la chose qui l'avait attaqué était seule. Il était donc logique de penser que les agresseurs n'étaient pas plus de trois ou quatre. Si ces ombres meurtrières revenaient en force, les kourofs n'avaient aucune chance de les repousser. L'heure était venue pour Ithan'ak de donner l'ordre de partir.

— Kourofs, déclara Ithan'ak, la mésaventure de cette nuit m'a démontré que nous n'avons pas les ressources et les connaissances nécessaires pour combattre l'ennemi à nos portes. Cette décision plaira à certains et rendra les autres mécontents, mais je dois à présent vous annoncer le grand départ. Avec un peu de chance, peut-être arriverons-nous à rejoindre les autres clans en route pour le Zinaïde. Ce ne sera pas une route facile et nous avons davantage de possibilités de réussir si nous sommes en grand nombre.

Après avoir donné toutes les instructions nécessaires à la préparation du voyage, Ithan'ak prit congé dans ses quartiers et s'accorda quelques heures de sommeil.

CHAPITRE 2

Les kourofs avaient entrepris le voyage vers le détroit du Zinaïde depuis plus de deux semaines. Ithan'ak s'était remis de ses blessures en un temps record et voyait personnellement à chaque détail du voyage. Il envoyait régulièrement des patrouilles en reconnaissance, mais aucun autre clan n'avait été repéré. La pointe d'Antos était devenue aussi déserte que glaciale. Ithan'ak espérait rencontrer bientôt le capitaine Yrus'ak. Ce dernier devait être sur le chemin du retour. Malheureusement, les éclaireurs revenaient chaque jour sans aucune nouvelle.

L'hiver était maintenant au plus dur et la neige rendait la progression de plus en plus difficile. Les kourofs étaient bloqués depuis trois jours par une tempête venant de l'est, ce qui ne laissait présager rien de bon. Une nuit, on informa Ithan'ak qu'un guetteur avait aperçu une forme se déplacer au loin dans le blizzard. Aussitôt, le jeune chef accourut au poste de veille. Il essaya de percer le voile blanc formé par la neige, mais celui-ci était si épais qu'Ithan'ak se demandait si le guetteur avait réellement pu apercevoir quelque chose. La réponse à sa question ne fut pas longue à venir. À quelques mètres devant lui apparut une gigantesque créature à la peau brune, qui devait faire au moins deux fois la hauteur d'un warrak. Ses énormes bras se terminaient par des mains à trois doigts robustes, assez forts pour soulever sans difficulté la lourde massue que transportait le colosse. Bien que le seul vêtement qu'il portait soit un pagne, il ne paraissait pas être la proie du froid. Quelques fins cheveux, un visage aplati, de grandes narines et des yeux creux, tous ces traits donnaient à la créature un aspect à la fois docile et féroce.

Sans porter attention aux regards rouges qui étaient fixés sur lui, le bosotoss s'adressa directement à Ithan'ak.

— Je crois bien que sans un guide digne de confiance tu n'aies aucune chance de mener ton clan hors de la pointe d'Antos, mon cher Ithan'ak.

— Moi qui souhaitais que le vent tourne en notre faveur, se réjouit Ithan'ak, jamais je n'aurais pu espérer une telle aide.

Les guerriers présents ne savaient plus que penser. Leur chef semblait être lié d'amitié avec le monstre. Leur incrédulité fit sourire Ithan'ak.

« Ils ont enduré tant de souffrance ces derniers temps, pensa-t-il. Le moment est venu de leur redonner espoir. »

— Kourofs, dit-il d'une voix grave, je vous présente mon vieil ami Fork. Si certains d'entre vous n'ont jamais rencontré un individu de son espèce, n'en soyez pas troublés. Les bosotoss vivent généralement dans les endroits peu fréquentés et ne sont pas très enclins à fraterniser avec les autres peuples. Fork est un peu différent. Il a beaucoup voyagé et connaît le continent mieux que personne. Vous pouvez maintenant dormir tranquilles. Je n'aurais pu espérer meilleur guide pour nous évader de ce tombeau glacial.

L'espoir quelque peu ranimé, chacun regagna son poste et Ithan'ak se retira sous sa tente en compagnie du bosotoss. Mille questions brûlaient les lèvres du jeune chef.

— Comment as-tu réussi à me retrouver ? demanda-t-il. Cela doit bien faire près de soixante-dix ans que tu m'as aidé à rejoindre les miens.

— Je t'ai autrefois aidé à venir jusqu'ici, répondit Fork. Il me paraissait naturel de venir te montrer la sortie. Dès mon arrivée sur la pointe d'Antos, j'ai interrogé tous les clans que je rencontrais à ton sujet. C'est de cette façon que j'ai su où te trouver et que j'ai appris que tu étais devenu le chef des kourofs. Je tiens d'ailleurs à te féliciter.

Un large sourire se dessina sur le visage du bosotoss. De son côté, Ithan'ak tentait de mettre de l'ordre dans ses idées.

— Pourquoi m'avoir laissé si longtemps sans nouvelles ? demanda finalement le jeune chef. J'ai attendu des années ton retour. Tu aurais pu m'envoyer un message, donner au moins signe de vie ! s'emporta-t-il.

Le bosotoss regardait paisiblement son interlocuteur, qui était hors d'haleine. Le colosse avait prévu ce genre de réaction.

— Tu dois savoir, dit Fork, que le temps n'a pas la même portée pour les différentes races. Je suis aujourd'hui âgé de quatre cent trente ans et il me reste encore autant d'années à dépenser. J'ai vécu bien des aventures avant ta venue au monde et j'en vivrai encore d'autres lorsque tu seras mort. Ce concept est peut-être difficile à accepter pour toi, mais la durée de ton exil sur la pointe d'Antos paraît beaucoup moins longue pour moi qu'elle ne doit l'être pour toi.

Ces paroles auraient mis Ithan'ak de très mauvaise humeur en des circonstances différentes, mais il était trop heureux de retrouver son compagnon pour vraiment s'en offusquer. Il devait aussi reconnaître que les paroles de Fork étaient d'une grande sagesse.

— Hélas ! je dois avouer que les warraks ont une vie très limitée, dit Ithan'ak d'un ton mélancolique. J'avais vingt-quatre ans lorsque je suis arrivé en Antos ; j'en ai quatre-vingt-dix aujourd'hui. Près de la moitié de ma vie est passée et je n'ai presque rien accompli.

— Je ne suis pas de cet avis, rétorqua Fork. Tu es le chef des kourofs et tu n'as pas encore atteint la moitié de ta vie. Combien de warraks peuvent se vanter d'avoir dirigé leur propre clan avant d'avoir atteint l'âge de cent ans ? D'ailleurs, j'ai cru comprendre que les membres des autres clans te surnomment le « jeune chef ».

— En effet, admit Ithan'ak, mais plusieurs années ont passé depuis que j'ai pris le commandement du clan. Il est fort probable que ce surnom me suive jusqu'à ma mort, peu importe l'âge que j'atteindrai.

— Ton père serait fier de toi, ne put s'empêcher de commenter le colosse.

— Tu sais que les liens familiaux n'ont aucune importance chez les warraks, rappela Ithan'ak. Nous unissons notre vie à une femme, mais l'éducation des enfants se fait collectivement.

— Peu importe, poursuivit Fork. Tu dois comprendre que même pour les bosotoss, dont certains vivent plus de mille ans, la vie semble être une goutte d'eau dans l'océan. Ce n'est qu'une question de perception. Si, comme les hylianns, tu avais la chance de vivre des milliers d'années, tu te plaindrais toujours que la vie est trop courte. La mort vient tous nous attraper un jour ou l'autre et nous ne pouvons rien y faire.

— La mort, répéta Ithan'ak d'un air égaré. Il est étrange, dit-il, de constater à quel point tous nos soucis disparaissent rapidement à la vue d'un ami. Je suis ici à philosopher avec toi, alors qu'il y a une heure à peine je craignais pour la vie d'Yrus'ak, mon premier capitaine. À ce propos, combien as-tu croisé de clans en venant ici ?

— Plusieurs, répondit tristement le bosotoss.

Le ton qu'avait pris Fork pour répondre laissait entendre qu'il était arrivé malheur à ceux qu'il avait rencontrés.

— C'est la véritable raison qui explique ma venue, confia le géant. Le roi Limius a appris que les warraks empruntent le Zinaïde pour quitter la pointe d'Antos. Il s'est empressé d'envoyer plusieurs détachements armés dans cette région. Je crois que son but n'est plus de vous contenir dans la péninsule, mais bien de vous exterminer pour de bon. Il capture les clans un par un et on ne les revoit plus. Cet homme se prétend le gardien du continent d'Anosios, alors qu'il bafoue la gloire de ses ancêtres.

Le visage du bosotoss, calme jusqu'ici, trahissait à présent une profonde rage, cependant beaucoup plus subtile que celle qui caractérisait si bien les warraks.

Ithan'ak avait écouté attentivement les paroles de Fork, mais il ne se laissait pas décourager pour autant. Il savait que son vieil ami était venu pour l'aider et qu'il avait probablement déjà une solution.

La lueur de la chandelle avait quelque peu diminué et le jeune chef commençait à avoir du mal à distinguer les traits de son compagnon. Il aurait aimé lire dans l'esprit du colosse pour savoir si les kourofs avaient une chance quelconque de se tirer d'affaire. Fork, devinant l'interrogation d'Ithan'ak, répondit à la question sans qu'elle soit posée.

— Il est hors de question de passer par le détroit du Zinaïde. Même moi, un bosotoss, je n'ai pas réussi à m'y faufiler. Pourtant, le roi Limius nous laisse encore circuler librement dans tous les royaumes d'Anosios. J'ai dû me rendre jusqu'ici par la mer. Et crois-moi, ce ne fut pas une chose facile.

— Dans ce cas, nous sommes perdus, feinta Ithan'ak pour pousser le bosotoss à continuer.

— Au contraire, le contredit Fork. Je connais un passage dans les montagnes. Avec de la chance, nous parviendrons à le traverser sans trop de pertes.

— Les hommes le connaissent peut-être aussi, s'inquiéta le jeune chef.

— Aucun homme ne pourrait s'y aventurer, assura Fork. Les monts Himlash sont plus terribles que toutes les tempêtes que vous avez affrontées jusqu'ici. Même les nains ne peuvent emprunter ce chemin. Je suis probablement le seul à connaître le passage qui vous permettra de quitter la péninsule sans vous heurter aux troupes de Kalamdir.

— Avons-nous une chance de franchir la chaîne de montagnes malgré le froid qui y règne ? demanda Ithan'ak, en essayant de conserver son sang-froid.

Il craignait que le bosotoss vît dans cette question une quelconque forme de peur. Fork, qui connaissait bien la nature des warraks, sourit un instant avant de continuer.

— Les warraks sont beaucoup plus résistants au froid que la plupart des autres races, rappela le bosotoss. Je crois que votre épaisse fourrure et l'aptitude que vous avez développée à survivre dans la neige devraient vous donner la force nécessaire pour traverser les montagnes.

Ithan'ak savait qu'emprunter ce chemin était la meilleure solution, mais une grande partie de son clan risquait de mourir en route. Comme tous les warraks, il était d'une nature très entêtée et ne pouvait se résoudre à entraîner la moitié des siens vers la mort. Fork, sans succès, essayait par tous les moyens de le convaincre qu'il n'y avait pas d'autre option.

Les deux compagnons discutèrent tard dans la nuit. À court d'arguments, ils sombrèrent finalement dans un sommeil léger, bercé par le bruit du vent qui soufflait sur la tente.

Au réveil, les quelques heures de sommeil d'Ithan'ak avaient su lui porter conseil. Il lui paraissait maintenant évident qu'il n'avait pas le choix d'emprunter le chemin proposé par Fork. Il ne restait plus qu'à informer le clan de cette décision, ce qui ne serait pas une mince affaire. Même s'il était redouté de ses guerriers, Ithan'ak anticipait la difficulté qu'il aurait à les convaincre de prendre cette route.

Durant la matinée, il laissa courir la rumeur qu'il avait l'intention de se diriger vers les monts Himlash. Mieux valait donner du temps au clan de s'habituer à cette idée avant d'en faire l'annonce officielle. En attendant, Fork avait été présenté aux capitaines les plus dignes de confiance et leur donnait les détails de l'expédition.

Chacun vaquait à ses occupations lorsque l'alarme sonna dans le camp. Après des semaines sans nouvelles, voilà qu'un autre clan donnait signe de vie. Finalement, les kourofs n'étaient pas les seuls warraks qui parcouraient encore les plaines glacées d'Antos. Respectant la coutume, Ithan'ak et deux de ses capitaines partirent à la rencontre des nouveaux venus.

L'entretien se passa d'une façon très pacifique. Les deux chefs tenaient tous deux à éviter une confrontation. Kern'ak, le chef des hyrgwifs, était un warrak beaucoup plus âgé qu'Ithan'ak. Il était à la tête de son clan depuis plus d'un demi-siècle. Vu le nombre incroyable de défis que devaient sans cesse relever les chefs de clan, c'était un accomplissement remarquable.

Comme tout se passait bien, Ithan'ak invita Kern'ak et les siens à se joindre aux kourofs pour la journée. Les deux clans pourraient ainsi échanger quelques informations utiles. Le jeune chef se rendit rapidement compte de son erreur.

En discutant avec quelques kourofs, Kern'ak avait eu vent de la rumeur selon laquelle Ithan'ak voulait traverser les monts Himlash. Jamais le chef des hyrgwifs n'avait entendu une chose aussi stupide. Selon lui, il fallait vraiment avoir l'esprit tordu pour prendre un monstre comme guide. Il prit même la parole devant les kourofs.

— Allez-vous écouter ce monstre ? s'écria Kern'ak avec vigueur. Croyez-vous vraiment qu'il a l'intention de vous conduire en sûreté ? Vos femmes et vos enfants n'ont aucune chance de survivre dans ces montagnes. Kourofs ! hurla-t-il. Joignez-vous à moi et je vous mènerai sains et saufs hors de la pointe d'Antos. En nous unissant avec les autres clans, nous reforgerons notre ancienne puissance et combattrons les hommes, qui depuis trop longtemps s'approprient le continent.

Ithan'ak, rageur, avait écouté le discours énoncé par le chef des hyrgwifs. Lui-même aurait voulu entraîner son clan vers un chemin plus sûr, mais il ne pouvait négliger les avertissements prodigués par Fork, la nuit précédente. Il fallait réagir pour éviter le pire.

— Kern'ak, tonna le jeune chef, comment oses-tu inciter mon clan à se rebeller ? Si tu désires mener les tiens à la mort, libre à toi. Mais surtout, n'essaie pas de nous entraîner avec toi.

— Se pourrait-il que tu aies peur des hommes ? demanda Kern'ak avec fureur.

Insinuer qu'un warrak pouvait avoir peur de quelque chose équivalait à le provoquer en duel. Sans attendre, Ithan'ak tira son glaive et bondit devant son adversaire qui l'attendait de pied ferme.

— Je constate que tu n'as pas froid aux yeux, siffla Kern'ak entre ses dents. Voyons maintenant si tu mérites que je tire mon glaive en duel contre toi.

Les deux clans assistèrent à la scène. Attisés par la rage de leurs chefs, les yeux de plusieurs guerriers avaient viré au rouge.

Après quelques bons coups, Ithan'ak avait réussi à prendre l'avantage du combat. Bien que ses blessures infligées par l'ombre meurtrière ne soient pas encore toutes cicatrisées, il parvenait à s'élancer avec une force terrible et à esquiver les coups avec une rapidité surprenante.

L'issue du combat fut scellée lorsqu'Ithan'ak désarma Kern'ak, qui tomba à genoux sur le sol. Sans pitié, le chef des kourofs s'apprêtait à mettre à mort son rival quand une énorme main retint son bras.

— Peut-être vaut-il mieux que tes hommes choisissent le chemin qui leur convient, lui chuchota Fork à l'oreille. Il est préférable de laisser ceux qui risquent de se mutiner derrière nous. Les véritables lâches sont ceux qui refuseront de te suivre. De ceux-là, tu n'as pas besoin.

Ithan'ak s'accorda quelques secondes pour réfléchir à ce qu'il venait d'entendre, puis retira son glaive de la gorge du chef hyrgwif.

— J'aurais pu te tuer, mais tu as la vie sauve, dit-il en reculant. Même les lâches ont besoin d'un chef. Je laisse aux membres de mon clan le choix de prendre la route qui leur convient. Je te prie d'en faire de même pour les tiens.

Sur ces mots, Ithan'ak se retira de l'assemblée, qu'il laissa dans la confusion la plus totale. Il regrettait amèrement de ne pas avoir tué Kern'ak. Les warraks n'avaient pas l'habitude de mettre fin à un duel de cette façon. De plus, il n'était pas certain que le conseil de Fork était judicieux. Ithan'ak savait que les bosotoss étaient fort sages, mais lents à rendre leurs décisions. Pour cette raison, ils étaient incapables de prendre le commandement en temps de guerre. Comment Fork avait-il pu réagir aussi rapidement ? À force de réfléchir, Ithan'ak comprit que le bosotoss avait médité sur le sujet bien avant cet incident. Il devait savoir que le voyage dans les montagnes serait difficile et qu'une révolte risquait de survenir. D'une certaine façon, laisser partir avec Kern'ak les dissidents était une occasion inespérée. Il ne restait plus qu'à attendre la suite des événements.

« Combien partiront avec cette racaille ? » se tourmentait Ithan'ak.

Le capitaine Horl'ak vint interrompre les réflexions de son chef.

— Les kourofs sont prêts à reprendre la route, dit solennellement le capitaine. Nous attendons vos ordres.

— Mes ordres ? s'enquit Ithan'ak avec une certaine lassitude. Combien de guerriers ai-je toujours à commander ? désespéra-t-il.

À sa grande surprise, la majorité de son clan avait décidé de le suivre. De plus, puisqu'il avait vaincu Kern'ak en combat singulier, plusieurs hyrgwifs s'étaient mis sous son commandement. Ithan'ak jeta un rapide coup d'œil à Fork, qui semblait lui aussi satisfait de la situation. Une fois de plus, le jeune chef avait eu raison de se fier à son vieil ami. Débarrassés des mauvaises langues, les kourofs étaient prêts à franchir les monts Himlash.

Plus d'une semaine de marche intensive s'écoula avant qu'une tempête vienne interrompre la progression des voyageurs. Ithan'ak avait mené ses hommes loin au nord de la route du Zinaïde. Il n'y avait plus aucune chance de retrouver le capitaine Yrus'ak. Cette pensée le rendait un peu triste. Il savait que le capitaine était assez dégourdi pour diriger ses guerriers comme un chef de clan l'aurait fait, mais il craignait quand même que le pire leur soit arrivé durant l'exploration du détroit.

— N'y avait-il vraiment aucun moyen de traverser le Zinaïde ? demanda-t-il un jour à Fork.

— Aucun, répondit simplement le bosotoss. Tu aurais dû conduire ton clan vers le détroit bien avant. Les hommes, occupés dans leur guerre contre les nains, ont mis du temps à se rendre compte que les warraks étaient de retour. Plusieurs clans sont passés sans aucune difficulté, mais le passage est scellé à présent. Tes guerriers ont sans doute été capturés ou tués à l'heure qu'il est.

Fork savait que ses paroles étaient dures, mais il n'avait pas l'habitude de passer par quatre chemins. Mieux valait dire la vérité telle qu'elle était. Ithan'ak le savait et ne s'offusqua point de la rudesse de son compagnon.

Après deux jours et deux nuits de bourrasques ininterrompues, le colérique vent du nord finit par se calmer et les kourofs purent continuer à progresser. La neige devenait de plus en plus épaisse et avancer était un combat de chaque instant. Lorsqu'un chariot restait coincé, Fork déployait son incroyable force pour le sortir de la neige. Les kourofs restaient sans mot devant le colosse qui rugissait en poussant de toutes ses forces. Bien qu'ils se soient accoutumés à sa présence, le bosotoss demeurait un monstre pour les warraks. Habitué à ce genre de réaction, Fork n'y portait plus vraiment attention.

Après avoir essuyé quelques violentes perturbations atmosphériques, le clan arriva au pied des montagnes. Plusieurs enfants étaient mal en point, mais Ithan'ak maintenait une discipline si sévère que nul n'osait se plaindre. Sans accorder une seule journée de repos, le jeune chef ordonna qu'on abandonne tous les chariots avant de s'engager dans la route qui traversait les montagnes. Il ne voulait donner aucun moment de répit aux membres de son clan. Une fois là-haut, il ne leur viendrait plus à l'idée de rebrousser chemin.

Jusqu'ici, Ithan'ak devait admettre que les dieux étaient avec lui. Depuis qu'il avait ordonné le grand départ, il n'avait plus entendu parler des ombres meurtrières. De plus, on l'avait averti qu'emprunter le détroit du Zinaïde le mènerait droit dans les filets des hommes. Comble de chance, il avait trouvé un guide pour l'aider à mener son clan hors de la péninsule. Chaque soir, le chef des kourofs prenait soin de remercier le dieu de la guerre pour son aide.

Progresser dans les montagnes s'avéra fort difficile et les guerriers faisaient de leur mieux pour aider les femmes et les enfants à avancer. Les premiers sommets étaient les plus hauts et Fork promettait que la deuxième moitié du trajet serait beaucoup plus facile.

Ithan'ak s'entretenait fréquemment avec le capitaine Horl'ak pour connaître le bilan des pertes de la journée. Elles étaient nombreuses, mais le plus troublant était que la majorité des morts étaient des enfants. Trop jeunes pour affronter un climat si rude, ils mouraient de faim et de fatigue. Ceux qui étaient arrivés jusqu'ici ne pourraient plus tenir le coup très longtemps. Sans une nourriture adéquate, ils ne parviendraient pas à quitter les montagnes.

Une équipe de chasse fut donc mise en place. Fork avait assuré à Ithan'ak que des rînocks hibernaient dans des grottes près du sommet. Réveiller une de ces créatures était très dangereux, mais la faim l'était encore plus pour les enfants.

« Un peu d'action me fera du bien » pensait Ithan'ak en se préparant pour la chasse.

— Selon toi, quelle est la meilleure façon de tuer un rînock ? demanda-t-il à Fork.

— En le provoquant, répondit le colosse. Il faut le pousser à se dresser sur ses pattes de derrière. Lorsqu'il retombe, son propre poids l'empale sur la lance du chasseur. C'est un procédé assez simple, mais très efficace. Le danger est que la bête s'entête à avancer sans se dresser. Si ça t'arrive, je te souhaite bien de la chance. Un rînock en colère n'est pas facile à calmer.

La première journée de chasse ne fut pas un grand succès. Aucune grotte n'avait été découverte. Les montagnes étaient beaucoup trop escarpées pour progresser rapidement. Le lendemain, Ithan'ak sépara les équipes de chasse en groupes de deux pour couvrir davantage de terrain. Il avait choisi un dénommé Hulu'ak comme équipier. Ce solide guerrier hyrgwif ne demandait pas mieux que d'accompagner son nouveau chef.

Toute la journée, les deux warraks avaient sondé la neige des parois rocheuses dans l'espoir d'y découvrir l'entrée d'une grotte. L'après-midi tirait à sa fin et ils n'avaient encore rien trouvé. Ithan'ak espérait que les autres équipes avaient eu un peu plus de succès.

— Un d-dernier essai et n-nous rentrons au camp, bégaya-t-il à Hulu'ak.

Le froid avait pris le dessus sur le jeune chef et Ithan'ak n'arrivait plus à articuler ses phrases convenablement.

Les deux chasseurs faisaient face à une falaise d'au moins cinquante mètres de haut, dans laquelle ils enfonçaient leurs lances à intervalles réguliers. À cette période de l'année, la plupart des grottes étaient ensevelies sous la neige et le seul moyen de les repérer était de sonder la roche à l'aide d'une lance. Malheureusement, cette méthode avait une fois de plus prouvé son inefficacité. Ithan'ak était prêt à rentrer quand il entendit Hulu'ak se réjouir derrière lui.

— J'ai trouvé une grotte, dit triomphalement le guerrier hyrgwif. Espérons seulement qu'elle abrite bien la proie que nous sommes venus chercher.

Les deux warraks mirent quelques minutes à dégager un passage assez grand pour que le rînock qu'ils espéraient y trouver puisse sortir derrière eux. Ils avancèrent ensuite dans le noir, éclairés par une petite torche qu'Hulu'ak avait eu la sagesse d'emporter. Ils n'eurent pas à marcher très longtemps avant d'entendre le ronflement d'une bête résonner sur les parois de la caverne. Les deux guerriers ne connaissaient pas la peur, mais leur adrénaline avait grimpé d'un cran. Tous leurs sens en alerte, ils se laissaient guider par les ronflements quand ceux-ci s'arrêtèrent soudainement.

— Notre odeur l'a probablement réveillé, chuchota Ithan'ak.

Devant le jeune chef apparurent deux petits yeux noirs qui le regardaient fixement. Les chasseurs pointèrent aussitôt leurs lances vers l'animal. Son imposante taille faisait deux fois celle d'un grand ours blanc. Une épaisse carapace bleue protégeait l'ensemble de son corps. Sa tête possédait la même protection avec, en plus, deux longues cornes, aussi meurtrières que le fer.

Contre une telle bête, Ithan'ak et Hulu'ak n'avaient pas le droit à l'erreur. Comme convenu, ils reculèrent tranquillement vers la sortie en prenant soin de ne pas faire de gestes trop brusques. Si le rînock chargeait avant qu'ils aient atteint l'extérieur, ils n'avaient aucune possibilité d'en venir à bout. Malheureusement, ce dernier devenait de plus en plus agressif et Ithan'ak commençait à perdre espoir de pouvoir l'affronter dans un environnement favorable. Il aurait aimé en terminer rapidement, mais il avait depuis longtemps appris à mettre toutes les chances de son côté.

Sa patience fut récompensée lorsqu'il sentit enfin les rayons du soleil réchauffer la fourrure de son dos. Il donna quelques instructions à Hulu'ak avant de se mettre en position d'attaque.

— Je vais m'occuper de le provoquer et d'attirer son attention, dit-il tout bas. Quand il se dressera devant moi, glisse sous son ventre et il s'empalera sur ta lance en retombant.

Hulu'ak fit un signe de la tête pour signifier qu'il avait bien compris.

La manœuvre ne fut pas aussi facile qu'Ithan'ak l'avait espéré. Malgré les coups de lance qu'il assenait à la tête de l'animal, ce dernier refusait de se lever sur ses pattes de derrière. Hulu'ak, impuissant, ne savait plus quoi faire pour venir en aide à son nouveau chef. Sans réfléchir, il tira son glaive et réussit à l'enfoncer sous la carapace de la bête. Le rînock, furieux, donna un rapide coup de patte qui envoya son agresseur s'échouer contre la paroi rocheuse. Il fit de même avec Ithan'ak qui fut projeté un peu plus loin dans la neige.

Blessée à vif, la bête rugissait et se débattait sauvagement. Ses hurlements étaient amplifiés par l'écho créé par la falaise. Le sol tremblait en réponse aux cris de l'animal. Ithan'ak, qui avait à peine eu le temps de se relever et de reprendre ses esprits, sentit la neige se dérober sous ses pieds. Entraîné par une avalanche, le jeune chef avait comme seule option de prier Kumlaïd de lui accorder une place à ses côtés sur les champs de bataille éternels.

Chapitre 3

Ithan'ak marchait tranquillement dans la nuit. Il se plaisait à regarder les quelques étoiles qui parvenaient à traverser le rideau opaque que formaient les arbres de la forêt. Le brouillard enveloppait le warrak comme une douce couverture et le maintenait dans une totale béatitude. Il avait oublié la souffrance, la guerre, la mort, le monde. Il avançait sans connaître sa destination, sans se soucier des arbres qui refermaient le passage derrière lui. Il arriva finalement devant un large escalier taillé dans la pierre, haut de quelques mètres à peine. Le jeune chef voulut y monter, mais ses genoux se dérobèrent sous lui dans une douleur effroyable.

* * *

Couché sur le dos, haletant, il était maintenant en pleine noirceur. L'air froid et humide ainsi que les stalagtites qu'il distinguait dans l'obscurité lui indiquaient qu'il se trouvait à l'intérieur d'une caverne. Il tentait de se lever, sans succès, quand il s'aperçut qu'un individu était assis tout près de lui.

— Ne gaspillez pas vos forces inutilement, lui dit l'inconnu en essayant d'allumer une torche.

Ithan'ak pouvait maintenant le voir distinctement. Petit, mince et chétif, il avait un aspect peu commun pour un warrak.

— Qui êtes-vous et où suis-je ? demanda brusquement le jeune chef.

Il n'arrivait toujours pas à se lever.

— Où croyez-vous être ? répondit l'inconnu qui semblait être un peu offusqué. Je vous ai trouvé presque mort dans la neige.

Le rînock, l'avalanche, toute la scène défila devant les yeux d'Ithan'ak. Il comprit qu'il devait la vie au warrak qui se trouvait à ses côtés.

— Pardon, dit-il poliment pour excuser sa conduite. Je crois que je vous dois quelques remerciements.

Ithan'ak tenta une nouvelle fois de se lever, mais ses jambes ne lui obéissaient plus.

— Vous semblez être paralysé par le froid, remarqua son comparse en le voyant se débattre. Je vais essayer de vous aider à vous lever. Vous devez bouger afin d'éviter une engelure.

À trois reprises, les deux warraks s'effondrèrent sur le sol.

— Inutile d'essayer davantage, soupira Ithan'ak. Je crois bien être condamné à rester coincé ici.

— Ne vous en faites pas, dit l'étranger qui ne s'était toujours pas nommé. Dès que le temps s'apaisera, j'irai chercher de quoi faire un bon feu. Une fois au chaud, vous devriez retrouver l'usage de vos jambes.

Ces paroles réconfortèrent Ithan'ak qui éprouvait soudainement une grande sympathie pour son sauveur.

— Je suis Ithan'ak, chef du clan des kourofs, dit-il en tendant la main.

— Mon nom est Vonth'ak, répondit son nouveau compagnon.

— Depuis combien de temps suis-je dans cette caverne ? demanda le jeune chef.

— Vous avez dormi deux jours et deux nuits, répondit Vonth'ak. Je commençais à croire que vous ne survivriez pas. Que vous est-il arrivé ?

— Nous chassions un rînock quand j'ai été pris dans une avalanche, répondit Ithan'ak.

— Vous chassiez ! s'étonna l'autre warrak. C'est une drôle d'idée de venir chasser dans un tel endroit.

— Je faisais traverser la chaîne de montagnes à mon clan, expliqua Ithan'ak. Les enfants allaient bientôt tous mourir sans une nourriture convenable.

« Mon clan, pensa Ithan'ak. Mes guerriers ont certainement abandonné les recherches à présent. Par chance, Fork est toujours avec eux. Peut-être a-t-il déjà réussi à les mener en lieu sûr à l'heure qu'il est. »

— Comment connaissez-vous le passage dans les montagnes ? demanda Vonth'ak.

— Nous avions un bosotoss comme guide, répondit Ithan'ak. Lui seul, disait-il, connaissait ce chemin. Je vois aujourd'hui qu'il faisait erreur. D'ailleurs, je vous retourne la question. Qui vous a appris qu'il existait un chemin pour traverser les monts Himlash ?

Vonth'ak, qui n'avait visiblement pas prévu ce revirement, ne semblait pas très enthousiaste à répondre.

— J'ai aussi eu droit à quelques bons conseils, dit-il en se couchant, pour mettre fin à la conversation.

Ithan'ak comprit qu'il devrait remettre ses questions à plus tard. Épuisé, il ferma les yeux et s'endormit presque immédiatement.

* * *

Il se retrouva de nouveau dans cette étrange forêt, où il suivait non pas un sentier, mais un véritable corridor formé par les arbres. De plus en plus curieux, il essayait d'accélérer le pas, sans y arriver. La scène se déroulait si lentement qu'il croyait ne jamais pouvoir se rendre à l'escalier de pierre. À bout de force, il aurait aimé pouvoir rebrousser chemin, mais les arbres refermaient le corridor derrière lui. Le temps n'avait plus aucune emprise sur lui, mais Ithan'ak avait l'impression qu'il marchait depuis des jours. Il aperçut enfin les marches de pierre. Il ignorait s'il atteindrait cette fois-ci le sommet, bien que celui-ci soit presque à sa portée. Il mit un pied sur la première marche et commença à monter. Cette étape était beaucoup plus aisée que le parcours dans la forêt. Les jambes du jeune chef avaient retrouvé toute leur vigueur. Heureux de ce revirement de situation, Ithan'ak montait de plus en plus rapidement dans l'espoir de découvrir quel secret cachait cet endroit. Le souffle court, il arriva sur un large plateau circulaire, qui semblait presque flotter dans les airs. Sans savoir pourquoi, le jeune chef avait la certitude que ce lieu remontait à une époque très ancienne. Bien que l'ensemble du plateau soit taillé dans la pierre dure et froide, l'atmosphère qui s'en dégageait était empreinte d'une certaine noblesse. Ithan'ak cherchait à comprendre ce qu'était ce lieu évoquant un si grand respect. Ses yeux vinrent finalement se poser sur une énorme stèle enfoncée au milieu du plateau. Il voulut s'en approcher, mais il sentit de nouveau une terrible douleur lui transpercer les genoux.

* * *

Comme la première fois, il ouvrit les yeux et vit qu'il était toujours dans la caverne. Vonth'ak avait allumé un feu un peu plus loin et était occupé à faire cuire un ragoût. C'est du moins ce que l'odorat du jeune chef lui suggérait. Il ne pouvait pas voir grand-chose d'où il était, couché sur le sol. Vonth'ak était très concentré et il mit quelques minutes à se rendre compte qu'il était observé.

— Vous voilà donc réveillé, dit-il en apercevant Ithan'ak. J'ai eu la chance de piéger deux petits écureuils de montagne durant votre sommeil. J'espère que ce ragoût saura vous remettre sur pied. Nous ne pouvons pas rester ici encore très longtemps. Le froid et la fin finiraient par nous emporter tous les deux.

Ithan'ak fut surpris de voir qu'il avait de nouveau le contrôle de ses jambes. Il arrivait même à se tenir debout. Il vint s'asseoir auprès de son étrange compagnon et dévora le maigre repas que ce dernier avait préparé. Un peu mal à l'aise de profiter ainsi des faveurs d'un parfait étranger, le jeune chef essaya de briser la glace :

— Cela fait deux nuits que je fais le même rêve, commença-t-il.

Vonth'ak releva les yeux d'un air très intéressé. Content d'avoir trouvé un sujet sur lequel lancer une discussion, le kourof s'empressa de continuer son histoire. Pendant qu'ils mangeaient tous les deux, Ithan'ak raconta son rêve d'un bout à l'autre sans que Vonth'ak l'interrompe une seule fois. À la fin, il se demandait même s'il n'avait pas un peu trop ennuyé le pauvre warrak qui se trouvait devant lui.

— Votre rêve n'allait pas plus loin ? l'interrogea finalement Vonth'ak.

Ithan'ak fit non d'un signe de la tête.

— C'est bien dommage, dit tristement Vonth'ak. Je n'aime pas beaucoup les histoires qui n'ont pas de fin.

Cette remarque déçut quelque peu Ithan'ak qui espérait établir un contact avec son nouveau compagnon. Vonth'ak avait fini de manger et semblait pressé de tout ramasser. Ithan'ak lui demanda pourquoi il agissait de la sorte.

— Nous devons partir à présent que vous êtes un peu mieux, répondit Vonth'ak. Pensiez-vous rester ici éternellement ?

Ithan'ak était maintenant en colère contre lui-même. Comment avait-il pu se laisser aller de la sorte ? Afficher une telle faiblesse devant un étranger était inexcusable. Il se leva aussitôt en essayant d'effacer la grimace qui se dessinait sur son visage à chacun de ses pas. En quelques minutes à peine, ils étaient prêts à partir.

Une fois dehors, Ithan'ak fut surpris d'être si près d'un sommet. Vonth'ak, malgré sa faible constitution, avait quand même dû déployer une force considérable pour le traîner jusque-là.

« Les apparences sont souvent trompeuses », pensa le jeune chef.

Quoi qu'il en soit, la journée semblait parfaite pour se mettre en route. Le vent avait cessé et une faible neige tombait du ciel. La température n'était pas trop froide et Ithan'ak sentait ses forces revenir au contact de l'air frais des montagnes.

Fork n'avait pas menti en disant que la seconde moitié du voyage serait plus aisée. C'était une chance pour le kourof qui n'avait pas encore retrouvé toutes ses ressources. À plusieurs endroits, Vonth'ak devait lui venir en aide pour franchir de gros rochers ou des pentes trop escarpées. Ils avançaient tout de même rapidement et pouvaient espérer arriver au pied de la dernière montagne dans environ une semaine.

Ithan'ak essayait sans cesse de dialoguer avec Vonth'ak dans le but d'en apprendre davantage sur lui. Au bout d'un certain temps, il s'aperçut que la cause était désespérée. Le warrak n'était vraiment pas bavard. Il semblait être très refermé sur lui-même, ce qui n'étonnait pas Ithan'ak. En effet, Vonth'ak avait dû avoir de la difficulté à s'intégrer dans un clan à cause de son apparence. D'ailleurs, la tunique rouge qu'il portait ne s'accordait en rien avec les vêtements d'usage de son peuple. Bien que l'occasion de le prouver ne se soit pas encore présentée, il ne semblait pas très enclin à combattre. Si c'était bien le cas, il avait eu de la chance de n'être qu'expulsé de son clan et non tué sur-le-champ.

Les deux warraks marchaient depuis sept jours et demi. La distance qu'il leur restait à parcourir était difficile à évaluer parce qu'un épais brouillard s'étendait devant eux. Ils ne s'arrêtaient que brièvement pour dormir et repartaient aux premières lueurs de l'aube. Ithan'ak allait beaucoup mieux et pouvait à présent franchir tous les obstacles qu'il rencontrait sans l'aide de Vonth'ak. Il était lui-même impressionné par sa grande capacité de régénération. Il avait retrouvé la vigueur et la force qui lui avaient permis de devenir un grand chef. Ses pensées étaient d'ailleurs tournées vers son clan. Seule l'idée que Fork accompagnait les kourofs le rassurait un peu.

Vonth'ak, qui marchait devant lui, s'arrêta sans crier gare.

— Qu'y a-t-il ? demanda Ithan'ak, qui se dépêcha de le rejoindre.

En arrivant à ses côtés, il s'arrêta d'un coup. Les deux warraks étaient subjugués par ce qu'ils voyaient. Le brouillard s'était dissipé. Pour la première fois depuis leur exil, ils pouvaient poser leur regard sur le magnifique paysage qu'offrait le continent d'Anosios. Comme il était bon pour les voyageurs de revoir cette nature verdoyante s'étendre au pied des montagnes. Les souvenirs qui leur revenaient en mémoire étaient si intenses qu'aucun d'eux ne put réprimer les quelques larmes qui lui montaient aux yeux.

— Si je meurs aujourd'hui, ce sera une belle mort, dit Ithan'ak qui ne cherchait plus à cacher ses émotions. Que Kumlaïd soit loué de m'avoir permis de revoir ce que j'avais oublié ! Comment avons-nous pu fuir ce monde et oublier qu'il nous appartenait au même titre que les autres créatures qui ont vu le jour en ces terres ? Je jure aujourd'hui sur mon honneur et celui de mes ancêtres que plus jamais je ne reculerai devant l'ennemi. Plus jamais je ne laisserai un individu de ma race tourner le dos de la honte à ses agresseurs.

Plus décidé que jamais à retrouver les siens, Ithan'ak se remit en route, envouté par ses propres paroles. Il savait que les warraks ne seraient jamais libres tant que le royaume de Kalamdir exercerait sa domination sur Anosios. Jusque-là, son objectif avait été de quitter la pointe d'Antos par tous les moyens possibles. Il commençait maintenant à entrevoir que sa croisade ne s'arrêterait pas là.

Vonth'ak, qui n'avait pas dit un mot, suivait Ithan'ak des yeux. Il ne le regardait plus comme un pauvre warrak trouvé à moitié mort dans la montagne. Un certain respect commençait à s'installer entre les deux compagnons de voyage.

La température devenait de plus en plus chaude. Il ne restait que quelques heures avant d'atteindre le niveau de la mer. Ithan'ak, qui était maintenant en tête, prenait mille précautions en avançant. Il savait qu'il était de retour dans le monde des hommes et qu'il ne tarderait pas à rencontrer des patrouilles. Comme il ne connaissait pas le chemin, il voulait éviter à tout prix de se retrouver en plein conflit entre les hommes et les nains. La prudence du jeune chef s'avéra justifiée. En effet, la présence des hommes ne mit pas longtemps à se manifester.

Vonth'ak fut le premier à entendre des voix murmurer dans le vent. Les deux compagnons se laissèrent guider par elles pour savoir d'où elles provenaient. Ils n'eurent pas de difficulté à trouver. Trois hommes, assis autour d'un feu, discutaient bruyamment en mangeant. Les warraks se trouvaient sur une petite corniche située derrière eux, d'où ils pouvaient les observer sans être repérés.

Le premier, qui semblait être le chef, portait une épaisse armure qui avait connu les jours sombres de la guerre. Il s'encombrait d'une cotte de mailles, équipement peu pratique pour se déplacer en montagne. Il s'agissait probablement d'un ancien chevalier qui ne pouvait se résoudre à abandonner les symboles de sa gloire passée. Son bouclier, qui avait certainement déjà été un objet d'art magnifique, était ornementé d'un dragon argenté à deux têtes. Ithan'ak se souvenait d'avoir déjà vu l'emblème de la cité d'Ymirion flotter au-dessus des champs de bataille.

Les deux autres hommes avaient une allure beaucoup moins prestigieuse que leur chef. Habillés de cuir et de fourrures, il s'agissait probablement de miliciens, contraints de fournir leur propre équipement.

Leur conversation portait sur la réapparition des warraks sur le continent. Dombar, leur chef, n'était pas très satisfait de la situation.

— Ils sont de plus en plus nombreux, expliqua-t-il à ses compagnons. Le roi Limius a mis beaucoup trop de temps à s'en occuper et ils ont réussi à assembler une grande armée. J'ai entendu dire qu'ils se regroupaient en bordure du lac Hymrid, d'où ils pourront engager une campagne de guerre contre nos troupes. Comment savoir s'ils ne viendront pas en aide aux nains contre qui nous combattons depuis plusieurs années ? Ce serait un coup très dur pour le royaume.

Les deux miliciens n'étaient pas du même avis.

— Ils ne représentent rien face à une armée comme la nôtre, dirent-ils. Comment ne pas rire aux éclats en pensant qu'ils pourraient s'en prendre à nous ?

— Vous ne comprenez donc rien ! s'écria leur chef. Le nombre de nos adversaires serait beaucoup plus élevé et nous serions forcés de combattre sur deux fronts à la fois. C'est nous qui deviendrions les assiégés. Dans un tel cas, même avec une armée très puissante, notre situation deviendrait précaire.

Ithan'ak en avait assez entendu. Il savait où il devait se rendre. Si les warraks se regroupaient vraiment en bordure du lac Hymrid, il voulait y être le plus tôt possible. D'un geste de la main, il indiqua à Vonth'ak qu'il était temps de partir. Malheureusement, l'un des miliciens se retourna et leva la tête au moment même où les warraks se retiraient. Dombar attrapa son carquois et se leva d'un bond. Ithan'ak entendit une flèche siffler près de son oreille.

— Nous devons nous mettre à l'abri ou nous finirons transpercés, dit Vonth'ak en courant.

Les hommes avaient perdu la trace de leurs ennemis, mais ils savaient qu'ils n'étaient pas loin. Dombar cherchait les traces de leur passage sur le sol pendant que ses deux acolytes inspectaient les environs. L'un d'eux s'approchait dangereusement de l'endroit où étaient cachés les warraks. Sans prévenir, Ithan'ak sauta sur le milicien et lui brisa le crâne sur un rocher. Le sang qui coulait abondamment de la plaie indiquait qu'il était bien mort. Le jeune chef se dirigea ensuite vers Dombar avec qui il engagea un violent duel.

Le combat n'était pas gagné d'avance pour Ithan'ak. Il avait beau user de toutes les ruses possibles, son glaive n'arrivait pas à toucher son adversaire. Dombar maintenait une pression constante en utilisant la moindre faille dans la défense du warrak. Il n'y avait aucun moyen de prendre le dessus sur lui. Ithan'ak comprit que sa seule chance était d'utiliser la force brute. Il réussit à empoigner le bras de son adversaire et tenta de lui faire lâcher son épée. Cette technique était peut-être très rudimentaire, mais il y avait une petite chance qu'elle fonctionne. Dombar se débattait comme un fou en cognant le kourof de toutes ses forces avec son bouclier. Imperturbable, Ithan'ak continuait à tirer sur le bras droit de son ennemi. En mauvaise posture, Dombar laissa tomber son bouclier pour retenir son épée à deux mains. Ithan'ak profita de ce moment pour enfoncer son glaive dans la poitrine de l'homme. Un jet de sang sortit de la bouche de Dombar et il s'effondra sur le sol.

En se retournant, le jeune chef constata que Vonth'ak en avait déjà terminé avec le deuxième milicien. Il venait à nouveau de prouver qu'il ne fallait pas se fier à son apparence. Heureux de cette première victoire, les deux compagnons prirent quelques minutes pour manger les vivres qu'ils avaient trouvés près du feu. Avant de repartir, ils se questionnèrent sur le meilleur chemin à emprunter. Ils venaient de rencontrer des hommes pour la première fois et il y avait fort à parier que d'autres patrouilles se trouvaient dans ce secteur. Ils conclurent donc que le meilleur moyen de les éviter était de marcher en dehors des sentiers. Cette décision prise, ils se mirent immédiatement en route.

Au bout d'une heure, ils s'aperçurent qu'il n'y avait plus du tout de neige sous leurs pieds. Même pendant l'hiver, les terres d'Anosios demeuraient aussi verdoyantes que durant le reste de l'année. Le paysage qui s'offrait à eux était bien différent de celui de la pointe d'Antos. Personne ne savait comment cette péninsule était devenue aussi glaciale. Seules quelques légendes racontant l'histoire de magiciens très puissants subsistaient. Ithan'ak, qui était avant tout un guerrier, n'y avait jamais porté grande attention.

Le soir venu, les deux warraks trouvèrent un grand arbre sous lequel passer la nuit. Il était convenu qu'ils monteraient la garde à tour de rôle.

Ithan'ak dormait depuis quelques heures quand il sentit une main lui secouer doucement l'épaule. Il ouvrit les yeux et vit Vonth'ak qui était allongé à ses côtés. Il avait un doigt collé devant la bouche pour inciter Ithan'ak à ne pas faire de bruit. Quelque chose approchait dans leur direction. Ils entendaient des petites branches craquer sur le sol. Des cliquetis d'armures en mouvement parvenaient à leurs oreilles. Il n'y avait aucun moyen de fuir sans être repéré.

Ithan'ak sortit doucement son glaive de son fourreau et se leva pour se mettre en position de combat. Toute une troupe de nains se trouvait à quelques pas devant lui. Ils devaient être au moins une cinquantaine à le regarder d'un air surpris, se demandant d'où sortait ce guerrier qui n'était pas là une seconde auparavant. Vonth'ak s'était levé à son tour, d'une façon beaucoup plus douce et pacifique qu'Ithan'ak.

— Nous sommes deux warraks qui cherchent leur chemin dans les montagnes, expliqua-t-il. Pouvez-vous nous aider à échapper aux hommes qui patrouillent sur ces sentiers ?

— Ce sont sûrement des espions, dit rapidement l'un des nains.

— Tuons-les au plus vite pour qu'ils ne s'échappent pas, dit un autre.

Vonth'ak remarqua que les yeux verts d'Ithan'ak étaient passés au rouge. Le jeune chef s'apprêtait à charger la troupe de soldats miniatures qui se trouvait devant eux.

— Tu vas nous faire tuer, lui chuchota Vonth'ak. Ils sont beaucoup trop nombreux. Nous n'avons aucune chance de nous en tirer en combattant.

Ces paroles semblèrent calmer Ithan'ak, dont les yeux ne savaient plus quelle teinte prendre.

— Croyez-moi, nous ne sommes pas des espions, assura Vonth'ak. Comme vous, nous sommes les ennemis des hommes et...

Un nain lui coupa la parole. Cette race était très prompte à rendre ses jugements et à tirer ses conclusions. Il était difficile de dialoguer avec eux.

— Peut-être dit-il la vérité, dit celui qui avait déjà suggéré qu'on les tue. Nous n'avons qu'à les ligoter et le grand conseil décidera quoi faire d'eux.

Tous les nains se mirent d'accord sur cette option.

Moins de cinq minutes après son réveil, Ithan'ak se retrouvait les mains liées et sans arme. Tout s'était passé si vite que les deux warraks ne comprenaient pas comment la situation avait pu dégénérer aussi rapidement. Pourquoi ces petits êtres s'en prenaient-ils à eux ? Il aurait été plus logique de faire des warraks leurs alliés. De toute évidence, les nains étaient très difficiles à comprendre pour les autres races. Aucun chef ne les dirigeait. Ils avaient une méthode un peu plus chaotique. L'un d'eux émettait une suggestion et les autres décidaient d'approuver ou non ce qui venait d'être dit, sans prendre le temps d'y réfléchir. Par bonheur, ils avaient cette fois-ci décidé de faire des prisonniers, ce qui était plutôt rare.

Le soleil se levait et les nains avaient fait marcher leurs prisonniers toute la nuit. Ithan'ak avait cru comprendre que la forteresse des nains n'était plus très loin. S'il n'avait pas eu à supporter les jacasseries d'un nain qui se plaisait à lui expliquer tout ce qui se passait, il aurait pu imaginer un moyen pour se sortir de cette impasse.

— Nous étions depuis quelques jours à la recherche d'un groupe d'hommes repéré par nos éclaireurs, racontait-il gaiement. Au moins cent hommes, d'après ce qu'on m'a dit. Mais ils se sont volatilisés comme par magie. Ils ont probablement eux peur de nous. J'aurais bien aimé pouvoir en tuer quelques-uns. J'espère que l'on m'accordera de vous couper la tête.

Le nain énonçait ce dernier propos tout naturellement, comme s'il s'adressait à un ami. De son côté, le warrak trouvait l'idée un peu moins drôle. Après des heures de marche et d'histoires plus assommantes les unes que les autres, ils arrivèrent devant une muraille si imposante qu'Ithan'ak et Vonth'ak étaient dans l'impossibilité d'en évaluer la hauteur. Plus étrange encore, il n'y avait aucune porte. Sweag, le « nouvel ami » d'Ithan'ak, s'aperçut que les warraks cherchaient où se trouvait l'entrée. Heureux de pouvoir partager ce qu'il appelait « sa science », il se fit un devoir de tout expliquer en détail.

— Les portes sont beaucoup trop faciles à enfoncer, dit le nain. Nous ne comprenons pas pourquoi les hommes construisent des ouvertures qui donnent accès à leurs cités. Est-ce qu'ils tiennent à ce qu'elles soient prises si facilement ? Nous, les nains, ne construisons jamais d'entrée située près du sol.

— Comment faites-vous pour entrer ? se surpris à demander Ithan'ak.

Cette fois-ci, il était vraiment intéressé par ce que le nain lui racontait.

— Par un tunnel, répondit Sweag, très heureux que son prisonnier lui pose cette question. C'est un tunnel situé très haut sur la paroi. Il faut une échelle de corde vraiment longue pour y accéder. Nous allumons un feu, puis nous faisons des signaux de fumée à l'aide de branches de sapin. C'est un code secret affreusement compliqué. Il faut au moins deux heures pour le faire. Il arrive que celui qui le fait se trompe et nous devons recommencer du début. Nous avons déjà dû attendre plus de deux jours avant d'être autorisé à entrer.

— Qu'arrive-t-il quand vous réussissez les signaux correctement ? demanda Ithan'ak.

Il était impatient de savoir de quelle manière ils atteindraient ce tunnel. Plus tôt il le saurait, plus tôt il pourrait imaginer une stratégie d'évasion.

— Quand le gardien du tunnel décode les bons signaux, il envoie l'échelle qui nous permet de monter le long de la muraille.

— Si vous voulez mon avis, commenta Ithan'ak, c'est un procédé vraiment stupide.

Sweag fut très offensé par cette remarque, si bien qu'il décida de quitter son prisonnier et de ne plus lui accorder l'enseignement de « sa science ». C'était le résultat recherché par le warrak. Il pouvait à présent imaginer un plan d'évasion en toute tranquillité. Une chose était certaine : une fois entré dans la forteresse, il serait impossible d'en sortir. Il fallait donc trouver quelque chose avant que les signaux ne soient terminés. Ithan'ak était très fatigué et n'arrivait plus à avoir les idées claires. La seule idée qui lui était venue était d'attendre que la majorité des nains soient suspendus à l'échelle de corde et d'attaquer ceux qui resteraient au sol.

Plus de deux heures s'écoulèrent avant qu'il puisse passer à l'action. Plusieurs nains avaient commencé à grimper à l'échelle et Ithan'ak savait qu'il lui fallait agir très rapidement. La première chose à faire était de dénouer ses liens et ceux de Vonth'ak. Le temps jouait contre lui. Presque toute la troupe avait commencé à escalader la paroi. Seule une dizaine de nains gardaient toujours les prisonniers. L'un d'eux détacha les mains de Vonth'ak afin que ce dernier puisse grimper à son tour. C'était l'occasion qu'Ithan'ak attendait. Une fois les mains déliées, il comptait se débarrasser des nains par tous les moyens possibles. À dix contre deux, ce n'était pas gagné d'avance. Il fallait tout de même tenter le coup.

Sweag, qui n'avait toujours pas renoncé à l'idée de couper la tête de son prisonnier, s'approcha de lui et le poussa vers la corde.

— Je vais te détacher pour que tu puisses grimper, dit sévèrement le nain. Ne tente surtout pas de t'enfuir ou je te plante ma hache dans la tête. Est-ce que c'est bien compris ?

Il s'apprêtait à couper les liens d'Ithan'ak quand un sifflement aigu se fit entendre au-dessus de leurs têtes. L'instant d'après, un corps inerte vint s'écraser aux pieds du warrak, transpercé par une flèche. Des cris de guerre se firent entendre dans l'obscurité et plus d'une centaine d'hommes apparurent en bordure de la forêt.

Chapitre 4

L'un après l'autre, les nains étaient abattus par les hommes. En quelques minutes, presque toute la troupe avait été décimée. Seuls ceux qui n'avaient pas quitté le sol étaient encore en vie. Acculés contre un mur, ils n'avaient aucune chance de se défiler.

Les flèches cessèrent de pleuvoir et une vingtaine de cavaliers foncèrent en direction des survivants.

— Sweag, vous devez couper mes liens, ordonna Ithan'ak. Je vais combattre à vos côtés.

— Non ! répondit le petit guerrier. Tu es mon prisonnier et tu ne dois pas t'enfuir.

— Vous êtes tous fous ! rugit Ithan'ak.

Il ne supportait pas l'idée d'être tué sans avoir la possibilité de se défendre.

— Je te conseille de cesser de remuer, si tu ne veux pas que je te coupe un doigt en même temps que la corde, dit une voix familière.

Dans la confusion, Vonth'ak avait réussi à récupérer une hache et à se faufiler jusqu'à Ithan'ak. Il venait tout juste de libérer les mains de son compagnon lorsqu'une lame lui transperça la poitrine. Comme paralysé, il regarda dans le vide un moment, puis s'effondra sur le sol.

Courroucé par la mort qui venait de prendre son camarade, le jeune chef arracha la hache des mains de Vonth'ak et attaqua son agresseur. D'un seul coup, il désarçonna l'homme, qui alla s'écraser la tête contre une grosse pierre.

Autour d'Ithan'ak, la bataille faisait rage et les nains faiblissaient rapidement. En nombre inférieur, ils n'avaient aucune chance de repousser leurs agresseurs.

L'un des cavaliers, resté un peu à l'écart, regardait la scène avec satisfaction. Contrairement à ses compagnons d'armes, son casque était orné d'une longue plume argentée, signe qu'il s'agissait certainement du chef. Son armure était identique au reste de la cavalerie, toute blanche et parée de bordures argentées.

La bataille aurait dû être réglée rapidement, mais quelques cavaliers éprouvaient des difficultés avec un nain particulièrement coriace. Trois d'entre eux avaient déjà péri de sa main. L'homme à la plume argentée s'avança afin de voir qui tenait ainsi ses hommes en échec. À sa grande surprise, il ne s'agissait pas d'un nain, mais plutôt d'un warrak qui avait probablement été leur prisonnier quelques minutes auparavant.

— Warrak ! Pourquoi défends-tu les nains qui t'ont fait prisonnier ?

En entendant ces mots, les hommes cessèrent de combattre pour laisser place à leur chef. Ithan'ak profita de ce moment de répit pour reprendre son souffle et faire le point sur ce qui se passait autour de lui. Les nains étaient tous morts, sans aucune exception. Vonth'ak avait été massacré. Seul contre toute une cavalerie, le jeune chef ne tarderait pas à le rejoindre dans la mort.

— Pourquoi les défends-tu alors qu'ils t'auraient probablement tué ? demanda de nouveau l'homme qui se trouvait devant Ithan'ak.

— Je ne défends pas les nains, répondit le warrak toujours haletant. Je défends l'honneur de mon peuple en combattant les hommes qui veulent nous asservir.

— Quel est ton nom ? demanda l'homme avec sévérité.

— Ithan'ak, répondit fièrement le warrak. Qui êtes-vous et pour quelle raison nous avez-vous attaqués ?

— Je m'appelle Toran, répondit l'homme du haut de son cheval. Je suis le capitaine des cavaliers de la plume argentée. Je ne sais pas depuis combien de temps vous avez quitté la pointe d'Antos, mais vous devriez savoir que les hommes sont depuis longtemps en guerre contre les nains.

— Et je suppose que c'est au nom du roi Limius que vous menez cette campagne, répliqua Ithan'ak sur un ton de défi.

L'homme resta figé un instant, puis se mit à rire aux éclats.

— Je ne ferai jamais la guerre au nom d'un autre que moi, dit-il en essayant de reprendre son sérieux. Je suis avant tout un mercenaire et la seule cause que je sers est ma propre richesse. Les troupes de Kalamdir ont du mal à faire face à tous leurs ennemis et le roi est prêt à récompenser très généreusement les soldats qui se mettent à son service. Regarde tous ces nains étendus autour de toi. Combien de rîns crois-tu qu'ils dissimulent dans leurs petites poches crasseuses ? Certainement assez pour assurer notre confort à tous pendant au moins trois mois. La guerre est faite pour ceux qui ont le pouvoir de la dominer et d'en tirer profit.

— Ce n'est pas un chef qui reste à l'écart durant la bataille qui va m'enseigner quoi que ce soit sur la guerre, cracha Ithan'ak, dégoûté. J'en ai assez entendu. Vous pouvez me tuer. Je suis prêt à prendre ma place aux côtés de Kumlaïd.

— Je crains que tu doives attendre encore un peu avant d'aller rejoindre le dieu de la guerre. Contrairement aux nains, tu vaux beaucoup plus cher si je te garde en vie.

Toran fit signe à ses soldats de ligoter le warrak et d'achever de dépouiller les nains. Trois d'entre eux enfermèrent Ithan'ak dans l'une de leurs prisons sur roues. Cette fois-ci, il n'avait plus aucune chance de s'évader. Et même s'il y parvenait, à pied, il ne pourrait se rendre bien loin avant d'être rattrapé.

La caravane était sur le point de se mettre en route quand un cavalier arriva avec un autre prisonnier.

— Tu es chanceux, dit-il en s'adressant au jeune chef. Tu ne seras pas piégé tout seul en compagnie du keenox ; il y aurait de quoi devenir fou.

L'homme poussa Vonth'ak dans la petite prison et s'empressa de refermer la porte derrière lui. Après avoir vu Ithan'ak combattre plus de cinq hommes en même temps, il préférait prendre ses précautions.

Le son d'une corne se fit entendre et les chariots se mirent finalement à avancer.

Ithan'ak n'arrivait pas à croire ce qu'il voyait. Plus d'une fois Vonth'ak l'avait surpris par sa force et sa robustesse, mais cette fois-ci dépassait toutes les autres. Comment avait-il pu survivre à ce coup qui aurait dû lui être fatal ? Décidément, il était beaucoup plus fort qu'il n'en avait l'air.

— Votre ami semble être vraiment mal en point. Croyez-vous qu'il passera la nuit ?

La petite voix aiguë provenait d'une créature assise dans un coin du chariot.

— Je suis un keenox, continua l'espèce de petit rongeur, sans laisser le temps à Ithan'ak de prendre la parole. Saviez-vous qu'il n'y a presque plus de keenox vivants sur le continent d'Anosios ? Je suis peut-être même le dernier. Vous devez être très fier d'avoir l'occasion de me rencontrer. De quelle race êtes-vous exactement ?

— Je suis un...

— Est-ce les gens comme vous que l'on appelle des hylianns ? continua le keenox, sans laisser le temps à Ithan'ak de terminer sa phrase. Je crois que c'est mon jour de chance. J'ai été capturé en compagnie de deux hylianns. Nous pourrions devenir amis, qu'en dites-vous ? J'ai entendu dire qu'Ackémios, l'hyliann d'or, habitait dans la forêt de Lelmüd. Est-ce que vous m'y emmènerez ? J'aimerais beaucoup le rencontrer. Il paraît que c'est le plus vieux des hylianns. Peut-être la personne la plus vieille sur Nürma, la terre bienfaitrice. Je pourrais lui faire goûter mes tartes au gingembre. Il ne pourrait pas y résister. Nous, les keenox, sommes de très grands cuisiniers.

— Tais-toi ! hurla Ithan'ak, faisant sursauter la petite créature. Je ne suis pas un hyliann et je n'ai jamais entendu parler de cet Ackémios. Je suis un warrak et...

— Je vois ! s'exclama le keenox. Je comprends maintenant pourquoi je n'avais jamais vu l'un de vos semblables auparavant. Il paraît que vous vous êtes exilés sur la pointe d'Antos depuis plusieurs années. Entre nous, ce n'est pas l'endroit que j'aurais choisi. Il y fait très froid, à ce qu'on raconte. Si vous voulez mon avis, je serais plutôt allé vers le sud. D'ailleurs, je m'y suis déjà rendu. Avec quelques amis, nous sommes allés dans le désert pour prendre des vacances. C'est un endroit très très loin d'ici. Beaucoup plus loin que la cité d'Ymirion.

— Tu aurais dû y rester, le coupa Ithan'ak, exaspéré.

— C'était mon intention, continua le keenox d'un ton enjoué. Malheureusement, mes amis sont morts de soif parce qu'ils s'étaient perdus en jouant à cache-cache. C'est très difficile de se cacher dans le désert. Il faut parcourir d'énormes distances pour être certain de ne pas être trouvé. J'ai passé quelques jours à les chercher avant de décider de partir. Je commençais à m'ennuyer tout seul là-bas. Les keenox ne supportent pas d'être seuls. Nous aimons beaucoup la compagnie, surtout celle des autres races.

Voyant qu'il perdait peu à peu l'attention de son auditeur, le keenox tenta une nouvelle approche.

— Je peux guérir votre ami, annonça-t-il, espérant susciter une nouvelle vague d'intérêt.

Pour la première fois, Ithan'ak prit le temps d'examiner le rongeur, qui ne pouvait pas s'arrêter de parler. Il avait déjà rencontré des individus de cette race auparavant, mais cela remontait à si loin qu'il avait presque oublié à quoi ils ressemblaient. Un long museau, de grands yeux globuleux, des petites pattes rachitiques et des oreilles pointues. La créature qui se trouvait devant le warrak ressemblait à un écureuil géant qui aurait grandi trop vite.

— Je suis très grand pour un keenox, intervint le rongeur en voyant qu'Ithan'ak s'intéressait à lui. Presque aussi grand qu'un nain. Mes amis étaient tous jaloux de moi, mais ça ne m'est jamais monté à la tête. Bien qu'une fois ils...

— Tu dis que tu peux guérir mon compagnon, coupa Ithan'ak en continuant d'examiner la petite créature.

— Certainement, répliqua le keenox avec fierté. Je suis un champion de la guérison. Une fois, durant un de mes voyages, j'ai rencontré...

— Pourrais-tu le faire tout de suite ? demanda rapidement Ithan'ak, craignant que le keenox ne cesse jamais de parler.

— Vous avez raison, approuva le rongeur. Il vaudrait mieux pour lui qu'il puisse entendre tout ce que j'ai à raconter. Autrement, il serait probablement très déçu.

Le keenox sortit de sa poche un petit sac d'herbes dont il appliqua le contenu sur la blessure de Vonth'ak. Il expliqua à Ithan'ak que les cavaliers ne le lui avaient pas confisqué parce qu'ils ne s'intéressaient qu'à ce qui avait une valeur marchande.

Quelques jours passèrent avant que Vonth'ak reprenne finalement connaissance. Deux grands yeux globuleux étaient penchés sur lui, l'examinant avec la plus grande attention. De son côté, Ithan'ak dormait, les mains collées sur ses oreilles. C'était la seule façon de trouver le sommeil en compagnie d'un keenox. Malgré tout, une petite voix aiguë réussit à pénétrer dans ses rêves.

— Ithan'ak ! Ithan'ak ! Il est réveillé. C'est moi qui l'ai sauvé. Tu dois admettre que je suis un champion de la guérison. Réveille-toi, Ithan'ak ! Viens voir, il est réveillé.

Tout en crachant un énorme bâillement, le warrak y alla d'un regard circulaire autour de lui. Vonth'ak était toujours étendu dans le chariot, mais ses yeux étaient ouverts.

— Je ne croyais plus que tu ouvrirais les yeux de nouveau ! s'exclama Ithan'ak. C'est incroyable ! Le keenox a réussi.

— Quoi ? demanda Vonth'ak un peu confus. Un keenox ? Il y a un keenox ici ?

— En fait, je m'appelle Skeip, dit la petite voix qui avait réveillé Ithan'ak. Ça veut dire « le petit qui est presque grand ». C'est moi qui me suis appelé comme ça quand j'ai eu dix ans. J'étais déjà très grand à cet âge pour un keenox, bien sûr.

Vonth'ak, toujours confus, tournait la tête dans tous les sens.

— Quel est votre nom ? demanda le keenox, décidé à ne laisser aucun répit à son nouvel ami. Ithan'ak ne me l'a toujours pas révélé.

— Je suis Vonth'ak, répondit le warrak, dépassé par les événements.

— Comme c'est étrange, s'étonna Skeip. Votre nom se termine exactement comme celui d'Ithan'ak.

— C'est en l'honneur du premier warrak, expliqua le jeune chef. Le nom de ce légendaire guerrier était Akum. Depuis toujours, lorsqu'un warrak accomplit avec succès les rites de passage pour devenir un véritable guerrier, il devient digne de porter les deux premières lettres de notre ancêtre à tous.

— C'est très intéressant, s'enthousiasma Skeip. Peut-être que mes descendants voudront faire la même chose.

— Nous verrons cela une autre fois, lui dit Ithan'ak. Pour l'instant, nous devons trouver un moyen de nous enfuir.

— Qui sont ces hommes qui nous ont attaqués ? s'enquit Vonth'ak.

— Je peux vous le dire, lança Skeip, ravi de pouvoir répondre à la question. Ce sont les cavaliers de la plume argentée. Il paraît qu'il fut un temps où ils étaient au service de la justice. À présent, ce sont des mercenaires. La plupart du temps, ils travaillent à la solde de Kalamdir. Je trouve ça un peu bizarre, car leur chef, Toran, ne semble pas du tout aimer le roi Limius.

— Où crois-tu qu'ils nous emmènent ? demanda Ithan'ak, se surprenant à écouter ce que le keenox racontait.

— Semble-t-il que les warraks se regroupent près du lac Hymrid, répondit Skeip. Je crois que Toran et ses cavaliers sont payés pour barrer la route menant au lac. Quand ils auront assez de prisonniers, ils vous emmèneront à un avant-poste de Kalamdir pour vous vendre. Par contre, j'ignore ce que les Kalamdiens feront de vous.

— Et toi, pour quelle raison t'ont-ils fait prisonnier ? interrogea Ithan'ak.

— C'est une question très bizarre, répondit Skeip. La réponse est pourtant simple. Tout le monde aimerait avoir l'occasion de faire la conversation avec un keenox. Nous sommes une race très sociable.

— Il faut nous enfuir, intervint Vonth'ak. Si nous ne le faisons pas maintenant, nous n'aurons aucune chance de réussir une fois entre les mains des Kalamdiens.

— Je suis d'accord, acquiesça Ithan'ak, mais attendons quelques jours pour que tu sois totalement rétabli. D'ici là, j'aurai élaboré un plan.

Une semaine s'était écoulée depuis leur capture, mais les warraks ne s'étaient toujours pas habitués à la vue des plaines verdoyantes des terres d'Anosios. En temps normal, Ithan'ak aurait débordé de joie devant ce paysage, mais son esprit était occupé ailleurs. En bon stratège, il évaluait les forces et les faiblesses de ses ennemis. Selon lui, les cavaliers pouvaient parcourir d'énormes distances en une seule journée, mais les chariots leur faisaient perdre beaucoup de temps. Peut-être était-ce leur point faible à exploiter.

À l'aube de leur treizième jour de captivité, les warraks remarquèrent qu'ils avaient changé de direction. Curieux de connaître la raison de ce changement, ils se tournèrent vers leur nouvel ami. Toujours heureux qu'on s'intéresse à lui, Skeip tenta de répondre à leur question du mieux qu'il le pouvait. Malheureusement, les warraks se rendirent rapidement compte que le keenox n'avait pas la moindre idée de ce qui se passait. Incapable de demeurer dans l'ignorance plus longtemps, Ithan'ak chercha une autre façon de s'informer.

Trois jours plus tôt, un homme avait demandé audience auprès de Toran. Le nouveau venu disait avoir longtemps appartenu à un groupe de pirates qui naviguaient sur la mer Mysianne et vouloir à présent s'engager comme mercenaire. Ses multiples cicatrices et son œil manquant prouvaient qu'il s'agissait bien d'un guerrier accompli. Toran, répugné par le handicap du pirate, lui avait confié la pénible tâche de s'occuper des prisonniers. Comme leur gardien ne faisait pas partie des cavaliers depuis très longtemps, Ithan'ak espérait qu'il serait plus docile que son prédécesseur.

— Pssst, siffla le jeune chef qui tentait d'attirer l'attention. Viens par ici, j'ai besoin de te parler.

— Reste tranquille, grogna l'homme, qui n'avait pas l'intention d'engager la conversation.

— Nous voulons simplement te poser une question, renchérit Vonth'ak.

Cette fois, le cavalier ne prit même pas la peine de répondre.

— Vous ne savez pas vous y prendre, dit Skeip en se bombant le torse. Laissez-moi vous faire une démonstration.

Le keenox s'approcha des barreaux et feignit de fondre sous la chaleur, jusqu'à ce que l'attention de l'homme borgne se pose sur lui. Ce n'était bien sûr qu'un prétexte pour engager la conversation.

— Ne trouvez-vous pas qu'il fait très chaud aujourd'hui ? commença-t-il. Cette lourde cuirasse que vous devez porter paraît être d'une chaleur étouffante. Je crois que vous êtes nouveau dans les cavaliers de la plume argentée. Vous êtes là depuis cinq jours, n'est-ce pas ?

— Non, seulement trois, répondit le pirate qui s'approcha du keenox en souriant.

Les deux warraks n'arrivaient pas à croire ce qu'ils voyaient. Décidément, lorsqu'un keenox voulait qu'on lui porte attention, on n'avait pas d'autre choix.

— Et toi, demanda l'homme, tu es bien un keenox ?

— Peut-être même le dernier, répondit fièrement Skeip. Vous avez beaucoup de chance d'avoir été désigné pour être mon geôlier. Je me demande d'ailleurs combien de temps le voyage durera. Je me suis fait de nouveaux amis, mais ils ne sont pas très bavards. Ce matin, j'ai eu l'impression que nous avions changé de direction. Mais comme vous ne faites pas partie des cavaliers depuis très longtemps, vous n'êtes probablement pas au courant de l'endroit où nous allons.

— Tu me mets au défi, répliqua l'homme en réprimant un sourire. Il avait compris le stratagème du keenox. Je constate que tu es curieux, alors je vais te le dire. Nous traversons cette plaine pour aller rejoindre le reste de nos troupes.

— Vous êtes encore plus nombreux, s'étonna Ithan'ak, qui suivait la conversation avec intérêt.

— Beaucoup plus nombreux, répondit l'homme sans s'intéresser au warrak. Je m'appelle Simcha, dit-il en présentant sa main au rongeur à travers les barreaux.

— Je suis Skeip, dit le keenox en empoignant la main de l'homme avec sa petite patte.

— Je suis très heureux d'avoir fait ta connaissance, dit l'homme en s'éloignant. Peut-être aurons-nous la chance de continuer cette discussion une autre fois.

Du fait de la scène qui venait de se dérouler devant lui, Ithan'ak commençait à faire germer un plan dans sa tête. Chose certaine, le keenox avait réussi à gagner les faveurs de cet homme ; c'était un bon début.

« Ces cavaliers sont des mercenaires, pensa le jeune chef. Seule la promesse d'un généreux butin pourrait convaincre l'un d'eux de nous prêter main-forte. Le problème est que nous n'en avons pas. »

La pluie commença à tomber, ce qui déprima Ithan'ak, qui renonça à trouver un moyen de s'enfuir. Les heures passaient et les chariots s'enlisaient fréquemment dans le sol boueux. Malgré l'eau et le froid, les trois compagnons avaient réussi à s'endormir. Ce n'est que tard dans la nuit qu'ils furent réveillés par le son d'une corne qui retentissait au loin. La brume était trop épaisse pour qu'ils puissent y voir quelque chose, mais ils pouvaient entendre le claquement de centaines de sabots qui résonnaient sur le sol. Au bout de quelques minutes d'attente, ils purent enfin distinguer des lumières qui se dirigeaient vers eux. Leurs oreilles ne les avaient pas trompés. D'innombrables cavaliers défilaient en rangs serrés, vêtus de la même tunique blanche et argentée. Ithan'ak ne s'était pas douté que Toran avait autant de soldats à sa solde. À première vue, le warrak estimait qu'environ mille cavaliers avaient rejoint le convoi. Bien organisé, chacun d'eux s'empressait d'accomplir ses tâches avant de reprendre la route. Les capitaines faisaient leur rapport à leur chef, alors que leurs hommes dressaient l'inventaire des provisions, de l'armement et, bien sûr, des richesses qu'ils avaient amassées. En moins d'une heure, ils étaient déjà prêts à repartir. Plusieurs chariots de prisonniers s'étaient ajoutés au convoi. Skeip, toujours heureux de faire de nouvelles connaissances, se présentait à ses nouveaux voisins lorsqu'un garde lui assena un solide coup de bâton sur les doigts.

— La prochaine fois que je t'entends parler, c'est la tête que tu perdras, sale monstre.

Sans demander son reste, le keenox se blottit dans un coin du chariot comme un animal venant d'être puni. Simcha, qui n'avait rien manqué de l'attaque, s'approcha silencieusement du keenox et lui glissa quelques mots à l'oreille.

— Ne t'en fais pas, petit. Ces hommes ne t'embêteront pas très longtemps. Dès que nous serons au centre du convoi, je serai de nouveau seul en charge des prisonniers. Fais-moi confiance, tu n'auras plus rien à craindre.

Voyant que Skeip refusait d'engager la conversation, ce qui tenait presque du surnaturel, Simcha s'éloigna aussi doucement qu'il était venu.

Ithan'ak commençait à croire qu'il y avait de réelles chances de soudoyer ce cavalier. En effet, ce dernier n'avait pas adopté le même code de conduite que ses semblables. Mais pour l'instant, mieux valait laisser le temps à l'ennemi de baisser sa garde. Usant de toute sa patience, ce n'est que trois nuits plus tard que le jeune chef décida enfin de confier ses pensées à Vonth'ak. À sa grande surprise, son compagnon avait tracé le même dessein que lui. S'entendant sur le fait qu'ils allaient tenter de soudoyer Simcha, les warraks n'avaient plus qu'une seule chose à régler : trouver de quoi le payer. Malheureusement, les deux compagnons ne possédaient plus rien, sinon les vêtements qu'ils avaient sur le corps. Vonth'ak proposa d'éveiller le pirate qui sommeillait en la personne de Simcha avec la promesse d'une énorme rançon, idée qui fut rapidement rejetée. Comme le faisait si justement remarquer Ithan'ak, aucun homme ne risquerait sa vie sans avoir une solide garantie d'être payé en retour.

Toutes les stratégies que les deux compagnons imaginaient ne semblaient pouvoir fonctionner. En désespoir de cause, ils prirent finalement conseil auprès de la petite créature qui partageait leur sort. Skeip, ravi qu'on reconnaisse enfin son génie, se dépêcha de trouver une solution. Il glissa sa petite tête de rongeur entre deux barreaux pour s'adresser à un prisonnier qui se trouvait dans le chariot suivant. Les warraks ne comprenaient rien à la langue dans laquelle le keenox discutait, mais son interlocuteur semblait, quant à lui, très à l'aise. Au bout de quelques minutes, la petite créature annonça fièrement à ses deux nouveaux amis qu'elle avait conclu une entente avec leurs voisins.

« Décidément, cette petite bête a davantage de ressources qu'il n'y paraît », se dit le jeune chef.

— Dans quelle langue parlais-tu à ces hommes ? s'enquit Vonth'ak auprès du keenox.

— Ce ne sont pas des hommes, mais des hylianns, répondit le rongeur en se donnant un air savant. Nous discutions en utilisant le dialecte de leur race, mais ils m'ont dit connaître le langage qu'utilisent les autres peuples d'Anosios. De plus, j'ai appris qu'ils possèdent des dons que nous ne possédons pas... comme celui de dissimuler des choses aux yeux trop gourmands.

— Pourrais-tu t'expliquer plus clairement ? s'impatienta Ithan'ak.

— Je voulais simplement dire qu'ils ont toujours leurs bourses dissimulées sous leurs vêtements et qu'elles contiennent assez de pièces pour soudoyer une armée au grand complet, se défendit le keenox. Tout ce qu'ils demandent en échange est de convaincre le garde de les libérer avec nous.

Ithan'ak s'était attendu à cette requête, mais demander à Simcha de libérer autant de prisonniers devenait très risqué. Vonth'ak, qui avait remarqué le changement d'humeur sur le visage du jeune chef, tenta de le convaincre en lui rappelant qu'il n'y avait aucune autre solution. Ithan'ak capitula aux arguments de Vonth'ak et décida de se concentrer sur ses nouveaux alliés. Il avait été si occupé à échafauder un plan d'évasion qu'il n'avait même pas remarqué que leurs voisins étaient des hyliann. Ces êtres ressemblaient beaucoup aux hommes, qui étaient en quelque sorte leurs cousins. En effet, ces deux races étaient issues d'une seule et même espèce, qui avait un jour cessé d'exister pour donner naissance à deux groupes d'individus bien distincts. Curieusement, l'évolution avait accordé aux hyliann une longévité incroyable. À moins que ce soit les hommes qui aient été privés de cette faveur des dieux.

À présent qu'il y portait plus attention, Ithan'ak remarquait les fines lèvres des hyliann, leurs cheveux lisses comme la soie, ainsi que leur teint pâle et argenté. Détail plus frappant encore, leurs pupilles formaient un croissant de lune dans lequel se reflétait la lumière. Après toutes ces années passées en exil, le warrak avait oublié à quel point ces êtres étaient étranges et mystérieux. Ils avaient le visage d'une jeunesse éternelle, que trahissaient pourtant les traits d'une grande sagesse acquise au cours des années. Sur cette réflexion, le jeune chef s'étendit sur le dos pour prendre un peu de repos.

Le soir venu, il était temps pour Skeip de s'acquitter de sa mission. Lorsque Simcha vint pour servir aux prisonniers leur maigre ration de porc salé, le keenox en profita pour engager la conversation avec lui.

— Est-ce seulement pour la richesse que vous êtes au service de Toran ? demanda le rongeur. J'espère qu'ils vous payent bien, parce que leur nourriture n'est pas très savoureuse.

— Le magot est tout ce qui m'intéresse, répondit calmement le pirate.

Il n'en fallait pas plus à Skeip pour passer à l'abordage. Sans plus attendre, il exposa le plan d'évasion concocté par Ithan'ak, sans oublier de faire miroiter la somme importante qui reviendrait à celui qui aiderait les prisonniers à s'enfuir. Craignant que Simcha décide de fouiller les hylianns pour s'emparer du butin, le keenox l'avertit que, dans un tel cas, il en informerait les autres cavaliers. Simcha ne pouvait donc pas s'approprier les bourses sans devoir les partager avec le reste de ses compatriotes.

Ithan'ak observait silencieusement la scène, guettant les moindres réactions de l'homme borgne. Ce dernier semblait vouloir aider le keenox à s'enfuir, mais dédaignait d'avoir à emmener les deux warraks et les trois hylianns. Heureusement, il était clair que Skeip ne partirait jamais sans eux. Simcha demanda une journée pour réfléchir à la proposition, puis s'éloigna dans la nuit.

Le lendemain, il agissait comme si rien ne s'était passé. Accomplissant ses tâches quotidiennes, il ne portait aucune attention aux six prisonniers qui l'observaient anxieusement. Ithan'ak n'avait pu fermer l'œil de la nuit et commençait à avoir les nerfs à vif.

— Il n'a pas encore alerté son chef, glissa Vonth'ak pour faire diminuer la tension. Ce ne peut être qu'un bon signe.

L'intervention de son compagnon ne rassura que partiellement Ithan'ak. Il craignait d'avoir fait un mauvais choix en tentant de soudoyer un ancien pirate.

La journée mit du temps à prendre fin sous un soleil brûlant et une chaleur peu commune aux warraks accoutumés au froid. La soirée était déjà très avancée lorsque le convoi s'arrêta enfin et que les cavaliers établirent un camp pour la nuit. Exténués après cette longue chevauchée, tous s'endormirent rapidement.

Trois heures s'étaient déjà écoulées depuis qu'ils s'étaient arrêtés et Simcha ne se montrait toujours pas. Peut-être avait-il décidé de prendre davantage de temps pour réfléchir à l'offre que lui faisaient les prisonniers ?

L'interminable attente finit par avoir raison d'Ithan'ak qui s'endormit comme ses compagnons. Il était si fatigué que même les cliquetis du cadenas et le grincement de la porte rouillée ne suffirent pas à le réveiller.

CHAPITRE 5

— Faites vite, intima Simcha, qui réveillait les prisonniers un à un. Des gardes patrouillent autour du campement et ils seront bientôt de retour dans ce secteur.

En tâchant de faire le moins de bruit possible, le keenox et les deux warraks se levèrent et sautèrent du chariot. Ils prirent quelques secondes pour s'étirer, contents d'être libres de nouveau, pour l'instant du moins.

— Voici vos armes, chuchota le pirate. J'ai eu un mal fou à les récupérer, mais nous ne pouvions risquer une évasion sans avoir de quoi se défendre. Suivez-moi à présent.

— Non ! s'écria Skeip, faisant sursauter l'homme et les deux warraks.

Ithan'ak épia immédiatement les environs pour s'assurer que personne n'avait été alerté par l'insupportable rongeur.

— Il n'est pas question de partir sans les hyliann, continua le keenox, furieux. De toute façon, dit-il en s'adressant à Simcha, vous semblez oublier que ce sont eux qui ont de quoi vous payer.

— Fais ce que demande le keenox, supplia Vonth'ak. S'il continue comme ça, je ne donne pas cher de notre peau.

Simcha semblait être du même avis, car il ne discuta pas plus longtemps et libéra les hyliann.

— Nous ne disposons pas de beaucoup de temps, expliqua-t-il ensuite aux six prisonniers qu'il venait de libérer. Nous allons quitter le camp et nous diriger vers l'ouest. Si nous sommes chanceux, nous atteindrons un marécage avant l'aube. Quand nous serons rendus là, leurs chevaux ne pourront plus nous poursuivre.

— Nous devrions voler des montures, proposa l'un des hylianns. Nous serions tirés d'affaire bien avant qu'ils n'aient le temps de se rendre compte de notre disparition.

— Impossible, répliqua Simcha. J'ai déjà vérifié et les chevaux sont tous regroupés et bien gardés. Ces cavaliers tiennent plus à leurs montures qu'à tous leurs trésors réunis.

Le groupe de fugitifs réussit à quitter le camp sans aucun incident, si ce n'est qu'Ithan'ak dut ramener Skeip à l'ordre à quelques reprises. En effet, le keenox prenait cette promenade un peu trop à la légère.

Au bout de deux heures de marche intensive, une odeur fétide envahit l'air peu à peu, signe que le marécage n'était plus très loin.

— Faisons vite, recommanda Simcha. Ils sont probablement à nos trousses depuis un bon moment à présent.

En réponse à ces paroles, les fugitifs entendirent le claquement de sabots qui se rapprochaient au loin. Un groupe de trois cavaliers avait repéré la trace des fugitifs. La situation devenait précaire. Seuls Simcha et les deux warraks possédaient une arme. Le pirate n'avait pas récupéré celles des hylianns. Pour ce qui est du keenox, il était peu probable qu'il sache manier une arme, même s'il s'agissait d'un simple couteau.

— Nous devons les affronter, décida Ithan'ak. J'attaquerai le premier cavalier, et Simcha, le second. Vonth'ak s'occupera du troisième. Le premier coup que nous porterons aura pour but de les désarçonner. Une fois qu'ils seront à terre, les hylianns tenteront de faire diversion pour que nous puissions les achever rapidement.

— Je ne recevrai pas d'ordres de ta part, s'opposa Simcha.

— Tu feras ce que je te dis, tonna Ithan'ak, ou tu mourras de ma main. Est-ce bien compris ?

En voyant le regard rouge qui s'était dessiné dans les yeux du warrak, le pirate décida qu'il valait mieux lui obéir. Les hylianns firent de même et tous se mirent en position de combat.

— Tu as oublié de me confier un rôle, souligna Skeip en tirant sur le bras d'Ithan'ak.

— Reste à l'écart et essaie de ne pas tous nous faire tuer, grogna le jeune chef.

Confiant en son plan, Ithan'ak fonça sur le premier ennemi et assena un solide coup de glaive qui déchira le flanc droit de son cheval. L'animal se cabra et fit tomber son cavalier sur le sol. Vonth'ak et Simcha tentèrent d'imiter la manœuvre, mais leur tentative se traduisit par un échec. Voyant qu'ils n'arrivaient pas à désarçonner leurs agresseurs séparément, les deux combattants décidèrent de faire équipe et chargèrent chacun de leur côté sur le cheval le plus près. Effrayée, la bête s'excita et projeta son maître sur le sol. Simcha mit à mort le cavalier avant qu'il n'ait le temps de se relever. De son côté, Ithan'ak avait enlevé la vie à son adversaire et s'apprêtait à venir en aide à ses camarades. C'est alors qu'il vit Skeip qui tentait d'échapper à la lame du troisième cavalier qui n'avait pas quitté sa monture. Deux hylianns étaient déjà morts et le même sort attendait le keenox. Le jeune chef entreprit de se porter au secours du rongeur.

Comprenant que ses acolytes étaient morts et que ses chances de survie étaient nulles s'il continuait le combat, le dernier cavalier fit faire demi-tour à son cheval et s'enfuit sans demander son reste.

— Comment sont morts les deux hyliann ? demanda Vonth'ak.

— Je n'en sais rien, répondit Ithan'ak. Je crois qu'ils ont été tués lorsque vous avez entrepris de vous mettre à deux contre l'un des cavaliers. Celui que vous avez laissé filer a pu s'en prendre aux hyliann et au keenox sans essuyer la moindre résistance. Vous auriez dû vous en tenir au plan.

— Ce n'est pas leur faute, soupira l'hyliann toujours en vie. Ils ont fait de leur mieux pour nous protéger, mais nous n'avions pas d'armes. Nous savions qu'il serait risqué de s'enfuir, mais nous en avions accepté les conséquences. S'il faut faire des reproches à présent, adressez-les à Toran. C'est lui qui a envoyé ses hommes pour nous capturer. C'est lui qui a pris la vie de mes frères.

L'hyliann se tenait debout, courageux, des larmes argentées coulant le long de ses joues soyeuses. Il paraissait décidé à continuer son chemin, comme s'il avait accepté depuis longtemps la mort de ses compagnons.

— Tu sais que nous n'avons pas le temps de leur donner une sépulture ? s'enquit Ithan'ak.

— Ils n'en ont pas besoin, répondit l'hyliann, attristé. Nous devons partir. L'ennemi reviendra bientôt en force et il ne faut pas perdre de temps.

Sans poser de question, les fugitifs se remirent en route vers l'ouest. La longue nuit qu'ils venaient de traverser faisait peu à peu place au soleil. L'astre du jour révéla à l'horizon le marécage mentionné par Simcha, qu'ils s'empressèrent d'atteindre.

L'endroit ne s'avérerait pas très confortable, mais avec lui naissait l'espoir de semer Toran et ses hommes.

La nuit précédente, à la suite du combat contre les trois cavaliers, Ithan'ak avait pris soin d'emporter le sac de nourriture attaché au cheval qu'il avait entaillé de son glaive. Le jeune chef estima qu'il était temps de faire une pause pour reprendre des forces. Skeip se fit un plaisir de préparer un succulent repas que tous mangèrent sans dire un mot.

Tout en savourant les maigres vivres, Ithan'ak laissait vagabonder ses pensées. Il était étrange pour le warrak de se retrouver au milieu d'individus si distincts. Devant lui était assis Simcha, un homme qui avait trahi son nouveau chef pour venir en aide aux prisonniers qu'il était chargé de surveiller. Ithan'ak se rappela que cette aide avait un prix et que son bienfaiteur attendait sans doute la somme qui lui était due. Il ne fallait pas espérer autre chose de la part d'un ancien pirate. Si ce n'était de la récompense promise, le warrak ne lui aurait jamais fait confiance. Pourtant, cet homme dégageait un grand courage. Son œil borgne et sa longue chevelure noire donnaient à son visage une férocité peu commune.

À la gauche du jeune chef était assis Vonth'ak. Même si Ithan'ak ne le connaissait que depuis peu, il avait développé un profond attachement pour ce warrak. Sans doute parce que Vonth'ak lui avait sauvé la vie plus d'une fois depuis le début de leur périple. Un vrai guerrier ne prenait pas ce genre de geste à la légère. Ithan'ak saurait s'en souvenir en temps voulu.

À la gauche de Vonth'ak était assis un hyliann, dont Ithan'ak ne connaissait même pas le nom. Son visage révélait une profonde tristesse. Après ce qui était arrivé à ses camarades, le pauvre bougre livrait un combat de chaque instant pour ne pas fondre en larmes de nouveau.

La plus étonnante rencontre qu'Ithan'ak avait faite était celle de la petite créature nommée Skeip. En cet instant, ce dernier tentait de réconforter l'hyliann en lui donnant de petites tapes sur l'épaule. Par respect envers le chagrin de son nouvel ami, le rongeur avait réussi à tenir sa langue durant tout le repas. Cette prouesse ne pouvait plus continuer davantage.

— Pourquoi avez-vous dit que vos amis n'avaient pas besoin de sépultures ? demanda-t-il innocemment.

L'hyliann, qui ne s'attendait pas à cette question, eut du mal à retenir ses émotions. Ithan'ak intima l'ordre à Skeip de ne pas importuner leur compagnon plus longtemps.

— Peux-tu nous dire simplement ton nom ? demanda doucement Vonth'ak pour faire diminuer la tension.

— Je m'appelle Elwym, répondit l'hyliann, enfin prêt à communiquer. Vous devez comprendre que pour ceux de ma race la mort est très difficile à accepter. Puisque nous pouvons vivre des milliers d'années, le départ précipité d'un de nos proches nous touche bien plus que vous ne pouvez l'imaginer. Je pensais vivre une éternité aux côtés de mes frères et voilà qu'ils m'ont déjà quitté, sans pouvoir me dire au revoir.

— Cela n'explique pas pourquoi ils n'ont pas eu de sépultures, fit remarquer Skeip, qui s'attira un regard féroce de la part d'Ithan'ak.

Elwym comprit que le keenox ne s'arrêterait pas tant qu'il n'aurait pas sa réponse.

— Mes frères n'ont pas eu de sépulture parce que leurs corps ne sont pas destinés à entrer en contact avec l'âme de Nürma. Lorsque les hyliann meurent, leur dépouille disparaît avec le lever du jour. La nuit suivante, ils prennent leur place parmi les étoiles qui peuplent notre ciel. Ils deviennent les guides et les protecteurs de la nuit. C'est pourquoi je suis si triste ce soir. Je regarde le ciel en me demandant où sont mes frères et s'ils me voient de là-haut.

Skeip, ravi de cette nouvelle découverte, se demandait pour quelle raison le ciel était composé d'étoiles argentées et d'autres dorées. Il s'apprêtait à poser la question à Elwym lorsqu'il vit Ithan'ak lui jeter un regard sévère et menaçant. Le keenox comprit qu'il valait mieux laisser l'hyliann se reposer. Il poserait sa question lorsque le jeune chef serait de meilleure humeur.

Ithan'ak avait d'ailleurs de bonnes raisons d'être en mauvaises dispositions. Songeur, il observait Simcha terminer son repas. Le pirate n'avait pas encore revendiqué sa récompense. Il avait pourtant rempli sa part du marché et les hylianns avaient promis de le payer grassement.

« Peut-être a-t-il l'intention de nous tuer dans la nuit et de s'enfuir avec les pièces qu'il pourra trouver dans la tunique d'Elwym » pensa Ithan'ak.

Le jeune chef décida de ne pas courir ce risque et de récompenser immédiatement l'homme, même s'il fallait bousculer l'hyliann, qui avait déjà eu une rude journée.

— Simcha, tu as rempli ta part du marché et il te revient d'être payé, déclara-t-il.

Elwym comprit que le warrak l'incitait à récompenser le pirate pour son aide précieuse. Malheureusement, il n'arrivait plus à retrouver sa bourse. Peut-être l'avait-il perdue pendant la bataille ? De toute façon, il n'avait pas le choix. Il devait expliquer à l'homme qu'il n'avait plus de quoi le payer.

— Vous m'avez menti ! rugit le pirate. Je serai obligé de prendre de force ce qui me revient de droit.

Il se leva et agrippa Skeip par le cou.

— Cette créature vaut une fortune à elle seule, affirma Simcha. Les sintoriens, gardes personnels du roi, recherchent ce rongeur dans tout le continent d'Anosios. Le keenox sera ma récompense.

Elwym, qui refusait que Skeip se retrouve en mauvaise posture par sa faute, se dépêcha de trouver une solution. La meilleure idée qui lui vint fut de proposer autre chose à Simcha.

— Je peux payer bien au-delà de la prime que vous recevrez pour le keenox, lança-t-il. Tout ce que je vous demande, c'est d'aider les deux warraks à regagner les leurs et de nous escorter Skeip et moi jusqu'à la forêt de Lelmüd. Là-bas, vous recevrez autant de rîns que vous le désirez ; faites-moi confiance.

— Je vous ai fait confiance une fois, gronda Simcha, c'était une fois de trop.

Assurant sa prise sur Skeip, il tourna les talons pour prendre congé. À peine avait-il fait demi-tour qu'il sentit un métal froid se poser sur son cou.

— L'hyliann t'a proposé un marché honnête, l'avertit Ithan'ak. Relâche le keenox immédiatement. Je ne le répéterai pas deux fois, prévint le warrak d'un ton glacial. Fais ce qu'Elwym te demande et je te promets que tu seras payé beaucoup plus que tu n'oses l'espérer. La seconde option est la mort. À toi de choisir.

Skeip fut soulagé de sentir la prise sur son cou se relâcher, mais il n'en voulait pas à l'homme d'avoir été si dur avec lui. En fait, il était plutôt heureux d'apprendre qu'on était prêt à donner très cher pour profiter de sa compagnie.

— Je crois que vous avez eu raison d'accepter, dit le keenox en reprenant son souffle. Je sais bien que des gens importants souhaitent me côtoyer, mais je préfère pour l'instant rester avec mes nouveaux amis. J'espère que vous comprenez, monsieur le pirate.

Vonth'ak sourit en voyant Skeip presque heureux d'avoir été agressé.

— Décidément, rien ne peut briser le moral d'un keenox, dit Ithan'ak qui s'était fait la même réflexion.

Tous se mirent à rire, sauf le borgne, qui avait repris sa place près du feu. Ithan'ak se promit de garder un œil sur cet homme en qui il avait de moins en moins confiance.

Chapitre 6

Guidée par Simcha, la petite troupe nouvellement formée s'était mise en route vers le sud, en direction du lac Hymrid. D'après la rumeur, c'était l'endroit où les warraks se regroupaient en vue d'un soulèvement contre les troupes de Kalamdir. Puisque Toran ne savait pas que le roi Limius offrait une énorme prime pour la capture d'un keenox, Simcha avait bon espoir que les cavaliers de la plume argentée abandonnent leurs recherches. Malgré cela, il n'avait pas encore l'esprit tranquille.

— C'est une grave erreur de prendre ce keenox sous votre aile, déclara l'homme borgne à l'intention d'Ithan'ak. Les sintoriens sont à sa recherche. S'ils nous trouvent, croyez-moi, ils n'hésiteront pas à nous tuer.

— Tu as peur, se moqua le jeune chef. Est-ce là tout le courage que tu as acquis durant tes années en mer ? Je constate que les pirates n'ont pas plus de bravoure que d'honneur.

— Durant douze ans, j'ai combattu le royaume de Kalamdir, se défendit l'homme. Je me suis engagé dans la piraterie non pas pour m'enrichir, mais pour empêcher le roi Limius d'étendre sa domination sur tous les peuples d'Anosios. Il y a un an de cela, je fus capturé et torturé par les gardes personnels du roi, les sintoriens. Après trois ou quatre mois de captivité, j'ai finalement réussi à m'enfuir, en emportant avec moi un souvenir qui me suivra à jamais.

Tous comprirent que le pirate faisait allusion à l'œil qu'il avait perdu.

— À quoi ressemblent-ils ? demanda Skeip. Sont-ils nombreux ?

— Assez pour ne faire qu'une bouchée d'un petit rongeur comme toi, répliqua Simcha en souriant. Dès leur plus jeune âge, ils ont étudié l'art du combat et de la stratégie militaire auprès des plus grands maîtres. Ils ne connaissent rien d'autre. On leur a appris à n'avoir aucune compassion et à obéir aveuglément aux ordres. Ceux qui n'étaient pas assez forts ou trop rebelles ont été éliminés avant de devenir adultes. Les autres sont devenus de véritables machines de guerre. Vingt-cinq guerriers parfaits, invincibles.

— Ils ont certainement un point faible, objecta Vonth'ak. Autrement, vous n'auriez jamais pu vous échapper.

— J'ai eu de la chance, répondit simplement Simcha. Ces soldats sont sans pitié. La seule couleur qu'ils portent est le rouge. Si vous apercevez des cavaliers affichant cette couleur, ne serait-ce qu'un seul d'entre eux, je vous conseille de fuir plus rapidement que vous ne l'avez jamais fait. Il n'y a que la fuite qui pourra peut-être vous sauver.

— C'est fascinant, s'excita Skeip, qui ne semblait pas avoir mesuré l'ampleur du danger qu'on venait de lui décrire. J'aimerais avoir la chance d'en voir un de près.

— Peut-être auras-tu cette soi-disant chance, déclara Simcha, car c'est toi qu'ils recherchent. Ne l'oublie pas.

— Pourquoi lui ? s'enquit Ithan'ak. Il doit bien y avoir d'autres keenox sur le continent.

— S'ils étaient si aisés à trouver, expliqua Simcha, le roi Limius n'offrirait pas une si grosse prime pour en capturer un. En vérité, avant de rencontrer Skeip, je n'avais pas vu de keenox depuis plusieurs années.

Le rongeur eut une étincelle de joie en entendant l'homme l'appeler par son nom. Il ne comprenait pas pourquoi les gens le traitaient toujours de sale créature.

« Sûrement parce qu'ils n'arrivent pas à retenir mon nom », se convainquit le keenox.

— Pour ma part, je n'avais jamais rencontré de keenox avant, glissa timidement Elwym, qui n'avait encore rien dit de la journée.

Ses compagnons furent surpris par cette remarque de la part d'un hyliann. Ces individus pouvaient sillonner le monde pendant des milliers d'années. Comment était-il possible que celui-ci n'ait encore jamais vu un keenox ?

Elwym, comprenant l'interrogation qu'avait apportée sa remarque, expliqua la raison de son ignorance.

— Contrairement à ce que vous pensez, précisa-t-il, je ne suis pas très vieux. Bien que je sois un hyliann, je suis probablement le plus jeune d'entre vous. J'ai récemment atteint l'âge de vingt ans. C'est à cet âge que nous devenons de véritables adultes. Pour célébrer ma nouvelle condition, mes frères avaient décidé de m'emmener découvrir le monde. Comble de malchance, durant notre périple, le roi Limius a fait emprisonner l'ambassadrice de la forêt de Lelmüd. De ce fait, tous les hylianns qui se trouvaient dans le royaume de Kalamdir ont été mis aux arrêts.

Cette nouvelle assombrit le visage de Simcha, qui tenta de dissimuler son agacement. Elwym remarqua le changement d'humeur du pirate.

— Ne vous en faites pas pour votre récompense, le rassura l'hyliann. Le royaume d'Ackémios n'est pas encore sous la domination des hommes.

Les paroles d'Elwym mirent fin à la conversation et la journée passa sans qu'on reparle de la prime pour le keenox, des sintoriens ou de l'ambassadrice de Lelmüd. Ithan'ak, habitué à commander, trouva un endroit où s'arrêter pour la nuit. Il s'agissait d'un escarpement de rochers à l'abri des regards. Le warrak avait l'âme d'un chef et il n'avait pas l'intention de laisser le commandement à un homme en qui il n'avait pas entièrement confiance. Ce comportement déplut profondément à Simcha. En tant que guide de l'expédition, ce genre de décision lui revenait de droit. Il aurait voulu protester, mais le warrak n'était pas le type d'individu à s'en laisser imposer. Ithan'ak avait prouvé sa valeur au combat durant la nuit de l'évasion. Le pirate ignorait s'il était de taille à lutter contre un tel guerrier. Durant sa jeunesse, son père lui avait raconté plusieurs histoires à propos des warraks, mais jamais l'occasion de les vérifier ne s'était présentée.

— Plus jeune, dit Simcha en s'adressant à Ithan'ak, mon père me parlait fréquemment de votre peuple. Il disait qu'avant votre retraite sur la pointe d'Antos vous étiez de puissants guerriers. J'ai déjà pu voir par moi-même qu'il n'exagérait pas...

— Où veux-tu en venir ? demanda Ithan'ak.

— Si votre peuple était aussi fort qu'on le raconte, pour quelle raison avez-vous perdu la guerre contre Kalamdir ?

— En effet, admit Ithan'ak, nous nous sommes exilés sur la péninsule glacée pour assurer notre survie. Les hommes ont eu raison de nous une fois, mais nous sommes de retour.

— Et il semblerait que le roi Limius soit déterminé à terminer ce que son père avait commencé jadis, dit Simcha.

— Peut-être, répondit Ithan'ak, mais cette fois-ci nous serons mieux préparés. Nous avons perdu la première guerre parce que nous sommes un peuple de nomades. Contrairement aux hommes, les bâtiments ne sont pas le cœur de notre civilisation. Durant la dernière guerre, quand nous remportions une bataille, les hommes se regroupaient à l'abri dans leurs cités. Ils avaient un endroit qui les unissait et les préparait au prochain affrontement. Ce n'est pas leur valeur au combat qui nous a vaincus, mais la protection des bâtiments qu'ils avaient érigés. Aucune armée ne peut nous affronter de face sans périr sous nos puissants glaives.

— Les warraks ont presque tous été éliminés par les hommes, remarqua Skeip, qui s'attira le regard de feu du jeune chef.

— C'est pourquoi nous devons être unis comme jamais auparavant, conclut Ithan'ak d'un ton sec. S'il est vrai que les warraks se regroupent près du lac Hymrid en vue d'un affrontement final, alors les hommes verront qu'il y a encore un peuple qui a le courage de leur résister sur le continent d'Anosios.

— À mon tour de poser une question, dit Vonth'ak, qui s'était tenu à l'écart jusque-là. Est-ce que l'un de vous sait pour quelle raison le roi Limius désire tant capturer un keenox ?

— La réponse est évidente, s'offusqua Skeip, qui ne voulait pas se laisser insulter de la sorte. Il me semble vous avoir déjà dit que tout le monde recherche la compagnie des keenox. D'autant plus que nous sommes très rares désormais. Je suis peut-être même le dernier de ma race. Il faut avouer que nous n'avons jamais vraiment eu l'esprit de famille. Nous préférons de beaucoup voyager et faire de nouvelles rencontres.

— Je ne voudrais pas te causer du chagrin, le coupa Simcha, mais je crois qu'il y a une autre raison qui justifie qu'une prime si élevée soit offerte par le roi Limius. Lorsque j'étais prisonnier des sintoriens, j'ai eu l'occasion de les entendre discuter. Il semblerait que le roi compterait sur l'aide d'un petit rongeur comme toi pour gagner la guerre qui l'oppose aux nains.

— En les assommant avec toutes ses questions, se moqua Ithan'ak.

— Quand il a entendu dire que les warraks quittaient la pointe d'Antos, continua Simcha, la prime a été triplée. Le souverain de Kalamdir a probablement peur de mener une guerre sur deux fronts. Je ne vois pas ce qu'un keenox pourrait bien faire pour lui venir en aide.

— Vous êtes jaloux parce que c'est sur ma tête qu'il a mis la prime, dit fièrement Skeip.

Le rongeur aurait aimé continuer cette intéressante discussion sur lui-même, mais Ithan'ak décida qu'il était temps de dormir.

Bien que la nuit fût très fraîche, Ithan'ak avait décidé de ne pas nourrir le feu. Une élite de guerriers était à la recherche du keenox et il n'avait pas l'intention de les conduire jusqu'à lui. Incapable de dormir, le jeune chef repensa au déroulement de la journée. Il avait maintenant davantage confiance en Simcha ; c'était en partie grâce aux aveux que le pirate avait livrés sur sa captivité et sa lutte contre le royaume de Kalamdir. L'homme s'était montré honnête depuis le début, mais quelque chose chez lui incitait le jeune chef à rester sur ses gardes.

Un autre détail occupait l'esprit du warrak. Durant toute la journée, il avait remarqué que Vonth'ak affichait des signes accentués de fatigue. Secrètement, Ithan'ak avait un peu honte de cet individu qui ridiculisait son peuple. Vonth'ak n'avait décidément pas la résistance et l'orgueil d'un warrak.

Sous le couvert des étoiles, les pensées du jeune chef défilaient tranquillement, lorsqu'il entendit le hennissement d'un cheval retentir dans la nuit.

Il bondit sur ses jambes à la vitesse d'un chat, jetant des regards de tous les côtés pour trouver l'origine du bruit. Rien n'apparaissait à l'horizon. Ithan'ak espérait que les hommes de Toran n'étaient pas arrivés jusque-là.

Situés dans une vaste plaine, les rochers au milieu desquels Ithan'ak avait choisi de passer la nuit lui permettaient de voir venir les ennemis de très loin. Toutefois, le jeune chef ne distinguait aucune âme vivante sous l'obscurité des nuages. Il commençait à croire qu'il avait rêvé, lorsqu'il aperçut une silhouette se déplacer sur sa droite.

À une trentaine de pas, un énorme étalon broutait l'herbe tranquillement. Ithan'ak l'observa sans bouger pendant quelques minutes, jusqu'à ce qu'un rayon de lune fasse son chemin à travers les nuages. En un instant, le jeune chef comprit à qui il avait affaire. Son cœur se mit à battre à tout rompre et son corps se raidit comme il le faisait toujours en prévision d'une bataille. Par chance, les warraks savaient repousser la peur, émotion qu'ils n'avaient jamais cultivée. Même l'imposante armure rouge du sintorien n'avait su faire perdre son sang-froid à Ithan'ak.

Le cavalier tenait son cheval par la bride et avançait d'un pas nonchalant, signe qu'il n'avait pas constaté qu'il était observé.

« Si ce qu'a dit Simcha à leur sujet est vrai, pensa Ithan'ak, il faut espérer que ce cavalier passe son chemin sans nous remarquer. »

* * *

Le sintorien avait eu une longue journée, d'autant plus qu'elle n'avait pas été très fructueuse. Peu de gens avaient croisé sa route et aucun d'entre eux ne lui avait fourni d'indices sur ce qu'il recherchait. Entraîné depuis toujours à assurer la sécurité de son roi, il n'aimait pas tenir le rôle de chasseur de prime. Ces dernières années, le monarque avait pris l'habitude d'envoyer sa garde personnelle remplir diverses missions aux quatre coins du continent. Ayant assimilé presque tous les autres royaumes, le roi Limius n'était plus inquiet pour sa sécurité depuis fort longtemps. Il pouvait donc envoyer ses soldats d'élite s'occuper des besognes qui devaient être vite faites et bien faites. La toute dernière urgence était de capturer un keenox, promesse d'une victoire définitive sur tous les autres peuples. Le sintorien se rappelait les paroles de son roi : « Quand vous m'aurez apporté une de ces sales créatures, aucun royaume n'osera me défier de nouveau. » Malheureusement, les rongeurs aux yeux globuleux étaient devenus très difficiles à trouver.

Tout en s'interrogeant sur les pouvoirs que pouvaient détenir les keenox, le sintorien brossait distraitement sa monture. Il aimait s'arrêter dans ces grandes étendues où il laissait le vent caresser son visage et soulever sa chevelure. Il pouvait enfin regarder l'horizon sans que quelque chose lui bloque la vue, mis à part ce petit amas de rochers situé un peu plus loin vers l'ouest. Toute cette tranquillité venait apaiser l'esprit du soldat, mais quelque chose l'empêchait de s'abandonner totalement. D'ailleurs, son cheval était beaucoup plus agité qu'à l'habitude. Inquiet, le sintorien s'intéressa davantage à ce qui l'entourait. Cette précaution lui permit de distinguer deux petits yeux rouges qui le fixaient hardiment. Sans attendre, il empoigna son épée et fonça vers cette menace qui s'annonçait au loin.

* * *

Ithan'ak attendait anxieusement que le cavalier rouge passe son chemin. Il savait qu'il devait éviter à tout prix un affrontement. Malgré tout, le warrak ne pouvait réprimer l'envie de combattre l'un de ces guerriers réputés pour leur invincibilité. Tout son corps se mit à vibrer d'une fureur indomptable qui s'étendit jusque dans ses yeux. À cet instant, le sintorien, resté paisible jusque-là, dégaina son épée et se mit à courir en direction du jeune chef.

Prêt à combattre, Ithan'ak bondit de sa cachette et dirigea un premier coup en direction de son ennemi. Sans broncher, l'homme esquiva habilement le warrak et se prépara à contre-attaquer. En effectuant quelques pas sur sa droite à une vitesse fulgurante, il se plaça sur le côté le plus vulnérable de son adversaire. Ithan'ak, qui n'avait pas prévu cette manœuvre, n'eut pas le temps de bloquer. Du sang coulait à présent le long de son bras gauche, mais la douleur n'empêchait pas le jeune chef de rester concentré.

Il était difficile de repérer le point faible du sintorien, plus rapide et manifestement aussi fort qu'Ithan'ak. L'homme voulait en finir rapidement avec ce combat et ne laissait aucune chance à son adversaire de reprendre son souffle. Coup sur coup, il attaquait de tous les côtés à la fois. Rares étaient ceux qui arrivaient à lui résister très longtemps.

Ithan'ak faisait de son mieux pour ne laisser aucune ouverture. Il bloquait toutes les parades qu'effectuait son ennemi sans arriver à prendre le dessus, ce qui lui aurait permis de contre-attaquer. À ce rythme, l'homme lui porterait bientôt le coup fatal.

Lorsque les dormeurs furent réveillés par le bruit des lames qui s'entrechoquaient, ils furent stupéfaits de voir les deux combattants qui tentaient de s'arracher la vie.

— C'est un sintorien, s'effraya Simcha. Nous devons l'aider, vite !

Le pirate s'apprêtait à se lancer à la rescousse du warrak lorsqu'une main agrippa son bras pour le retenir.

— Le sintorien ignore que nous sommes là, chuchota Vonth'ak, qui maintenait une pression sur le bras du borgne. Si tu y vas, tu nous exposes tous à une mort certaine.

— Nous ne pouvons pas le laisser mourir sans l'aider, s'indigna Elwym, affolé. Il faut faire quelque chose.

— Nous ne pouvons rien pour lui, s'opposa Vonth'ak, et vous le savez très bien. Le sintorien nous tuera et emportera Skeip. Nous donnerons notre vie inutilement, car ce soldat obtiendra ce qu'il est venu chercher.

Ces paroles semblèrent calmer l'ardeur de Simcha dont le bras s'était quelque peu détendu.

Ithan'ak tenait bon, mais il n'avait aucune chance de remporter la victoire. Pendant que ses camarades observaient la scène à distance, Elwym s'était recroquevillé et pleurait sur le sort du jeune chef. Plus que tous les autres peuples sur Nürma, les hyliann étaient très sensibles à la mort. Partageant la détresse de son camarade, Skeip faisait de son mieux pour trouver une solution.

— Je ne laisserai pas Ithan'ak mourir sans rien faire ! s'écria soudainement le keenox.

Avant que Vonth'ak et Simcha aient le temps de l'arrêter, il se faufila entre les rochers et courut vers les deux combattants. Simcha se lança immédiatement derrière lui. Cette fois-ci, il n'avait plus le choix. Il devait aider Ithan'ak à éliminer le sintorien.

Le pirate avait parcouru la moitié de la distance qui le séparait des deux combattants quand il vit l'épée du sintorien tracer un arc qui vint désarmer le warrak. Ithan'ak allait mourir avant que les secours arrivent. Le jeune chef pouvait sentir l'odeur de la mort qui s'apprêtait à le prendre. Elle était sur le point de s'abattre sur lui au moment où le sintorien s'arrêta brusquement. L'air absent, le soldat ne semblait plus distinguer ce qui se trouvait devant lui. Il secoua la tête comme pour retrouver ses sens, à l'affût du moindre mouvement. Ithan'ak profita de cet instant de répit pour récupérer son glaive et se remettre en position d'attaque. Le sintorien, toujours égaré dans un voile obscur, sentit l'acier lui déchirer l'estomac.

Skeip et Simcha arrivèrent aux côtés d'Ithan'ak alors que le warrak libérait sa lame du corps de son ennemi. Le sintorien s'effondra sur le sol, incapable de pousser son dernier souffle.

Du sang coulait des multiples blessures que le warrak avait reçues, mais aucune d'entre elles n'était vraiment sérieuse.

— Est-ce que ça va ? demanda Skeip, inquiet de voir le jeune chef tomber à genoux devant lui.

Simcha voulut aider le kourof à se relever, mais ce dernier lui fit signe de reculer.

— Ithan'ak a senti la mort approcher, expliqua Vonth'ak. Heureusement pour lui, elle a eu la bonté de lui accorder la vie. En ce moment, il adresse une prière à Kumlaïd, grand dieu de la guerre et protecteur de notre peuple, pour le remercier de sa bienveillance. Laissons-le terminer cet exercice spirituel.

Pendant qu'Ithan'ak se recueillait auprès de son dieu, Vonth'ak et Simcha s'occupèrent de la dépouille du sintorien. Elwym, ayant retrouvé son calme, s'occupa du cheval qui venait de perdre son maître. Après avoir libéré l'animal de sa selle et de ses harnais, l'hyliann lui chuchota quelques mots à l'oreille et le cheval déguerpit au galop.

— Que lui as-tu dit ? demanda Simcha, intrigué par l'aptitude de l'hyliann à parler aux animaux.

— Il lui a dit de retourner à la vie sauvage et d'oublier les tourments de la guerre, intervint Skeip, ravi de pouvoir répondre à la question.

— Tu peux comprendre ce langage ? demanda Elwym, étonné. Je croyais que seuls les hylianns avaient la faculté de parler aux animaux. Où as-tu acquis cette connaissance ?

— Nulle part, répondit simplement Skeip. Je comprends toujours tout ce qui se dit autour de moi. Est-ce que c'est différent pour vous ? demanda naïvement le rongeur.

— Voilà un don qui pourrait s'avérer très utile dans notre voyage, remarqua Vonth'ak, qui n'avait rien manqué. Si tu es d'accord, j'aimerais bien que tu m'enseignes la science des langues.

Skeip ne pouvait demander mieux. Heureux de mettre son génie à la contribution du warrak, il gambadait en chantant dans toutes les langues qui lui venaient à l'esprit.

« Un warrak ne doit pas s'encombrer l'esprit avec des futilités pareilles », pensa Ithan'ak, qui avait rejoint le groupe.

Il essaya de prendre la chose du bon côté en se disant que Vonth'ak pourrait faire un excellent diplomate lorsque la guerre serait terminée. Après tout, même les warraks devaient entretenir de bonnes relations auprès des différents peuples avec qui ils partageaient le continent. Les dieux avaient peut-être fait Vonth'ak différent des autres pour cette raison.

Pendant qu'Ithan'ak soignait ses blessures, de nouveau à l'abri des rochers, Skeip le supplia de raconter son combat contre le sintorien. Vonth'ak, Simcha et Elwym partageaient le caprice du keenox.

— Quelque chose d'anormal s'est produit durant ce combat, expliqua le jeune chef. La façon de se battre de ce guerrier ne ressemblait en rien à ce que j'ai connu auparavant. Ses mouvements étaient si rapides, si fluides que mes yeux n'arrivaient pas à le suivre. D'ailleurs, il est apparu de la même façon. J'épiais la plaine depuis quelques minutes déjà lorsqu'il s'est matérialisé comme par magie.

— Peut-être était-ce vraiment de la magie, glissa Elwym, un peu gêné.

Tous se tournèrent vers lui d'un air étonné.

— Je croyais que la magie n'existait plus, dit Skeip, curieux d'en apprendre davantage.

— La magie n'a jamais cessé d'exister, répondit Elwym, s'attirant le regard interrogateur de ses compagnons. Elle s'est seulement assoupie en attendant son heure. Je ne sais pour quelle raison, mais les hyliann ont toujours entretenu un lien étroit avec elle.

— Tu crois que ce guerrier pouvait être un magicien ? demanda Ithan'ak.

Il aurait été ravi d'apprendre qu'il avait tué un être si répugnant.

— Cela m'étonnerait beaucoup, répondit franchement Elwym. Je crois plutôt qu'il était habité par une sorte d'enchantement.

— Tu veux dire que quelqu'un lui aurait fait du mal ? s'intrigua Skeip.

— Pas du tout, répondit Elwym. Contrairement aux sortilèges, les enchantements visent à venir en aide aux personnes qui les reçoivent.

— S'il était protégé par un enchantement, conclut Ithan'ak, c'est qu'un magicien s'est mis sous les ordres du roi Limius.

— Hélas ! c'est bien possible, se désola l'hyliann. Et si la magie a vraiment repris forme dans notre monde, continua-t-il, il est dommage que ce soit entre les mains d'un tyran.

— Ce n'est pas étonnant, grogna Ithan'ak. Tout le monde sait que la magie sert uniquement le mal. On ne peut faire confiance en ce pouvoir sournois qui viendrait à bout du plus vaillant combattant. J'ai vu l'aura maléfique qui émanait du sintorien. Grâce à elle, il a presque réussi à m'enlever la vie. Heureusement, les dieux sont justes et Kumlaïd est intervenu en ma faveur. Alors que je voyais la mort venir me prendre, il a étendu un voile noir devant les yeux de mon ennemi.

— Ithan'ak a raison, l'appuya Simcha. Je crois aussi que la magie ne peut servir que le mal. Durant toutes ces années à naviguer, j'ai eu l'occasion d'entendre plusieurs légendes que les vieux marins racontaient. L'une d'elles parlait d'une ancienne guerre qui aurait eu lieu il y a près de deux mille ans. Guidés par la vanité et la quête du pouvoir, les magiciens auraient jadis eu l'ambition d'asservir toutes les formes vivantes et de régner sur les différents royaumes d'Anosios. C'est pour cette raison qu'ils ont été éliminés jusqu'au dernier.

— Ce ne sont que des mensonges ! tonna Elwym. Les légendes n'ont jamais su rapporter l'histoire sans en déformer les faits.

Pendant plus d'une heure, l'hyliann défendit son opinion contre Ithan'ak et Simcha, qui ne voulaient rien entendre. À bout d'arguments, il décida d'aller rejoindre Vonth'ak et le keenox, qui dormaient depuis longtemps déjà.

Il ne restait plus qu'Ithan'ak et Simcha autour du feu, et il devint rapidement évident que ni l'un ni l'autre ne désiraient entamer une conversation.

— Demain, une longue route nous attend avant d'atteindre le lac Hymrid, dit l'homme borgne à l'intention du jeune chef. Nous ferions mieux de dormir un peu avant le lever du soleil.

« Enfin ! » pensa Ithan'ak.

L'idée de retrouver son clan le remplissait d'allégresse. Malgré tout, une pensée pessimiste vint gâcher son enthousiasme : que ferait-il s'il découvrait qu'aucun des siens n'avait pu franchir les monts Himlash ? Cette épineuse question l'empêcha de dormir le reste de la nuit.

Chapitre 7

Le lendemain, comme l'avait promis Simcha, la petite troupe atteignit le lac Hymrid en milieu d'après-midi. Réputée pour la variété de sa végétation et les innombrables créatures qu'elle abritait, cette étendue d'eau était une véritable oasis pour les voyageurs.

L'endroit était à la hauteur de sa réputation. Certains arbres pouvaient atteindre une taille si grande que seul Elwym, dont les yeux captaient davantage la lumière, pouvait en apercevoir la cime.

En y portant attention, on pouvait discerner sur les énormes branches une multitude de belwigs qui se reposaient. Ces gros animaux hybrides provenaient du croisement d'un oiseau de mer et d'un reptile aquatique. L'union de ces deux formes de vie très distinctes avait donné naissance à ces magnifiques créatures qu'on ne retrouvait nulle part ailleurs sur le continent. Leurs têtes avaient toutes les caractéristiques de celle d'un reptile, à l'exception d'un long bec cornu qu'ils utilisaient pour pêcher. Tout leur corps était recouvert d'écailles multicolores que le vent soulevait comme des plumes. Ils avaient sur le dos deux grandes ailes majestueuses qui leur permettaient de s'envoler en un clin d'œil et de repérer les proies qui nageaient sous l'eau. Une autre particularité des belwigs était leurs pattes de derrière. Aussi agiles que celles de devant, elles leur permettaient de dormir suspendus, la tête en bas.

Puisque ces hybrides étaient en sécurité dans les arbres, comme lorsqu'ils se trouvaient dans l'eau, il était très rare de les voir marcher sur la terre ferme. Les cinq voyageurs eurent quand même la chance d'en voir un s'aventurer sur la plage. L'animal n'était manifestement pas très à l'aise. Redressé sur ses pattes de derrière pour obtenir un meilleur champ de vision, il était deux fois grand comme Ithan'ak. En apercevant les intrus qui s'avançaient vers lui, le belwig prit son envol et disparut dans le feuillage des arbres.

Ithan'ak trouvait la végétation et la faune du lac Hymrid admirables, mais une autre préoccupation occupait ses pensées : aucun autre warrak que Vonth'ak et lui-même n'apparaissait dans ce paradis terrestre. Le jeune chef conclut que la circonférence du lac était très grande et que même Elwym n'aurait pu dire si toute une armée n'était pas assemblée de l'autre côté. Pour l'instant, il fallait prendre un peu de repos avant d'explorer davantage les environs.

Il était difficile de ne pas se laisser emporter par la beauté de la nature omniprésente. Le sable était aussi blanc que du sel et aussi doux qu'une plume. Dans l'eau, qui était claire et pure comme du zimz, les compagnons pouvaient apercevoir des dizaines de poissons de formes et de couleurs différentes.

Skeip fut le premier à se jeter à l'eau. Simcha et Elwym imitèrent immédiatement le keenox. Seuls les deux warraks restaient sur la plage et refusaient de participer à la baignade. Lorsque Skeip les supplia de venir les rejoindre, Ithan'ak se contenta d'expliquer que les warraks n'aimaient pas particulièrement l'eau.

Après s'être assuré que les étrangers n'étaient pas dangereux, un groupe de belwigs avait rejoint les baigneurs et s'amusait à leur jeter de l'eau à la figure en utilisant leurs ailes. Une guerre sans pitié s'engagea aussitôt. Au bout d'une heure, épuisés par cette bataille amicale, Skeip, Simcha et Elwym vinrent retrouver les deux warraks qui les observaient de la plage.

— Vous en avez eu assez, les enfants ? se moqua Ithan'ak en souriant.

— Je crois que oui, répondit Simcha à bout de souffle. Je crains que ce bain ait emporté toutes les forces qu'il me restait.

Skeip et Elwym s'étaient déjà jetés à plat ventre sur le sable. Épuisés, ils n'avaient pas le courage de faire un pas de plus.

— Je crois que nous devrons passer la nuit ici, dit Vonth'ak en jetant un coup d'œil à Ithan'ak.

Le jeune chef prit quelques secondes pour réfléchir, sous les regards inquiets de ses camarades. Au grand ravissement de tous, il annonça qu'ils avaient bien mérité un peu de repos.

Le moral d'Ithan'ak était au plus haut. Tout se déroulait comme prévu. Même Simcha s'intégrait de bonne foi au groupe. L'homme se montrait docile à toutes les décisions du warrak et une certaine camaraderie semblait s'être installée entre lui et les autres membres de la troupe.

Voyant que le jeune chef était de bonne humeur, Skeip décida de le questionner sur la nature des warraks.

— Pourquoi est-ce que vous n'aimez pas l'eau ? demanda le rongeur.

— Nous ne détestons pas l'eau, rectifia Ithan'ak. Nous respectons toutes les forces de la nature. L'eau est l'élément qui purifie l'âme et le corps des êtres vivants. Par contre, les warraks éprouvent un grand malaise lorsqu'ils se retrouvent dans une embarcation.

— Je connais ce phénomène, dit Simcha. Beaucoup de marins éprouvent ce malaise. Il suffit de quelques jours pour que le mal disparaisse.

— Je ne parle pas d'un mal de mer ordinaire, dit Ithan'ak. Si un warrak a le malheur de s'aventurer dans une embarcation durant une période prolongée, son cœur se gonfle et ses poumons n'arrivent plus à absorber l'air. Je vous laisse donc imaginer ce qu'il lui arriverait s'il tombait à l'eau…

— Vous ne pouvez même pas aller dans les eaux peu profondes ? demanda Elwym, qui avait du mal à croire pareille chose.

— Je suppose que nous pourrions nous y aventurer sans trop de danger, répondit Ithan'ak. Mais la plupart d'entre nous préfèrent se purifier lorsque les dieux daignent envoyer de la pluie.

— Et c'est pour cette raison que vous étiez prisonniers de la pointe d'Antos, en déduisit Simcha. Vous ne pouviez pas naviguer pour quitter la péninsule et rejoindre le reste du continent.

— En effet, se désola Ithan'ak. À l'époque, cet endroit était le seul refuge possible où nous pouvions espérer échapper à la menace des hommes. Le climat ardu qui s'y trouve ne permettait pas à nos ennemis de nous suivre et de nous éliminer pour de bon. Je n'ai jamais douté de la décision du priman'ak de nous conduire là-bas.

Voyant l'interrogation sur les visages de son auditoire, le jeune chef comprit qu'il devrait fournir davantage de détails. Avec patience, il expliqua que le priman'ak était le chef suprême des armées warraks. Cette charge importante ne lui était dévouée qu'en temps de guerre. Lorsque la paix régnait, ses fonctions se limitaient à diriger un clan. Le procédé pour désigner le priman'ak était beaucoup plus complexe que pour un simple chef.

Tout d'abord, ce processus n'avait lieu qu'une fois tous les dix ans. Aucun warrak ne pouvait provoquer le chef suprême en duel durant cette période. De cette manière, ce dernier dirigeait assez longtemps pour apporter une certaine stabilité au peuple de nomades.

Venait ensuite la sélection des candidats. Tous les guerriers n'avaient pas le droit de se présenter. Pour poser sa candidature, il fallait diriger son propre clan et s'être démarqué durant les plus récents conflits impliquant la majorité des clans.

La troisième étape était similaire à l'élection d'un chef de clan. Dans un cercle de combat, les candidats retenus s'affrontaient un à un, dans un tournoi soi-disant amical. La plupart s'en sortaient avec quelques blessures, mais il arrivait que certains y perdent la vie. C'était le prix à payer pour atteindre le sommet de la hiérarchie.

— Y a-t-il encore un priman'ak aujourd'hui ? demanda Simcha.

— Non, répondit tristement Ithan'ak. Plusieurs traditions des warraks sont mortes sur la péninsule enneigée. La misère a tranquillement divisé les clans et semé la discorde dans nos rangs. Comme si ce n'était pas assez, une menace sans nom a détruit les derniers liens qui nous unissaient.

Ce soir-là, Ithan'ak eut un sommeil agité.

* * *

Entouré par le froid et la neige, il se retrouvait de nouveau à la tête des kourofs. Ses hommes combattaient tant bien que mal contre des créatures qu'ils n'arrivaient pas à voir. L'un après l'autre, ils tombaient sous la menace des ombres meurtrières. Le jeune chef essayait de remédier à la situation en criant des ordres dans tous les sens, mais personne ne l'écoutait. Comme un fantôme, il circulait entre ses guerriers qui ne savaient plus quoi faire.

— Où est Ithan'ak ? se lamentait l'un d'eux, à l'article de la mort.

Étendu sur le sol, il adjurait le jeune chef de revenir parmi eux.

— Pourquoi nous as-tu quittés ? criait un autre blessé, tombé un peu plus loin.

Dans toutes les directions, Ithan'ak entendait quelqu'un implorer son nom.

* * *

— Reviens parmi nous, dit une voix dans la tête du jeune chef. Il te suffit d'ouvrir les yeux et tout ira bien. Allez ! Fais un effort.

Le jeune chef se réveilla en sueur. Vonth'ak était penché sur lui et essayait de le calmer. Inquiets, Simcha, Skeip et Elwym le regardaient sans dire un mot.

— Je crois que tu as fait un mauvais rêve, lui intima Vonth'ak. Il nous reste au moins une heure de sommeil avant l'aube. Tu peux te rendormir.

— Non ! tonna Ithan'ak. Nous devons nous mettre en route immédiatement. Je suis certain que mon clan se trouve quelque part près de ce lac et nous devons le rejoindre au plus vite. Je crains que les kourofs soient en grand danger ; dépêchons-nous !

Bousculés par le jeune chef, les membres de la troupe ramassèrent leurs affaires en vitesse et suivirent Ithan'ak, qui avait décidé d'entamer ses recherches par le côté est du lac. Après trois heures de marche intensive, ils firent halte quelques minutes pour se désaltérer un peu. Le décor paradisiaque avait perdu tout intérêt à leurs yeux. À peine avaient-ils repris leur souffle qu'Ithan'ak ordonnait de reprendre la marche. Deux autres heures s'écoulèrent sans que le warrak ralentisse. Vonth'ak et Simcha devaient porter Skeip, qui ne pouvait plus tenir la cadence.

— Silence, chuchota Ithan'ak, s'arrêtant soudainement. Entendez-vous quelque chose ?

— Sur notre gauche, dit Elwym.

Sur la pointe des pieds, les compagnons s'avancèrent dans l'épais feuillage qui les séparait du bruit. Ce qu'ils découvrirent brisa le cœur d'Ithan'ak. Surveillés de près par des soldats arborant les couleurs de Kalamdir, des centaines de warraks défilaient dans la poussière, les mains et les pieds liés par des chaînes. Divisés en groupe de vingt, ils creusaient sans relâche la terre à la recherche de métaux. Même si la mobilité des prisonniers était réduite, les hommes n'osaient pas s'approcher d'eux. Après tout, une pioche pouvait être aussi dévastatrice qu'un glaive. Parés à décocher une flèche au moindre signe de révolte, les geôliers demeuraient donc à une distance raisonnable pour leur sécurité.

Ithan'ak n'arrivait pas à croire ce qu'il voyait. Après tous ces efforts, il ne pouvait supporter de retrouver son peuple prisonnier de leurs pires ennemis. Une telle rage s'empara du jeune chef que ses compagnons durent se mettre à quatre pour l'empêcher de se lancer dans la gueule du loup.

— Tu dois te calmer, le prévint Vonth'ak. Si tu continues à t'énerver, nous mourrons tous par ta faute.

Rien à faire. Toutes les paroles du monde n'auraient su calmer la rage qui bouillait dans les veines du jeune chef.

— Laissez-moi faire, intervint Elwym.

Calmement, il se pencha sur Ithan'ak. Comme le soir où l'hyliann avait perdu ses frères, des larmes argentées coulèrent sur ses joues. Il en recueillit quelques-unes dans sa paume droite, qu'il appliqua ensuite sur le front du warrak. L'effet fut immédiat. Les yeux d'Ithan'ak reprirent leur couleur verte d'origine et tout son corps se détendit d'un seul coup.

De nouveau lui-même, le jeune chef remercia Elwym pour son aide. Il aurait aimé poser plusieurs questions sur les propriétés exceptionnelles que contenaient les larmes des hylianns, mais le temps manquait et il fallait faire rapidement le point sur la situation.

De toute évidence, le seul moyen de savoir comment autant de warraks avaient été faits prisonniers était de capturer l'un de leurs geôliers. Regrettablement, l'endroit n'était pas sûr et il était risqué d'attendre la tombée de la nuit pour passer à l'action. Elwym, plus rapide que ses camarades, s'était porté volontaire pour effectuer la périlleuse mission. En effet, la vitesse était la clef du succès.

Sans faire de bruit, l'hyliann s'embusqua en bordure d'un sentier. Dans une immobilité parfaite, il patienta jusqu'à ce que l'un des gardes s'éloigne des siens pour se diriger vers la plage.

À une vitesse fulgurante, Elwym attrapa l'homme et lui posa un poignard sur la gorge. Contraint d'obéir, le soldat n'eut d'autre choix que de suivre son agresseur jusque dans le sous-bois. L'opération s'était déroulée en quelques secondes à peine et personne n'avait été témoin de la scène.

Ithan'ak ordonna d'emmener le prisonnier là où il pourrait l'interroger sans danger.

— Tu es bien un soldat de Kalamdir, lâcha sèchement le jeune chef.

Il saisit l'homme par le cou et le souleva dans les airs.

— Dis-moi ce qui s'est passé ici. De quelle manière avez-vous capturé tous ces warraks ?

Voyant que l'homme essayait de répondre mais en était incapable, Ithan'ak relâcha sa prise et le soldat s'effondra sur le sol.

— Parle à présent !

— Je ne suis qu'un soldat, se défendit l'homme. Je fais ce qu'on me dicte de faire ; rien de plus. On nous a ordonné de répandre la rumeur que les warraks se regroupaient près du lac Hymrid. C'était une astuce du roi pour les faire tomber dans un piège. D'ailleurs, tout s'est passé comme il l'avait prévu. Confiants, les warraks arrivent par petits groupes, ce qui les rend faciles à maîtriser.

— Combien sont-ils ? gronda Ithan'ak.

— Je ne sais pas exactement, répondit le soldat. Six ou sept mille, peut-être plus.

— Impossible, rétorqua le jeune chef. D'après moi, ils ne peuvent pas être plus de mille.

Comme un bourreau qui s'apprête à accomplir sa triste besogne, le warrak sortit son énorme glaive et le pointa en direction de son prisonnier.

— Essaies-tu de me mentir, soldat ?

— Jamais je ne vous mentirais, pleurnicha l'homme. Ils ont été emmenés.

— Où ? demanda Ithan'ak.

— Très loin d'ici, dans la ville de Locktar, située en bordure de l'océan Golphost.

— Je n'ai jamais entendu parler de cette ville, notifia Simcha, qui connaissait bien la côte.

— Le roi Limius l'a fait construire en secret, se dépêcha d'ajouter l'homme qui craignait pour sa vie, dans le seul but d'enfermer des milliers de prisonniers.

— Il est impossible qu'une ville puisse accueillir autant de détenus, riposta Ithan'ak.

— C'est une ville différente, expliqua le soldat terrifié. Elle a été créée pour cette seule fonction. Il paraît que le roi Limius a fait venir les plus grands architectes d'Anosios pour dessiner les plans. Je vous en supplie, j'ai répondu à toutes vos questions ; laissez-moi la vie sauve.

Pour toute réponse, Ithan'ak souleva sa lame au-dessus de la tête du Kalamdien.

— À l'aide ! cria l'homme avant de sombrer dans les ténèbres.

Il n'en fallait pas plus pour donner l'alerte.

— Pourquoi l'as-tu tué ? s'écria Skeip. Il était très gentil.

Ithan'ak fit signe à Vonth'ak de faire taire le keenox. La situation était critique et il devait trouver une solution sans attendre. Avec la plage d'un côté et les soldats de l'autre, la fuite devenait impossible. Le jeune chef comprit qu'il n'avait pas le choix. Il ordonna à sa petite troupe de se préparer au combat, décision qui ne fit pas l'unanimité.

— Préférez-vous vous rendre ? demanda Ithan'ak. Ils vous tueront de toute façon. Pour ma part, je préfère affronter la mort en combattant.

L'inquiétude régnait sur le visage de ses compagnons, mais leur silence indiquait qu'ils étaient prêts à livrer bataille. Cette décision les mènerait probablement à la mort, mais il valait mieux mourir que de se laisser prendre sans rien tenter.

Elwym ramassa l'arc et les flèches que portait le soldat mort à ses pieds et commença à tirer sur l'ennemi qui approchait. Sa dextérité lui permit d'éliminer plusieurs hommes avant qu'ils s'approchent suffisamment pour engager le combat au corps à corps.

À leur tour, Ithan'ak et Simcha firent de leur mieux pour repousser les agresseurs de beaucoup supérieurs en nombre. Un bras de plus se serait montré bien utile, mais Vonth'ak avait choisi de rester en arrière pour protéger le keenox. Skeip aurait aimé combattre comme les autres, mais le warrak le retenait d'une main ferme pour l'empêcher de se lancer à l'assaut. Hors de lui, le rongeur ne pouvait supporter de voir ses amis se faire massacrer sans qu'il puisse intervenir. Les Kalamdiens arrivaient de partout et ses trois compagnons seraient morts d'ici quelques instants.

— Nous ne pouvons plus tenir, cria Simcha entre deux coups. Nous devons nous rendre.

— Jamais ! hurla Ithan'ak.

Le warrak fonça comme un fou en traçant un arc avec son glaive. D'un seul coup, deux hommes furent tués et un autre, gravement blessé. Désespéré, le jeune chef venait d'utiliser les dernières forces qu'il lui restait. Épuisé, il planta son glaive dans la terre et tomba à genoux. Silencieux, il priait Kumlaïd de bien vouloir l'accueillir auprès de lui.

Comprenant que le warrak ne représentait plus un danger, un homme s'approcha pour lui trancher la tête. Au même instant, un cri strident descendit du ciel. Un belwig effectua un piqué en direction du kourof, ce qui fit reculer ses ennemis. Sans se poser complètement, l'hybride agrippa Ithan'ak avec ses pattes de derrière et reprit son envol. Simultanément, quatre autres belwigs vinrent à la rescousse des compagnons du warrak, sous les yeux impuissants des soldats.

CHAPITRE 8

Les belwigs filaient dans les airs à toute vitesse. Installé entre les ailes de l'un des hybrides, Ithan'ak avait du mal à apprivoiser ce nouveau mode de transport. Malgré son malaise, il ne pouvait s'empêcher de jeter de rapides coups d'œil vers le bas, dans le but d'observer les Kalamdiens dont les chevaux n'avaient aucune chance de suivre les majestueuses créatures ailées.

Le jeune chef était émerveillé par le paysage. Il était certainement le premier warrak à se réjouir d'un spectacle semblable. Les arbres gigantesques bordant le lac Hymrid paraissaient maintenant tout petits. De si haut, le monde prenait une dimension insignifiante. Un sentiment de liberté immense envahissait le cœur du guerrier, qui écarquillait les yeux pour ne rien manquer. Le continent d'Anosios ressemblait à un énorme dessin, révélant sans gêne ses moindres détails.

Au bout d'un moment, Ithan'ak remarqua que le lac avait disparu de son champ de vision. Curieux, il demanda à Skeip s'il était capable de parler la langue des belwigs.

— Certainement, s'enchanta le keenox. Que veux-tu que je leur demande ?

— Je veux savoir où ils nous emmènent, répondit le warrak.

Aussitôt, de petits cris aigus s'échappèrent de la bouche du rongeur. Il était insolite d'entendre le keenox imiter à la perfection la phonétique du langage des hybrides, peut-être encore davantage de constater que ces derniers répondaient.

— Ils disent qu'ils nous déposeront à la lisière de la forêt de Grownox, dit fièrement Skeip.

— Pourquoi cet endroit ? demanda Ithan'ak, qui avait du mal à se faire entendre dans le vent.

— Ils disent que nous y serons en sécurité, répondit le keenox. De plus, ils n'aiment pas s'éloigner de leur habitat naturel.

« Bien sûr, raisonna le jeune chef. Ils volent d'une forêt à l'autre parce que les arbres sont la clé de leur survie. Aucun prédateur ne peut s'en prendre à eux tant qu'ils ne se posent pas sur le sol. Ce doit être pour cette raison qu'ils vivent sur les bords du lac Hymrid. Les arbres y sont très hauts et ils peuvent compter sur la faune aquatique pour se nourrir. »

Ithan'ak passa le reste du voyage à savourer le vent qui caressait sa fourrure. Lorsque ses pieds touchèrent de nouveau la terre ferme, il avait momentanément oublié les souffrances de son peuple. Rayonnant, il demanda à Skeip d'adresser ses remerciements aux belwigs. Les hybrides les acceptèrent en s'inclinant poliment devant Ithan'ak et reprirent leur envol.

— Il n'y a aucun doute, tu es béni des dieux, dit Vonth'ak en donnant une tape amicale sur l'épaule du jeune chef. Autrement, ces créatures ne nous auraient pas porté secours et ne s'inclineraient pas devant toi comme leur maître.

— Je crois plutôt que les belwigs ont remarqué quelque chose de particulier chez Ithan'ak, dit Elwym. Les animaux ont des sens beaucoup plus développés que les nôtres et ils ressentent des choses dont nous ne connaissons rien.

— Que veux-tu dire ? demanda Ithan'ak, troublé par cette révélation. J'espère que tu ne parles pas de magie.

— Tu ne devrais pas avoir une si mauvaise opinion de la magie, dit Elwym en souriant. Mais ne t'en fais pas, je ne fais nullement allusion à elle. J'essaie simplement de vous expliquer que les animaux ont des dons extraordinaires. Chez les hyliann s, on raconte que certaines espèces d'animaux arriveraient à voir l'âme qui habite les êtres vivants.

— Et que crois-tu qu'ils ont vu chez Ithan'ak ? grimaça Simcha, qui n'aimait pas les propos d'Elwym.

— L'âme d'un chef, répondit simplement l'hyliann.

— Et moi ? demanda Skeip en sautillant. Ont-ils remarqué que j'étais un grand et vaillant guerrier ?

— Il faudra leur demander lors de votre prochaine rencontre, répondit gentiment Elwym.

De son côté, Simcha faisait les cent pas en maugréant des paroles incompréhensibles. Il ne pouvait pas supporter toute l'attention et l'admiration que recevait Ithan'ak.

— Sottise que tout cela, cracha-t-il finalement. Pourquoi ce warrak aurait-il l'âme d'un chef et pas moi ? Pendant des années, j'ai dirigé un équipage de pirates sanguinaires. Si quelqu'un a l'étoffe d'un chef ici, c'est bien moi. D'ailleurs, Ithan'ak vous aurait conduit à la mort sans l'intervention des hybrides. Vous courrez à votre perte si vous continuez de le suivre.

Vonth'ak, Elwym et Skeip guettaient la réaction d'Ithan'ak. En temps normal, le warrak aurait depuis longtemps perdu son sang-froid et tué l'insolent qui le défiait sans détour. Mais pour une raison obscure, le jeune chef attendit que le pirate termine son plaidoyer. Le moment venu, Ithan'ak se leva et regarda fixement l'homme qui s'opposait à son commandement. Ses yeux avaient conservé leur couleur verte d'origine et le warrak ne semblait pas sur le point d'engager le combat. Contrairement à son habitude, il restait calme et impassible.

— Si tu désires prendre le commandement à ma place, lança-t-il enfin, tu devras m'affronter en combat singulier. Si tu acceptes, je te propose un duel dans les bois, demain, au lever du jour.

— Pourquoi désires-tu combattre dans les bois ? s'inquiéta Simcha, qui soupçonnait un piège.

— Parce qu'il ne serait pas prudent de rester à découvert plus longtemps. Dès aujourd'hui, des soldats seront lancés à notre poursuite et les sintoriens risquent d'être prévenus de la présence d'un keenox parmi nous. Acceptes-tu mon offre ?

Simcha inclina la tête en signe d'approbation et la petite troupe s'enfonça dans la forêt. La tension entre l'homme et le warrak maintenait un silence absolu. Même Skeip n'osait pas ouvrir la bouche, effrayé à l'idée de déclencher un nouveau conflit. Ce calme permit aux adversaires de méditer sur les conséquences des paroles qu'ils venaient d'échanger.

Simcha, en tête du groupe, savait qu'Ithan'ak était un grand chef, mais il n'avait pu réprimer la vague de jalousie qui était montée en lui. Habitué de diriger son propre navire, il n'était pas dans sa nature d'obéir à un autre. Le bruit des vagues et l'odeur de la mer lui manquaient. Avec le défi qu'il venait d'accepter, il se demandait s'il les reverrait un jour. Malgré son œil borgne, le pirate était un brillant guerrier. De là à vaincre Ithan'ak en combat singulier, c'était une autre histoire. Le warrak avait une force incroyable. Chacun de ses coups était si rapide et si redoutable que Simcha se demandait s'il pourrait seulement résister au premier assaut.

Derrière les compagnons, Ithan'ak nageait aussi dans ses pensées. Pour la sécurité du groupe, il tenait à ce que le combat se déroule dans les bois. De cette manière, il était certain de ne pas attirer l'attention d'une éventuelle patrouille. Un autre facteur avait incité le warrak à repousser le duel à demain. Durant la bataille qui s'était déroulée quelques heures plus tôt, juste avant l'arrivée des belwigs, un soldat avait réussi à le blesser. Heureusement, Ithan'ak avait été touché sous les côtes où de solides écailles lui apportaient une protection supplémentaire. Rapidement, il avait dissimulé la blessure de son mieux, car il n'aimait pas dévoiler ses faiblesses. En proposant à Simcha de remettre le combat au lendemain, il espérait être suffisamment rétabli pour remporter la victoire.

Ithan'ak n'était pas le seul à avoir besoin de repos. Exténués par les rebondissements de la journée, les compagnons tombèrent endormis sans avoir pris le temps d'établir un tour de garde. Cette négligence aurait pu leur coûter cher, mais le soleil se leva sans qu'aucun incident vienne troubler leur sommeil.

Comme il l'espérait, Ithan'ak avait retrouvé une bonne partie de ses forces. Sa blessure lui faisait toujours atrocement mal, mais Simcha n'était pas d'humeur à attendre plus longtemps. Vonth'ak, Elwym et Skeip désapprouvaient cet affrontement. Ils espéraient néanmoins qu'elle réglerait définitivement ce conflit entre l'homme et le warrak. Impuissants, les trois amis se chargèrent de préparer un cercle de combat. D'un diamètre d'une quinzaine de pas, il était suffisamment grand pour que les duellistes puissent se déplacer à leur aise.

Avant que les antagonistes se lancent les yeux fermés dans ce duel, Elwym leur rappela qu'il n'était pas nécessaire qu'ils s'entretuent pour être victorieux. Les deux adversaires hochèrent la tête en signe d'approbation et empoignèrent leurs armes.

Surplombant Simcha, Ithan'ak tenait un énorme glaive que très peu de warraks auraient eu la force de porter. Quant à lui, Simcha possédait une longue épée effilée, qui faisait figure de jouet comparé à l'arme du jeune chef.

Sans se laisser intimider par la stature de son ennemi, le pirate passa à l'action le premier. Sa lame fendit l'air en direction de sa proie avant d'être brutalement arrêtée par le glaive d'Ithan'ak. Rageur, l'homme tenta plusieurs parades similaires, sans aucun résultat.

La tactique d'Ithan'ak était fort simple. Il savait qu'il était blessé et que chacun de ses mouvements risquait de l'affaiblir davantage. Afin d'éviter de s'épuiser, il ne bloquait même plus les coups de son assaillant. Habilement, il se contentait d'esquiver, tout en cherchant à repérer une ouverture.

Muets, Skeip et Elwym regardaient attentivement le combat dont le dénouement était incertain. De son côté, Vonth'ak s'inquiétait davantage pour le keenox. Il connaissait maintenant assez bien le rongeur pour savoir de quoi ce dernier était capable. En voyant ses amis s'entretuer, Skeip était assez fou pour risquer sa vie en s'interposant entre eux. Quoi qu'il en soit, Vonth'ak ne le quittait pas des yeux.

Peu à peu, les attaques répétées de Simcha perdaient de la force. À l'instant où Ithan'ak s'aperçut que son adversaire faiblissait, ce fut à son tour d'attaquer. Étonnamment, les coups du warrak étaient beaucoup plus faciles à bloquer que ce que Simcha escomptait. Revivifié, l'œil unique que possédait le pirate s'emplit d'une nouvelle rage de vaincre.

Le duel durait depuis un bon moment et la blessure du jeune chef devenait cuisante. Il était impératif pour Ithan'ak d'en terminer au plus vite. Sans tenir compte de la douleur qui lui déchirait les côtes, il donna une force incroyable à son glaive et renversa son adversaire sur le dos. Désarmé, Simcha sentit le pied droit du warrak écraser sa poitrine.

— Tu es vaincu, dit sévèrement Ithan'ak. Si tu admets que je dirige cette troupe et que tu promets de ne plus remettre mes décisions en question, je te laisserai la vie sauve. Quelle est ta réponse ?

Simcha acquiesça de la tête et le jeune chef l'aida à reprendre pied. Le calme étant revenu, Vonth'ak relâcha sa prise sur Skeip, qui se mit à bondir de joie autour des duellistes.

— À présent que cette affaire est réglée, lança Ithan'ak, je crois que nous pouvons reprendre notre route.

— Quelle est-elle ? demanda Vonth'ak. Notre peuple a été capturé et nos ennemis sont partout. Il faut reconnaître que notre cause est perdue.

— Non ! rugit le jeune chef. Comment peux-tu penser abandonner les nôtres sans rien faire ? J'ai toujours su que tu étais différent, mais je n'aurais jamais cru que…

Ithan'ak s'effondra sur le sol sans terminer sa phrase.

— Il perd du sang, dit Skeip. Simcha l'a blessé durant le duel.

— Ce n'est pas moi, s'opposa l'homme. Je suis certain que mon épée ne l'a pas touché une seule fois. Cette blessure lui a certainement été infligée hier, durant notre combat contre les Kalamdiens.

Le visage du pirate s'attrista. Il venait de réaliser que même blessé le warrak avait réussi à le vaincre. Il ignorait s'il pourrait un jour effacer cette honte de sa mémoire.

— Simcha, dit Elwym, tirant ainsi l'homme de ses pensées, nous avons besoin de ton aide. Ithan'ak est gravement blessé.

Aucun des soins que nous lui prodiguerons ne pourra l'aider. Il a besoin de nourriture et de soins adéquats. Toi qui connais bien la région, y a-t-il un village où nous pouvons l'emmener sans risquer de tomber sur des soldats ?

— Le royaume de Küran, dit le pirate, n'est pas assujetti au roi Limius. Notre seule chance est de nous diriger vers le sud, à travers la forêt. Une fois cette étape franchie, avec un peu de chance, nous trouverons refuge chez un paysan réfractaire au royaume de Kalamdir.

— C'est une longue route, pensa tout haut Vonth'ak. Je me demande si Ithan'ak tiendra le coup jusque-là.

— Voilà une raison de plus pour nous dépêcher, dit Simcha.

En quelques minutes, Skeip et Elwym fabriquèrent une civière à l'aide de branches et de tiges qu'ils assemblèrent minutieusement.

— Espérons que le brancard ne cédera pas sous son poids, soupira l'hyliann.

Inconscient, le jeune chef fut soulevé et installé sur la civière. Elwym et Vonth'ak furent chargés de transporter le blessé, alors que Simcha ouvrait le chemin. Quant à lui, Skeip faisait de son mieux pour se rendre utile, mais il s'avérait plus encombrant qu'autre chose.

Les compagnons marchaient depuis environ deux heures lorsqu'Elwym déclara qu'il avait besoin d'une pause. Depuis un moment, il se plaignait à propos de sons aigus qui lui donnaient mal à la tête. Agacé, Vonth'ak fit poliment remarquer à son ami que chaque interruption mettait davantage la vie d'Ithan'ak en danger. Cette remontrance suffit à persuader l'hyliann de continuer d'avancer.

— Pourquoi voulez-vous arrêter de nouveau ? demanda Skeip quelques minutes plus tard.

— Personne n'a demandé d'arrêter, le corrigea Vonth'ak sans ralentir.

— Se pourrait-il que j'entende des voix ? s'interrogea le keenox. J'étais pourtant certain d'avoir entendu quelque chose.

— Dépêchez-vous, ordonna le pirate, qui assumait maintenant le commandement du groupe.

— Il faut nous arrêter, s'objecta le rongeur. Vous n'entendez pas ?

— Entendre quoi ? demanda Simcha. Tout ce qui parvient à mes oreilles est un irritant son aigu qui me donne mal à la tête.

— Il semblerait que je ne suis plus le seul à l'entendre, fit remarquer Elwym.

— En effet, dit Vonth'ak, je crois aussi percevoir quelque chose. Cela ressemble à des sifflements hostiles.

— C'est une erreur, dit Skeip. Ils nous somment d'arrêter ; ils ne veulent pas que nous traversions la forêt.

— Que veulent-ils d'autre ? s'indigna Simcha. Nous ne ferons pas halte parce qu'un rongeur s'imagine entendre des voix.

— Nous devons écouter Skeip, intervint Elwym. Il a la faculté de comprendre toutes les langues, même celles qui pourraient ressembler à un simple sifflement.

L'hyliann se tourna vers le keenox et lui demanda de traduire tout ce qu'il entendait.

— Ils demandent que nous leur abandonnions notre blessé, s'attrista Skeip. Si nous répondons à leur exigence, ils nous laisseront passer à travers la forêt.

Aucun des compagnons, même Simcha, n'était disposé à sacrifier la vie du jeune chef. Au contraire, ils se mirent en position de combat autour de la civière et attendirent que leurs nouveaux ennemis se montrent. Ils n'eurent pas à patienter très longtemps. Une à une, une cinquantaine de petites têtes firent leur apparition autour d'eux. Jamais Simcha, Elwym ou Vonth'ak n'avaient entendu parler de telles créatures. Même Skeip, qui pouvait parler leur langage, n'avait jamais vu quelque chose de semblable.

Plus petites qu'un keenox, les créatures se tenaient sur deux jambes et avaient un estomac beaucoup trop gros pour leur stature. Leur tête, munie de deux cornes blanches, tenait sur un cou presque inexistant. Tout comme leur peau, les yeux de ces hideux personnages avaient une teinte violacée. Toutes ces caractéristiques étaient certes très étranges, mais ce que l'on remarquait en premier chez eux était leur bouche. Gigantesque, elle couvrait la moitié de leur visage et contenait plusieurs rangées de dents acérées.

— À coup sûr, chuchota Simcha, ce sont des charognards. Ils ont senti l'odeur du sang et suivi notre piste. Ils veulent un peu de chair fraîche pour se repaître.

Skeip craignait que le borgne propose d'abandonner Ithan'ak à son triste sort, mais ce fut un autre qui le fit.

— Nous ne pouvons pas les affronter, dit fermement Vonth'ak, ils sont beaucoup trop nombreux. Nous n'avons d'autre choix que de leur donner ce qu'ils demandent.

— Il n'en est pas question, résista Simcha. Je n'aime peut-être pas ce warrak, mais je ne suis pas un lâche. Je combattrai jusqu'à la mort, s'il le faut.

— Vonth'ak a raison, prononça faiblement le jeune chef qui avait repris connaissance. Votre seule option est de me laisser ici.

— Je ne le permettrai pas, sanglota Skeip. Je ne les laisserai pas t'emporter.

— Il le faut pourtant, dit doucement Ithan'ak. Voici ce que vous devez faire : rendez-vous à la forêt de Lelmüd, où Simcha recevra la récompense que nous lui avons promise et qu'il a bien méritée ; il fera ensuite ce que bon lui semble. Elwym, raconte à tes semblables ce que tu as vu. Tu dois les convaincre d'agir avant qu'il ne soit trop tard. La guerre n'est pas terminée et les hylianns peuvent encore changer le cours des choses. Vonth'ak, tu dois veiller sur le keenox. Je ne connais pas la raison pour laquelle le roi Limius veut le faire prisonnier, mais tu dois l'en empêcher. Je compte sur toi pour accomplir cette importante mission. À présent, il faut que vous partiez.

Aucun des compagnons n'avait le courage d'abandonner le warrak.

— Partez ! dit-il à nouveau. C'est un ordre, une dernière volonté.

Résignés, Vonth'ak et Elwym traînèrent de force le keenox qui refusait de les suivre. Simcha, aux aguets, ouvrait prudemment le chemin. Ils n'eurent pas le temps d'aller bien loin avant d'entendre un cri bouleversant ébranler leur cœur.

CHAPITRE 9

Trois jours s'étaient écoulés depuis la funeste disparition d'Ithan'ak. Le regard triste, les compagnons avançaient librement dans la forêt, liberté qu'ils avaient lourdement payée. Comme le jeune chef l'avait demandé avant sa mort, ils avaient l'intention de rejoindre la forêt de Lelmüd. Elwym, qui avait grandi à l'ouest dans la forêt d'Eswalm, était impatient d'entrer pour la première fois en contact avec le berceau de sa civilisation. Il expliquait à Skeip que tous les hylianns étaient un jour appelés à s'y rendre. Attisés par une mystérieuse nostalgie, ils se levaient un matin avec l'irrésistible envie de retrouver la terre natale de leur peuple.

Le souvenir d'Ithan'ak hantait sans cesse l'esprit des voyageurs. Ils essayaient de se concentrer sur la végétation magnifique de la forêt pour occuper leurs pensées. Les arbres étaient moins imposants que ceux du lac Hymrid, mais ils étaient en revanche dotés d'une multitude de couleurs attrayantes. Aucune feuille n'était semblable à une autre. Elles recelaient des couleurs si subtiles qu'il était impossible de les identifier. Chose étrange, lorsqu'une feuille se détachait des arbres, elle reprenait immédiatement une teinte naturelle. Elwym en déduisit que les arbres étaient animés par une ancienne et puissante magie. Jamais l'hyliann ne s'était douté qu'il existait des enchantements si imposants. Selon lui, cette forêt devait être jadis un important lieu de culte pour les magiciens.

Il était environ midi lorsqu'un brouillard opaque se leva. Impatient d'atteindre le royaume de Küran, qu'ils devaient traverser pour atteindre Lelmüd, Simcha n'y prêta pas attention et poussa la troupe vers l'avant. La marche était de plus en plus pénible et les conditions climatiques devenaient très dangereuses. Aucun des compagnons n'arrivait à voir plus de deux ou trois pas devant lui. Finalement, vaincu par la nature, le pirate dut admettre qu'il n'était pas raisonnable de continuer. Il décida donc de s'arrêter pour la nuit, en espérant que le brouillard se dissiperait d'ici le lever du jour.

Grownox était une forêt mythique où peu de voyageurs osaient s'aventurer. Piégé dans le brouillard inquiétant qu'elle abritait, Skeip était en proie à une peur grandissante. En vérité, seul Vonth'ak n'affichait aucune crainte. Pour répondre aux regards incrédules de ses compagnons, il leur rappela que les warraks ne connaissaient pas la peur.

— Dans ce cas, demanda le pirate, pour quelle raison as-tu abandonné Ithan'ak si lâchement ?

— Nous ne connaissons pas la peur, répliqua Vonth'ak, mais nous sommes quand même prudents. Il est inutile de se sacrifier lorsqu'il n'y a plus d'espoir.

— Vonth'ak a raison, l'appuya Elwym. Si nous n'avions pas sacrifié Ithan'ak, nous serions tous morts à l'heure qu'il est.

Simcha admit que l'hyliann et le warrak avaient raison. Il voulut demander l'opinion de Skeip, mais le rongeur avait disparu, pour la troisième fois de la journée. La mort d'Ithan'ak avait été une terrible épreuve pour Skeip. Silencieux, ce qui était très inquiétant de sa part, il recherchait constamment la solitude.

Inquiet, Vonth'ak partit à la recherche de Skeip sans se soucier du brouillard toujours plus menaçant. En vain, il criait le nom du keenox dans tous les sens. Le rongeur ne devait pas être bien loin, mais comment en être certain ? Le warrak était sur le point d'abandonner ses recherches lorsqu'il remarqua de modestes empreintes de pas imprégnées dans le sol humide.

De son côté, Skeip entendait les appels que lui lançait Vonth'ak, mais il avait décidé de les ignorer. Attisé par une odeur de nourriture grillée, le rongeur avait momentanément mis de côté ses sombres pensées pour se concentrer sur ce qu'il espérait être un somptueux repas. Guidé par son odorat, il aboutit devant un petit feu au-dessus duquel était suspendu un appétissant gibier. Incapable d'y résister, Skeip s'en approcha doucement en s'assurant que personne ne traînait dans les parages. Alors qu'il tendait sa patte vers le repas alléchant, il fut sauvagement agrippé par l'arrière. Broyé par trois énormes doigts, le rongeur n'arrivait plus à respirer.

— Que fais-tu ici ? rugit le bosotoss. Tu es probablement un espion de Kalamdir.

Le colosse balança Skeip contre un arbre. Impuissant, le keenox vit le bosotoss ramasser une dangereuse massue et se diriger vers lui.

— Sale rongeur, tu croyais pouvoir filer avant que Fork ne soit revenu.

Skeip comprit que sa fin était venue.

— J'espère que le dieu d'Ithan'ak voudra bien m'accepter à ses côtés, gémit le keenox résigné à mourir.

— Quel nom as-tu dit ? demanda Fork.

Calmé d'un seul coup, le bosotoss observait Skeip d'un air incrédule. Comment cette créature pouvait-elle connaître le nom de son vieil ami ?

— Est-ce qu'Ithan'ak aurait survécu à l'avalanche ? pressa le bosotoss.

— Il a en effet survécu, répondit Vonth'ak, qui venait de rejoindre les lieux. Tu as dit que tu t'appelais Fork, n'est-ce pas ? Si c'est vraiment ton nom, Ithan'ak m'a parlé de toi plus d'une fois. Je t'en prie, permets-moi d'examiner l'état du keenox et je répondrai ensuite à toutes tes questions.

Dépassé par la situation, le bosotoss ne savait plus quoi faire. Il prit un instant de réflexion avant de relâcher sa prise, puis il s'assit sur un tronc d'arbre d'où il regarda Vonth'ak s'occuper du keenox. Heureusement, Skeip avait eu plus de peur que de mal. Une fois le choc passé, il était impatient de faire la connaissance du monstre qui lui avait causé une telle frayeur.

Une fois de retour auprès d'Elwym et de Simcha, Vonth'ak raconta à Fork tout ce qu'il savait. Il parla d'abord de quelle façon il avait secouru Ithan'ak à la suite de l'avalanche. Vinrent ensuite l'épisode des cavaliers de la plume argentée, puis la rencontre avec le sintorien. Le bosotoss fut attristé d'apprendre que son vieil ami avait rencontré la mort quelques jours plus tôt. Le monde qu'il avait connu depuis des centaines d'années s'écroulait peu à peu. À ce rythme, dans un avenir rapproché, seuls les hommes subsisteraient sur le continent d'Anosios.

— Je me souviens d'une époque où toutes les races vivaient en harmonie, s'attrista le colosse. Durant des siècles, le sacrifice de Kalam et de ses hommes a préservé la paix sur le continent. Aujourd'hui, ce sont les descendants directs du grand roi qui brisent les anciennes alliances et corrompent l'âme de leurs sujets. C'est une triste fin pour notre monde.

Skeip aurait voulu en apprendre davantage sur ce Kalam, dont il n'avait jamais entendu parler, mais Vonth'ak lui fit signe que ce n'était pas le moment. Le warrak avait lui aussi une question à poser au géant.

— Que vous est-il arrivé après la disparition d'Ithan'ak dans les montagnes ? demanda-t-il.

— Après deux jours de recherche sans résultat, répondit Fork, nous n'avions d'autre choix que d'abandonner Ithan'ak à son sort. Yrus'ak, le warrak qui avait pris le commandement du clan, m'a demandé de guider les kourofs en lieu sûr. Malheureusement, je n'ai pas accompli cette mission avec succès. Des rumeurs circulaient que les warraks se regroupaient en bordure du lac Hymrid. Quand nous y sommes arrivés, les soldats de Kalamdir nous attendaient ; ce fut un vrai carnage. Ceux qui leur résistaient étaient tués sur-le-champ. Femmes, enfants, ils n'épargnaient personne. Pris au piège, je ne pouvais plus rien pour eux. Il était temps pour moi de partir. Lorsque quelques hommes furent morts sous le poids de ma massue, les autres se montrèrent plus prudents et me laissèrent partir. Comme je ne savais pas où aller, par crainte d'être poursuivi, je me suis réfugié ici, dans cette forêt. Jamais je n'aurais pu espérer qu'Ithan'ak soit toujours en vie quelque part. Je suis tellement désolé de ne pas avoir été là pour le protéger.

— Personne n'aurait pu lui venir en aide sans y laisser sa propre vie, dit Elwym pour réconforter le colosse.

— Il dit vrai, approuva Simcha. Néanmoins, je t'offre la chance de lui faire honneur. Ses derniers vœux étaient que nous gagnons la forêt de Lelmüd. Saurais-tu retrouver ton chemin dans ce brouillard qui nous paralyse ?

— Si telle était la volonté d'Ithan'ak, dit Fork de sa voix grave, j'accepte de vous conduire hors de ces bois.

Sur ces bonnes paroles, les compagnons partagèrent un maigre repas avant d'établir un tour de garde pour la nuit. Fork, qui n'avait pas sommeil, proposa de prendre la première faction.

Le lendemain, le brouillard s'avérait plus impénétrable que jamais. Voyant la mine inquiète de ses nouveaux camarades, le bosotoss leur assura qu'il n'y avait rien à craindre. Inébranlable, il souleva sa pesante massue et leur fit signe de le suivre.

Les aventuriers s'aperçurent rapidement que le géant n'avait pas menti. D'une façon ou d'une autre, il arrivait à retrouver son chemin dans les ténèbres blanches. Intrigué par cette faculté, Simcha voulut en savoir davantage.

— Pardon, dit-il poliment en s'approchant de Fork. Durant des années, j'ai dirigé un navire de pirates. De tous nos ennemis, le brouillard fut sans aucun doute le plus terrible. Privés de point de repère, il nous était impossible de s'orienter. Loin de la terre ferme, plus d'une fois j'ai cru mourir de faim et de soif. Je souhaiterais que tu m'expliques comment tu arrives à retrouver ton chemin dans ces conditions.

Sans s'arrêter, le bosotoss lança un sourire au borgne. Les hommes étaient si logiques, si peu instinctifs.

— Tu dois savoir que les bosotoss vivent généralement dans le désert, commença Fork. Depuis des millénaires, mon peuple a dû faire face aux dangereuses dunes de sable. Nous avons progressivement développé un nouveau sens.

— Je comprends, dit Simcha. Que fait ce nouveau sens exactement ?

— C'est très difficile à expliquer, répondit Fork. Comment pourrais-je vous faire comprendre ? D'une certaine façon, nous pensons notre chemin. Même si nous ne l'avons jamais emprunté, nous pouvons le visualiser dans notre tête sans difficulté.

— Comme s'il s'agissait d'un souvenir, comprit Simcha. Voilà qui est très intéressant. Si je retourne un jour en mer, je penserai à vous prendre comme navigateur.

L'homme et le bosotoss échangèrent un sourire, suivi de près par Skeip, qui ne voulait rien manquer de leur conversation.

« Ce géant est chanceux de m'avoir rencontré, pensait le rongeur. J'ai moi aussi déjà voyagé dans le désert. Il sera fou de joie de discuter avec moi. »

Ravi, le keenox passa le reste de la journée à rêver aux grandes discussions qu'il partagerait bientôt avec son nouvel ami.

Peu avant la tombée de la nuit, Vonth'ak demanda à Fork de faire une pause pour reprendre des forces. Cette requête surprit le bosotoss, qui croyait tous les warraks infiniment robustes. Elwym, dont les sens étaient beaucoup plus aiguisés que ses camarades, comprit que Vonth'ak était mal en point. Sous le prétexte que la noirceur couvrirait bientôt le ciel, l'hyliann proposa de faire escale pour la nuit.

Ce qui inquiétait véritablement Elwym, c'était que le warrak n'avait aucune raison de se montrer si faible. Depuis sa guérison des blessures infligées par les cavaliers de la plume argentée, il n'avait montré aucune autre blessure apparente. Il était possible que Vonth'ak ait contracté une maladie, ce qui, dans un tel cas, rendait dangereuse sa présence au sein du groupe. Puisque personne d'autre ne paraissait s'inquiéter de l'état du warrak, l'hyliann choisit de patienter avant de faire connaître son appréhension.

La nuit s'annonçait chaude et les compagnons décidèrent de ne pas allumer de feu. La forêt devenait moins dense et le brouillard se dissipait peu à peu. Selon Fork, il ne restait plus qu'une demi-journée de marche avant d'atteindre le royaume de Küran et il ne voulait pas risquer d'attirer des visiteurs inopportuns. À court de nourriture, les voyageurs durent se contenter d'une petite source d'eau potable qui leur prodigua tout de même un grand bien.

À l'écart, Fork et Simcha discutaient du trajet à suivre pour se rendre à la forêt de Lelmüd en toute sécurité. Comme les hylianns et les warraks étaient pourchassés dans tout le royaume des hommes, cette partie du voyage devenait très dangereuse. Et c'était sans compter les sintoriens à la recherche du keenox.

Le pirate plaidait en faveur des Küraniens, qu'il prétendait être très différents de leurs voisins de l'ouest. Selon lui, contrairement aux Kalamdiens, les hommes du royaume de Küran n'étaient pas perfides dans leur cœur.

Elwym, dont la perte de ses deux frères était toujours fraîche dans sa mémoire, ne put s'empêcher d'intervenir dans la conversation.

— Si les Küraniens ont de nobles intentions, demanda l'hyliann en colère, pourquoi le seigneur Filistant, monarque de cette région, appuie-t-il les guerres insensées du roi Limius ?

— Parce qu'il n'a pas d'autre choix, répondit simplement Simcha. Tu dois comprendre que Küran est le dernier royaume des hommes à ne pas avoir été conquis et annexé à Kalamdir. En revanche, le roi Filistant doit parfois appuyer son voisin pour ne pas s'attirer son courroux.

— Il serait juste de dire qu'il est son esclave, coupa sèchement Elwym.

L'hyliann et le pirate échangèrent un long regard sans dire un mot. Vonth'ak, d'un esprit plus pratique, prit sur lui de désamorcer cette lutte inutile.

— Je suis prêt à te croire sur parole, dit-il à l'intention de Simcha, à condition que tu répondes à ma question : comment peux-tu affirmer avec une telle certitude que les Küraniens sont des hommes bienveillants ?

Le pirate n'eut d'autre choix que de détourner son regard de l'hyliann pour répondre à son nouvel interlocuteur.

— N'oublie pas que j'ai exercé la piraterie durant plusieurs années, rappela l'homme. Tous les flibustiers ne sont pas des fripouilles. Mon navire est venu en aide à bon nombre d'ennemis de Kalamdir. Mon seul but était de nuire par tous les moyens aux guerres injustement menées par le roi Limius. Nous dérobions des cargaisons de rîns, d'armes, de provisions, tout ce qui nous tombait sous la main. Mes hommes et moi étions tous les enfants du royaume de Küran. Jamais je ne laisserai dire du mal de ces gens qui m'ont suivi malgré le danger et à qui je dois plusieurs fois la vie.

Jusque-là, Vonth'ak avait cru que seul l'appât du gain avait poussé Simcha à leur venir en aide. Certes, le pirate comptait se rendre jusqu'à Lelmüd pour obtenir sa récompense, mais d'autres motivations l'avaient autrefois habité. Peut-être que son impuissance à changer les choses l'avait rendu amer ? Le warrak se rappelait une ancienne légende qu'il avait souvent entendue dans son enfance :

Au début des temps, un jeune guerrier d'une force incroyable avait vu le jour des entrailles de Nürma. Son destin était d'enrayer le mal qui sévissait en ce monde. Durant des milliers d'années, il avait tué d'innombrables créatures maléfiques pour le compte du bien. Un jour, sans connaître la raison, il s'aperçut que le monde avait changé. Plus il tuait de monstres aux dents acérées, plus les querelles entre les différentes races devenaient indomptables. Il comprit alors que ce qui unissait autrefois ces peuples était la souffrance et la crainte qu'ils partageaient ; le mal avait trouvé un nouveau chemin. Les exploits du jeune guerrier étaient chantés par tous les peuples, mais rien de ce qu'il faisait n'arrivait à calmer ses tourments. Ses rêves de justice et de liberté ne pouvaient être vrais. Aigri, il se mit au service de différents seigneurs qui lui offraient d'immenses fortunes en échange. Crachant sur son destin, emporté par la folie, le guerrier mit lui-même fin à ses jours pour abréger son supplice. Aujourd'hui, moins nombreuses, les créatures maléfiques ont repris leur place au sein du monde. Elles sont cachées, tapies dans de sombres recoins, à l'affût de voyageurs imprudents.

Cette légende était très évocatrice pour Vonth'ak. Elle l'aidait à comprendre l'esprit et les préoccupations de Simcha. Incapable d'apporter la paix à ses semblables, le pirate avait sans doute décidé de faire cavalier seul. Qui pourrait le lui reprocher, dans un monde où des frères de sang se trahissaient entre eux ?

Fatigué de toutes ses réflexions, le warrak se laissa tomber sur le dos et le sommeil l'emporta sans attendre. Skeip, Elwym et Simcha firent de même. Fork s'était proposé pour assurer le premier tour de garde. Le bosotoss aimait respirer la tranquillité de la nuit. Habitué de vivre seul, le silence lui faisait le plus grand bien. Ses pensées s'envolaient vers le désert, éternel refuge de son peuple.

Plus de deux heures s'étaient écoulées sans qu'aucun autre son que celui du vent entre les feuilles parvienne aux oreilles du colosse. Assoiffé, il se dirigea vers la source pour se désaltérer. La surface de l'eau, aussi claire que le zimz, reflétait les beautés de la lune bienveillante. Fork s'apprêtait à reprendre son poste lorsqu'il aperçut une silhouette se déplacer au loin. Figé, il se mit à prier de toutes ses forces pour ne pas avoir été repéré. Tranquillement, il recula jusqu'à ses compagnons et les tira doucement du sommeil pour qu'ils n'émettent aucun bruit. Du doigt, il leur pointa la menace qui se présentait à eux. Terrorisé, Skeip dut se retenir pour ne pas prendre la fuite. Il savait que faire une telle chose entraînerait sa capture et la mort de ses camarades.

D'abord seul, le sintorien fut rejoint par deux de ses confrères. Peu de temps après l'épisode du lac Hymrid, on les avait probablement informés que les belwigs avaient emmené les fugitifs en direction de la forêt de Grownox. Depuis des jours, sans le savoir, les compagnons étaient poursuivis par les redoutables soldats. Cette fois-ci, avec ou sans Ithan'ak, il n'y avait aucune victoire possible. Si l'un d'eux découvrait la présence du groupe, c'était la mort assurée. Quant au keenox, il n'avait aucune idée du sort qui lui était réservé. Malgré tous les efforts qu'il faisait pour s'en persuader, il savait que le roi Limius ne le recherchait pas pour sa simple compagnie. Une raison beaucoup plus obscure et diabolique se terrait derrière cette énigme. Quoi qu'il en soit, les sintoriens étaient à deux doigts de le capturer.

L'un d'eux s'avançait dangereusement vers la petite troupe dont les membres étaient prudemment allongés sur le sol. Quelques pas de plus et les sintoriens découvriraient les fugitifs. Fork était doté d'une puissance stupéfiante, mais il n'était pas de taille contre ces soldats rapides et plus rusés que lui. En revanche, de la rapidité, Elwym en avait à revendre. Sans que personne s'en aperçoive, l'hyliann s'était glissé hors du groupe sans attirer l'attention des sintoriens. Habitué de vivre en forêt, il faisait preuve sur ce terrain d'une agilité qui lui était naturelle. Au moment où l'un des soldats d'élite était sur le point de découvrir les fugitifs, un lointain craquement attira l'attention de sa monture. D'un seul coup, il fit demi-tour et s'élança en direction du bruit, suivi des deux autres cavaliers.

Chapitre 10

Aucun des compagnons inquiets n'osa bouger durant le reste de la nuit. Ce n'est qu'à l'aurore qu'Elwym réapparut, épuisé, mais satisfait du devoir accompli. Ses camarades étaient impatients d'apprendre de quelle façon il était parvenu à éloigner les sintoriens. Patiemment, l'hyliann leur décrivit comment il s'y était pris pour entraîner les soldats d'élite sur une fausse piste.

— Une fois certain qu'ils étaient totalement perdus, expliqua l'hyliann, j'ai rebroussé chemin pour revenir vers vous. C'est à ce moment que j'ai entendu des sifflements aigus transpercer mes oreilles.

À cet aveu, un frisson parcourut tous les membres du groupe. Seul Fork ne comprenait pas très bien de quoi il était question.

— S'il s'agissait des mêmes créatures qui s'en sont prises à Ithan'ak, avança Simcha, nous pouvons avoir l'esprit tranquille. Ces trois cavaliers ne risquent plus de nous ennuyer.

Malgré cette note optimiste, le pirate eut de la difficulté à remettre la troupe en marche. Il n'avait pas la même autorité qu'Ithan'ak, ce qu'il avait beaucoup de mal à accepter. Les compagnons finirent tout de même par entendre raison et reprirent leur route vers le royaume de Küran. Comme Fork l'avait affirmé la veille, ils arrivèrent aux frontières de la forêt en début d'après-midi.

Devant eux, des terres cultivées s'étendaient à perte de vue. Le contraste des couleurs entre les différents champs offrait un magnifique tableau, à la fois apaisant et rassurant. Ce paysage était particulièrement chargé d'émotions pour Simcha et Vonth'ak.

Le pirate, originaire de ce pays, ne pouvait rester insensible à la vue de cette nature généreuse caractérisant si bien sa patrie. Des souvenirs de son enfance remontaient rapidement à la surface. Le visage de son père, la douceur de sa sœur qui s'était occupée de lui après la mort de leur mère, ou encore les bagarres entre lui et ses frères avec des épées de bois. Cette dernière pensée mit fin à la rêverie du Küranien. Il y a bien des années, alors que Simcha était à l'aube de ses vingt ans, son père avait envoyé ses fils aînés à la guerre pour soulager la pression constante du roi Limius sur le royaume de Küran. Quelques mois plus tard, une missive funeste arrivait, annonçant leur décès. Les deux jeunes gens, à peine âgés de vingt-trois et de vingt-six ans, avaient poussé leur dernier souffle loin de leur famille pour une cause en laquelle ils n'avaient jamais cru. À cette époque, Simcha se souvenait avoir beaucoup souffert de cette perte. De multiples querelles entre lui et son père l'avaient conduit à prendre congé des siens et à s'engager dans la piraterie. Néanmoins, le marin était toujours heureux lorsque son chemin le conduisait sur les terres de ses ancêtres.

L'émotion que ressentait Vonth'ak se nourrissait d'une tout autre source. Plus jeune qu'Ithan'ak, il n'avait que neuf ans lorsque les warraks s'étaient réfugiés sur la pointe d'Antos. Aujourd'hui âgé de soixante-quinze ans, le peu qu'il avait vu du reste du continent relevait d'un lointain et nébuleux souvenir. Chaque scène, chaque odeur, tout ce qui l'entourait captivait le warrak. Du royaume de Küran émanait une tendresse étonnante. Celle-ci provenait sans doute du lien étroit qu'entretenaient les habitants de ce pays avec la terre. On ne pouvait voir nulle part ailleurs sur le continent le culte de Konorph célébré davantage. Ce dieu bienfaisant, seigneur des moissons et de la végétation, était le protecteur des peuples sédentaires. Amant de Nürma, il savait être généreux envers les bras qui s'occupaient affectueusement de la terre bienfaitrice. Généralement pacifique, il pouvait aussi se montrer sans pitié pour les profanateurs. Vonth'ak, comme tous les warraks, considérait Konorph comme secondaire dans le panthéon des dieux. Se nourrissant des produits de la chasse, l'agriculture n'avait jamais su acquérir ses lettres de noblesse dans la culture du peuple des nomades. Toutefois, tous ces champs moissonnés éveillaient une fibre insoupçonnée à l'intérieur du warrak.

Guidée par Simcha, la petite troupe s'engagea dans un champ de maïs. À cette période de l'année, les plans étaient si hauts que seul Fork arrivait encore à voir l'horizon. Le colosse fut naturellement le premier à apercevoir les bâtiments agricoles. La grange, dont les planches étaient autrefois peintes en rouge, n'était plus qu'une ruine sur le point de s'écrouler. Une partie du toit était manquante et ce qu'il en restait ne survivrait pas à un autre hiver. Un peu plus loin, d'une petite maison blanche, s'échappait une douce odeur de jambon fumé.

Simcha intima à Fork de rester à couvert avec les autres pendant qu'il irait lui-même inspecter les lieux. Au bout de quelques minutes, l'homme était de retour avec une tranche de jambon sur la pointe de sa dague.

— Il n'y a personne, annonça-t-il gaiement en prenant une énorme bouchée. Je crois que nous devrions en profiter pour nous régaler.

— Je ne suis pas d'accord, s'opposa Fork. Nous ne pouvons pas prendre cette nourriture comme de vulgaires voleurs.

Ce commentaire ne sembla pas le moins du monde incommoder le pirate. Au contraire, il trouvait amusant de voir ce géant s'inquiéter de ces choses. Après tant d'années dans la piraterie, le marin était accoutumé à prendre ce qu'il désirait sans demander son compte. Mais en voyant les visages d'Elwym, de Skeip et de Vonth'ak se ranger du côté du bosotoss, il comprit qu'il devrait cette fois-ci respecter les usages.

— Puisque vous y tenez, dit le pirate, nous gagnerons notre pain. Vous voyez cette grange en ruine là-bas ? Je vous propose de la remettre sur pied en échange de l'hospitalité de ce fermier. Qu'en dites-vous ?

— Cela risque de prendre plus d'une semaine, s'étonna Elwym.

— Dans ce cas, répondit le pirate, je vous propose de commencer immédiatement après le bon repas qui nous attend.

Cet argument vint à bout des dernières réticences et tous s'engouffrèrent dans la maison aux odeurs accueillantes.

Une fois revigorée, l'équipe d'ouvriers s'avéra singulièrement efficace. Elwym, plus agile que ses camarades, était affecté à la reconstruction du toit. Comme les warraks se sentaient plus confortables sur la terre ferme, Simcha avait confié à Vonth'ak la solidification des murs de la grange. D'abord maladroit, le warrak prenait tranquillement son aise et sa méthode de travail commençait à prendre forme. Fork s'occupait de la préparation et du transport des matériaux nécessaires au chantier. Son incroyable force lui permettait de déplacer d'énormes charges sans aucune aide. Heureux de donner des ordres, Simcha occupait le poste d'organisateur. Il avait dressé un plan de toutes les tâches à accomplir et veillait à ce que le travail avance rapidement. Il prêtait main-forte à Elwym ou à Vonth'ak lorsqu'ils devaient accomplir une opération requérant plus d'un individu. Le pirate savait qu'il devait aussi confier une besogne au keenox afin d'éviter que le rongeur ne devienne trop encombrant. Skeip, conscient que ses compagnons ne pouvaient absolument pas se passer de son aide, était ravi de repeindre l'extérieur du bâtiment. Après tout, à quoi servait-il de réparer cette vieille grange si elle n'était pas jolie à regarder ?

— Je me demande comment s'en sortent les ouvriers qui n'ont pas de keenox pour les aider, pensa tout haut le rongeur.

Elwym, qui avait l'ouïe très fine, entendit la remarque et passa à deux doigts de tomber du toit tellement il était amusé.

— Entendez-vous mes amis ? cria-t-il en s'étouffant de rire. Nous sommes bénis d'avoir rencontré un keenox. D'ailleurs, je crois que s'il n'avait pas été à nos côtés les sintoriens nous auraient probablement déjà découpés en rondelles et fait cuire pour le souper.

— Il a bien raison, approuva Skeip, ce qui déclencha un fou rire général autour de lui.

Le rongeur ne comprenait pas très bien pourquoi ses compagnons riaient aux éclats, mais il était heureux d'en être la cause.

Les cinq ouvriers travaillèrent dans la bonne humeur le reste de la journée. En discutant de choses et d'autres, ils apprenaient tranquillement à mieux se connaître. Seul Vonth'ak, qui avait vécu dans la solitude durant presque toute sa vie, ne s'intégrait pas facilement au reste du groupe. Il travaillait seul dans un coin en murmurant pour lui-même.

Aux environs de neuf heures, revenant d'une visite chez un parent, Nicolas Finch et sa femme furent étonnés d'apercevoir d'étranges silhouettes s'activer autour de leur grange. Elwym sentit immédiatement leur présence et intima au reste du groupe de se réunir à l'intérieur.

— Le fermier et sa femme sont de retour, annonça-t-il tout bas. Je crois que nous devrions envoyer quelqu'un pour leur parler.

— Je m'y rends de ce pas, déclara joyeusement Skeip.

Avant que le rongeur n'ait le temps de prendre son élan, Simcha le retint par le bras.

— Ces gens n'ont pas l'habitude d'être en contact avec d'autres races, expliqua l'homme. Je vais à leur rencontre.

— Je ne suis pas d'accord, dit Elwym, qui s'attira un regard noir du pirate. Même si tu portes cette cuirasse blanche que les cavaliers de la plume argentée t'ont donnée, ton visage recèle toujours les traits d'un voleur. D'autre part, le royaume de Küran est voisin de la forêt de Lelmüd. Ces fermiers ont probablement l'habitude de voir des hylianns. Ce sera donc moi l'émissaire.

Simcha, mécontent de découvrir que son autorité n'était pas encore solidement établie, dut se résoudre à attendre patiemment pendant que l'hyliann se rendait auprès du fermier.

Comme l'avait deviné Elwym, Nicolas Finch avait rencontré des hylianns auparavant. Il en passait fréquemment sur la place du marché. Par contre, celui qui se dirigeait vers lui en était un très différent. Ses traits étaient beaucoup plus carrés et son teint argenté était moins éclatant. Le fermier en conclut que l'hyliann dont il ferait bientôt la rencontre n'était pas originaire de la forêt de Lelmüd.

— Je me nomme Elwym, commença poliment l'hyliann. Mes camarades et moi-même avons pris la liberté de vous emprunter un peu de nourriture en échange de notre main-d'œuvre. Vous devez vous douter que nous sommes un groupe de voyageurs et qu'il nous est parfois difficile de trouver ce qu'il faut pour nous restaurer. Je vous prie donc d'accepter nos excuses si nous vous avons offensé de quelque façon que ce soit.

Le fermier prit quelques secondes pour réfléchir en regardant les travaux effectués sur la grange. Ses fils étant partis pour la guerre, lui et sa femme avaient grand mal à entretenir la ferme.

En voyant le fermier hésiter à se montrer amical, Elwym assura que, en échange d'un peu de nourriture et d'un toit pour dormir, le bâtiment serait comme neuf en moins d'une semaine.

Nicolas Finch, âgé de cinquante-six ans, était un honnête homme qui savait reconnaître une proposition équitable quand il en entendait une. Il ne demandait pas mieux que de nourrir de jeunes gens en échange de leurs bras, mais ceux-ci formaient un groupe particulièrement étrange. Inquiet, il jetait sans cesse des coups d'œil en direction de Fork.

— Mon compagnon est un bosotoss et il est doux comme un agneau, insista Elwym, qui avait remarqué l'attitude du fermier. Comme vous pouvez le constater, je suis aussi accompagné d'un homme, d'un warrak et d'un keenox. Je peux vous assurer qu'aucun de nous ne vous causera d'ennuis.

Le fermier n'avait jamais vu de warrak auparavant, mais il connaissait bien les histoires qu'on racontait à leur sujet. Toutefois, celui qui accompagnait l'hyliann n'avait pas un air aussi menaçant que ce qu'on racontait. Il n'y avait aucune raison apparente de s'inquiéter de sa présence. Quant au keenox, il y avait longtemps que l'un de ces rongeurs n'avait mis les pieds dans la région et ces créatures offraient invariablement une bonne distraction.

En vérité, c'était l'appétit du bosotoss qui angoissait Nicolas. Un tel monstre devait manger la ration de trois hommes en un seul repas. D'un autre côté, avec son aide, les travaux seraient terminés beaucoup plus rapidement.

— J'accepte votre proposition, dit finalement le fermier en tendant la main à Elwym. Je m'appelle Nicolas Finch et voici ma charmante femme Keira. Elle veillera à votre confort durant votre séjour chez moi.

Keira Finch était une dame d'une cinquantaine d'années sur laquelle l'âge n'avait pas encore prise. Elle dégageait une énergie et un enthousiasme étonnants, peut-être attribuables à ces jeunes gens qui lui rappelaient ses garçons. À grands pas, elle se dirigea en direction de ses invités.

— Cessez donc de travailler, s'écria-t-elle joyeusement. Vous en avez assez fait pour aujourd'hui. Venez plutôt à l'intérieur me raconter le récit de vos aventures. Je suis certaine que je n'en dormirai plus durant des mois.

Charmés par cet accueil inespéré, les compagnons suivirent madame Finch à l'intérieur où ils purent se reposer sous un toit chaleureux. Depuis leur escale au lac Hymrid, ils n'avaient pas eu l'occasion de reprendre leur souffle. De tout leur voyage, c'était la première fois qu'ils se sentaient vraiment en sécurité quelque part.

Sur la petite table de la cuisine, deux longues chandelles éclairaient timidement la pièce. Comme l'avait demandé madame Finch, Simcha et Elwym faisaient le récit de leur voyage. Depuis les cavaliers de la plume argentée jusqu'à leur arrivée à la ferme, ils ne manquèrent aucun détail. La fermière, prise au piège dans sa fastidieuse routine, se délectait de leurs histoires. Elle était passionnée par tout ce que les jeunes gens avaient à raconter, même par les interventions inusitées du keenox. Skeip, confiant que l'histoire ne serait rien sans lui, ne manquait pas une occasion de se faire valoir. Les gens étaient rarement aussi réceptifs que cette gentille dame envers lui ; mieux valait en profiter.

Lorsque Keira Finch apprit qu'Elwym avait perdu ses deux frères aînés durant une bataille, elle adopta une attitude maternelle envers lui. Simcha, l'esprit quelque peu engourdi par le cidre que concoctait monsieur Finch, avoua que ses grands frères étaient aussi morts à la guerre. Cette révélation étonna Elwym, qui se sentit soudain plus près du pirate. Cet homme avait connu les mêmes souffrances que lui.

« Il y a certainement du bon en lui comme en chacun d'entre nous », pensa Elwym en observant son camarade.

Le silence était tombé et Skeip en profita pour introduire une de ses fameuses anecdotes. Arrachant l'attention de la fermière, il lui raconta comment il avait sauvé la situation en affrontant à lui seul un sintorien qui s'aventurait près des rochers où ses compagnons dormaient. Madame Finch avait du mal à croire que le petit rongeur puisse arriver à soulever ne serait-ce qu'une petite épée, mais elle était enchantée d'entendre son histoire.

Vonth'ak, un peu plus loin, discutait avec Nicolas des rumeurs qui circulaient dans le village depuis quelque temps.

— Croyez-moi, dit le fermier, le roi Limius est très en colère. On raconte que quatre soldats de sa garde personnelle manquent à l'appel. L'un d'entre eux était au village la nuit passée. Il a déclaré à l'aubergiste que son seigneur le rappelait auprès de lui. Je crois que le vieux roi commence à craindre pour sa vie. Il est vrai qu'il s'est fait beaucoup d'ennemis ces dernières années.

Vonth'ak écoutait le fermier avec une grande attention. L'un des sintoriens avait été tué par Ithan'ak il y avait un bon moment déjà. Il était normal que la nouvelle se soit répandue. Par contre, les trois autres n'étaient morts que la nuit dernière, probablement par les mêmes créatures qui avaient mis fin à la vie du jeune chef.

« Comment peuvent-ils déjà être au courant de leur disparition ? » se demandait Vonth'ak.

Sur cette réflexion, il prit congé de Nicolas pour aller prendre du repos dans la grange. Conscient que la journée avait été très dure, le fermier n'y porta pas attention et se tourna pour écouter le keenox qui racontait ses exploits.

Fork, à l'écart, observait ses compagnons avec les yeux d'un père. Il honorerait la mort d'Ithan'ak en veillant sur eux jusqu'à la fin. Tout en alimentant la cheminée située dans le fond de la pièce, il se demandait quand et de quelle manière leur voyage prendrait fin. L'attitude du pirate inquiétait particulièrement le colosse. Elwym lui avait décrit la nature de l'entente qui unissait l'homme au reste du groupe. D'après l'hyliann, il n'y avait rien à craindre de Simcha tant qu'il n'aurait pas reçu sa récompense. Le bosotoss demeurait tout de même sur ses gardes.

Fork chassa ses mauvaises pensées pour se concentrer sur Elwym et Skeip. Ces deux jeunots n'avaient pas une grande expérience du monde. Elwym, à peine âgé de vingt ans, avait mis les pieds hors de chez lui pour la première fois il y avait seulement quelques mois. Les hylianns, pouvant vivre des milliers d'années, ne s'étaient jamais montrés impatients de découvrir le monde. Quant à Skeip, il était peu probable qu'un keenox ait un jour connu le sens du mot « mature ». Quoi qu'il en soit, Fork craignait que le rongeur porte en lui une grande menace. La hardiesse que mettait le souverain de Kalamdir pour capturer un keenox en était la preuve.

Perdu dans ses pensées, le géant ne s'était pas aperçu que Vonth'ak était sorti. Ce dernier, qui n'avait jamais connu la vie à l'intérieur d'un clan, était une pure énigme pour Fork. Jamais il n'avait connu un warrak aussi mystérieux. Le bosotoss s'interrogeait surtout sur les raisons qui poussaient Vonth'ak à demeurer avec le groupe. Peut-être qu'il ne savait tout simplement pas où aller, mais cette explication était un peu trop simpliste, même pour un bosotoss. Une autre motivation animait le warrak. Fork avait remarqué de quelle façon Vonth'ak cherchait à protéger Skeip du moindre danger.

« Il est peut-être plus conscient de l'importance du keenox que nous le sommes ? » pensa le colosse en insérant une nouvelle bûche dans le poêle.

La nuit était très avancée lorsque Keira Finch permit à ses invités de prendre congé. Son mari dormait depuis un bon moment quand elle le rejoint sous les couvertures. Rassasiée de toutes les histoires qu'elle avait entendues, elle était impatiente de voir le jour se lever pour aider les jeunes gens à réparer la grange. De leur côté, confortablement couchés dans la paille, les cinq voyageurs dormaient profondément.

Le vent chaud du sud s'était mis à souffler vers l'ouest. Le ciel étoilé s'assombrissait et d'inquiétants éclairs apparaissaient à l'horizon. Bien abrités sous le toit rafistolé, les compagnons ne furent pas réveillés par la pluie glacée qui déferlait sur tout le royaume de Küran. Ce n'est que lorsque le tonnerre commença à gronder au-dessus d'eux qu'ils s'évadèrent enfin de leurs songes. Une puissante tempête avait surgi dans la nuit, assez forte pour représenter une menace.

— Il n'est pas prudent de rester sous ce toit encore fragile, déclara Simcha. Nous allons nous mettre à l'abri dans la maison. Espérons que la grange tienne le coup. Ce phénomène semble être bien plus qu'une simple tempête. Il est possible que nous fassions face à un ouragan.

Fork, Skeip et Elwym suivirent le pirate jusqu'à la maison sans dire un mot. Le keenox, qui avait l'habitude de s'amuser sous la pluie, n'était pas du tout enchanté cette fois-ci. Au contraire, il était effrayé. Même Fork, qui avait eu l'occasion d'observer plusieurs phénomènes étranges dans le désert, n'était pas très rassuré par cette manifestation météorologique.

Quand ils arrivèrent dans la résidence du fermier, les quatre compagnons trouvèrent ce dernier agenouillé dans un coin de la cuisine, essayant d'apaiser la terreur de sa femme.

— Ce n'est pas normal ! hurlait-elle sans écouter ce que son mari lui disait. Regarde le ciel ; écoute le son que fait le tonnerre. C'est le dieu Konorph qui nous punit. Il nous punit d'avoir abusé de ses moissons sans le remercier pour toutes ses largesses.

— Chaque mois, nous lui faisons des offrandes, argumenta le fermier.

— Il en veut davantage, coupa la femme en sanglotant.

Dans cet affolement, les deux paysans n'avaient pas remarqué les quatre individus qui les observaient.

— Pardon, demanda timidement Simcha, faisant sursauter la pauvre femme. Mes amis et moi aimerions nous abriter ici, si vous n'avez pas d'objection. Les réparations de la grange ne sont pas encore terminées et il serait dangereux d'y rester plus longtemps dans un orage semblable.

— Mettez-vous à votre aise, répondit Keira Finch qui s'était relevée. Ne croyez pas que nous allons vous laisser mourir de froid comme des animaux.

Nicolas était heureux de constater que la présence des voyageurs avait su apaiser sa femme.

— Où est le warrak qui vous accompagnait ? demanda le fermier, qui ne comptait que quatre têtes.

Étonnés, les compagnons s'aperçurent que Vonth'ak n'était pas avec eux. Fork, le plus robuste du groupe, proposa d'aller vérifier si le warrak était toujours dans la grange. Il n'y avait pas de temps à perdre. À chaque instant, la tempête gagnait en vigueur.

Dehors, le vent avait atteint une vitesse étonnante et même le bosotoss avait du mal à ne pas perdre l'équilibre. Certains matériaux étaient emportés dans les airs et un long madrier faillit percuter le visage du colosse.

Fork finit par atteindre la grange et y trouva Vonth'ak qui dormait profondément. Le bosotoss eut beaucoup de mal à le tirer de ses rêves. Quand il ouvrit enfin les yeux, le warrak était sur le point d'être broyé par le colosse.

— Qu'y a-t-il ? demanda Vonth'ak, en essayant d'échapper aux énormes doigts du bosotoss.

Sa voix était presque inaudible tellement le vent sifflait fort.

— Ne vois-tu pas qu'il y a un ouragan ? s'écria Fork en redressant le dormeur sur ses deux pieds. Les autres sont déjà à l'abri dans la maison. Dépêchons-nous avant que les choses n'empirent.

À l'intérieur, madame Finch essayait de garder son sang-froid en effectuant un rituel local pour apaiser la colère du dieu Konorph. Son mari, dépassé par les événements, l'assistait dans le déroulement du cérémonial. Elwym et Skeip, inquiets du fait que Fork et Vonth'ak ne revenaient pas, décidèrent de passer outre les recommandations de Simcha et de se porter à leur secours. Ils s'apprêtaient à passer la porte lorsque le pirate, à l'aide d'une bûche, asséna un solide coup sur la tête de l'hyliann et agrippa le keenox par la taille.

Dehors, d'inquiétants nuages rouges se dessinaient dans la nuit. Le tonnerre grondait sans arrêt et le vent devenait aussi fort que le souffle d'un dieu. Vonth'ak, sous peine d'être soulevé comme une plume, devait se cramponner à Fork pour avancer. Le bosotoss faisait de son mieux pour garder un œil sur le warrak, mais son attention était surtout concentrée sur les objets de plus en plus nombreux à prendre leur envol. Il devenait impératif de rejoindre la maison rapidement avant d'être déchiqueté par les débris.

— Nous n'y arriverons pas, hurla Fork, qui avait du mal à se faire entendre. Je ne peux pas tenir plus longtemps.

Au moment même où les muscles du géant allaient fléchir, une douce chaleur s'empara de son corps. Comme si une couverture chaude l'enveloppait, Fork ne sentait plus le froid ni la douleur paralyser son corps. À nouveau sûr de lui, il s'assura une solide prise sur Vonth'ak et prit un pas déterminé en direction de la maison, qui résistait tant bien que mal à l'ouragan. Aussitôt que le colosse tira sur la poignée, la porte fut emportée par le vent. Avant que la même chose ne leur arrive, le bosotoss poussa le warrak à l'intérieur. Vonth'ak trébucha sur un obstacle et se retrouva le nez collé au plancher, suivi de près par Fork. Cette bousculade suffit à l'hyliann pour reprendre ses esprits.

— Que se passe-t-il ? demanda Elwym en voyant Fork et Vonth'ak allongés à ses côtés. Où est Skeip ?

— L'homme borgne l'a emmené, intervint Keira Finch, qui les aidait à se relever.

— Où ? demanda prestement Vonth'ak.

— Je crois qu'ils sont montés à l'étage, répondit la fermière incertaine ; je ne peux vous l'assurer. J'avais trop peur pour faire quoi que ce soit après qu'il eut assommé votre ami.

La situation dégénérait à l'extérieur et il fallait réagir rapidement. Vonth'ak se tourna vers l'entrée par où le vent s'engouffrait dans la maison. Conscient du danger que représentait cette ouverture, il demanda à Fork d'utiliser la table pour effectuer la réparation.

Tandis que le bosotoss arrachait les pattes de la table, l'hyliann et le warrak s'élancèrent dans l'étroit couloir menant à l'escalier qu'ils escaladèrent à toute vitesse. L'arme au poing, ils examinèrent les chambres l'une après l'autre. C'est dans la dernière, la plus grande, qu'ils trouvèrent Simcha en compagnie du rongeur. Skeip était recroquevillé dans un coin et pleurait sur ses genoux. Le pirate se trouvait dos à l'entrée et tentait de rassurer le keenox.

— Dépose ton arme et tourne-toi lentement vers moi, ordonna une voix familière derrière lui.

Du coin de l'œil, Simcha pouvait voir la pointe effilée d'une flèche pointée dans sa direction. Sans chercher à se défiler, le pirate déposa son épée. À l'aide de son arc, Elwym l'incita à faire quelques pas de côté pour que Vonth'ak s'assure que le keenox n'était pas blessé.

— Vous faites une grave erreur, se défendit Simcha, qui craignait qu'Elwym ne se laisse emporter par la colère.

La veille, l'hyliann lui avait confié qu'il ne pourrait jamais pardonner aux hommes d'avoir assassiné ses deux frères aînés. Pour Elwym, c'était l'occasion rêvée de se venger. Par chance, Simcha avait réussi à tisser les bases d'une amitié avec l'hyliann. Autrement, il aurait probablement perdu la vie.

— Je voulais simplement protéger le keenox, insista le pirate. Vous devez me croire !

— Tu mens comme tu respires, répondit l'hyliann, qui ne cachait pas sa colère. Je devrais t'abattre sur-le-champ.

— Non ! s'écria Skeip, il dit la vérité. C'est moi qui suis monté ici après qu'il t'eut assommé. Simcha voulait simplement me mettre à l'abri. Il voulait que nous redescendions pour vérifier si tu allais bien, mais j'étais certain que tu étais mort.

— Il a tenté de me tuer, tonna l'hyliann hors de lui.

— C'est faux, rugit Simcha dont les yeux lançaient des éclairs. Je voulais vous empêcher de vous élancer vers une mort certaine. Pourquoi voudrais-je ta mort ? Je n'ai toujours pas reçu ma récompense.

Dans un dernier espoir, l'homme se tourna vers le warrak.

— Vonth'ak, je sais que tu comprends ce que j'ai voulu faire. Le keenox est beaucoup trop important pour le laisser mourir si stupidement. Tu sais que si j'avais voulu tuer l'un d'entre vous, ce serait déjà fait.

Vonth'ak réfléchit un moment avant de prendre sa décision. Finalement, il fit signe à Elwym d'abaisser son arc.

— Il n'avait pas d'autre choix, dit le warrak pour calmer l'hyliann mécontent de la tournure des événements. À sa place, j'aurais fait la même chose. Même si nous ignorons encore pourquoi, il est important que Skeip demeure en vie.

À ces mots, le keenox fut pris d'une joie incommensurable. Le monde entier avait besoin de lui. Il n'avait jamais douté que sa compagnie fît l'envie des plus grands seigneurs d'Anosios, mais cette fois-ci, c'était plus qu'il ne pouvait l'espérer. Le rongeur bondissait d'allégresse dans la pièce quand une solide bourrasque ébranla la maison.

— Nous devons redescendre, dit Simcha. Ce n'est pas prudent de rester à l'étage.

Au rez-de-chaussée, Fork s'affairait à barricader la porte avec l'aide du fermier, mais leurs efforts ne menaient à rien. Simcha et Elwym se joignirent à eux, ce qui permit à Nicolas Finch d'atteindre son marteau et ses clous. Il n'en avait enfoncé que deux lorsqu'une énorme rafale projeta tout le monde sur le dos.

Le vent soulevait le mobilier à l'intérieur et les fondations de la maison menaçaient de s'effondrer. Une lampe à l'huile s'était renversée et le feu se répandait rapidement. Il n'y avait plus rien d'autre à faire que d'attendre que la mort se manifeste.

Fork, étendu sur le sol, commençait à croire que ses compagnons et lui ne survivraient pas à cette aventure. Il s'était résigné à se laisser emporter, quand il sentit de nouveau une douce chaleur l'envelopper. Rassuré, il ouvrit les yeux et vit un spectacle prodigieux se produire devant lui. Vonth'ak se tenait debout au centre de la pièce. Autour de lui, une intense lueur verte grandissait à vue d'œil. D'abord, le vent cessa de souffler, puis le feu s'éteignit de lui-même. Des secousses continuaient de maltraiter la maison, mais cette dernière ne menaçait plus de s'effondrer. Le bosotoss essaya de se relever, sans succès. Figé, le colosse se contenta d'observer le warrak qui se montrait sous un nouveau jour.

Vonth'ak témoignait d'une extrême concentration. Il maintenait ses deux bras à l'horizontale, comme s'il essayait de repousser un mur invisible qui se refermait sur lui. La lueur verte qui se dégageait de ses mains entourait entièrement la maison. Lorsque Vonth'ak tourna son visage pour regarder en direction de Fork, le colosse vit chez le warrak un tout autre individu que celui qu'il avait connu jusqu'alors.

Le jour où il avait fait la connaissance de Vonth'ak, Fork l'avait jugé mollasson et d'une constitution très faible pour un warrak. Jamais il n'aurait cru que cet avorton pouvait être investi d'une telle puissance. Les pupilles de Vonth'ak revêtaient une teinte argentée, couleur qui se répandait sur tout le reste de son corps. Pour la première fois de sa vie, Fork se trouvait en présence d'un magicien.

Environ quinze minutes s'étaient écoulées depuis que Vonth'ak avait pris la situation en mains. Il gardait les bras levés et continuait de prononcer d'étranges incantations. Il devait utiliser une grande partie de sa force pour maintenir le champ d'énergie en place. Heureusement, il n'eut pas à défier la tempête encore très longtemps. Comme elle était venue, celle-ci se dispersa brusquement.

La lueur verte qui avait protégé la maison se dissipa tranquillement. Vonth'ak, épuisé, s'effondra sur le sol, inconscient.

— Il est mort ? demanda Skeip, angoissé.

— Sa vie n'est pas menacée, le rassura Elwym. Il a simplement besoin de refaire ses forces. Aide-moi à le soulever, nous allons l'installer confortablement dans la pièce voisine pour qu'il se repose. Quant à vous, dit l'hyliann en s'adressant à Fork et à Simcha, vous devriez vérifier si monsieur Finch et sa femme se portent bien. Ils ne se sont toujours pas relevés.

Lorsque Elwym et Skeip revinrent dans la cuisine, madame Finch pleurait sur le corps inerte de son mari. Le fermier avait reçu une planche de plein fouet et un filet de sang s'écoulait sous sa tête, se déversant entre les lattes du plancher. Il était mort rapidement. Inconsolable, Keira Finch pleura le reste de la nuit.

À l'aurore, sur le porche, les compagnons attendaient impatiemment que Vonth'ak reprenne connaissance. Ils avaient tous oublié l'incident impliquant Elwym et Simcha. Une seule question leur brûlait les lèvres :

— Est-il vraiment un magicien ? demanda finalement le pirate.

— Sans aucun doute, répondit Elwym.

— En es-tu certain ? demanda Skeip, qui ne voulait pas se faire de faux espoirs. Si tu n'es pas certain, tu ne devrais pas nous raconter n'importe quoi. Il est très vilain de mentir, gronda le keenox sur un ton de reproche. Si tu racontes des mensonges, je te préviens que tu perdras mon amitié.

Selon Skeip, cette seule menace devait suffire à s'assurer qu'Elwym disait la vérité. Après tout, personne ne voudrait perdre l'amitié d'un keenox.

— J'en suis certain, le rassura calmement l'hyliann. N'oublie pas que les hylianns ont toujours eu un lien étroit avec la magie.

— Je croyais qu'il n'y avait plus de magiciens en Anosios depuis près de mille ans, intervint Simcha. Comment ce warrak peut-il avoir appris à maîtriser la magie ?

— Il n'est pas impossible qu'un magicien ait survécu à l'Érodium, dit Fork, qui réfléchissait tout haut.

— À quoi ? demanda Skeip, qui ne comprenait pas davantage qu'Elwym et Simcha.

— L'Érodium est le nom donné au terrible conflit qui opposa l'un des seigneurs de Kalamdir aux magiciens, expliqua le bosotoss. Effrayé par la puissance des mages, cet ancêtre du roi Limius décida de les exterminer jusqu'au dernier. Néanmoins, il n'est pas impossible que certains des plus puissants d'entre eux aient réussi à échapper au massacre.

— J'ai déjà entendu parler de cette légende, dit Simcha. Je ne connais pas le nom que tu lui donnes, mais les marins la racontent encore aujourd'hui. Ils disent que les magiciens, aveuglés par leur puissance, avaient comploté pour renverser l'ordre et prendre le pouvoir. Moi-même, je croyais que la magie ne pouvait servir que le mal. Je dois admettre que je m'étais peut-être trompé, car sans l'intervention de Vonth'ak, je ne serais plus en vie. Que connais-tu d'autres à propos de cette guerre ?

— C'est une très vieille histoire et je n'étais pas encore né à cette époque, répondit Fork. Le savoir de mon peuple est gravé dans nos mémoires grâce à nos traditions orales. Contrairement aux écrits, ce procédé ne permet de conserver que les grandes lignes des récits. Je vous ai déjà raconté tout ce que je savais à ce sujet.

À la suite des révélations du bosotoss, chacun sombra dans sa propre réflexion sur la magie et les implications de son retour dans le monde actuel. Où s'était-elle terrée durant tous ces siècles ? Elle demeurait présente dans la mémoire des différents peuples d'Anosios, mais ils la croyaient disparue à jamais. Peut-être que la magie n'avait jamais cessé d'exister sur d'autres continents ? Après tout, personne ne savait vraiment ce qui se trouvait de l'autre côté des dangereux océans. Et seuls quelques intrépides voyageurs s'aventuraient au-delà du grand désert et en rapportaient quelques bribes d'histoires invraisemblables.

— J'ai une dernière question, dit Simcha en regardant Elwym directement dans les yeux. Tu dis que les hylianns entretiennent toujours des liens avec la magie. Dans ce cas, pourquoi n'y a-t-il pas de magiciens parmi vous ?

Un sourire se dessina sur les fines lèvres d'Elwym. Il s'attendait bien sûr à ce qu'on lui pose la question.

— Il n'y a jamais eu et il n'y aura jamais de magiciens parmi les hylianns, expliqua-t-il. En vérité, aucun d'entre nous n'a jamais pu la maîtriser. Les anciens racontent que c'est parce que nous faisons partie intégrante de la magie. Pour ma part, je crois qu'ils adoptent cette explication parce qu'ils n'en ont pas de meilleure.

— Je t'ai pourtant vu verser des larmes qui ont su apaiser Ithan'ak quand il était pris de folie au lac Hymrid, insista Skeip.

— Nous avons en effet certains dons, avoua Elwym, mais ils sont limités. Certains d'entre nous en ont plusieurs alors que d'autres n'en possèdent aucun. Je ne peux malheureusement pas vous donner plus d'explications ; je n'en sais pas davantage. N'oubliez pas que je suis encore très jeune pour un hyliann. Notre rythme d'apprentissage est très long et il me reste encore des milliers de choses à apprendre sur mon propre peuple.

CHAPITRE 11

Vers la fin de la matinée, Vonth'ak reprit connaissance. Skeip se trouvait à ses côtés lorsque ses yeux s'ouvrirent. Le rongeur avait reçu pour mission de veiller sur le warrak pendant que le reste du groupe accompagnait madame Finch dans les champs pour enterrer son mari.

— Sans mes soins, assura le keenox, tu serais resté inconscient pendant au moins deux jours.

Vonth'ak esquissa un sourire et réunit ses forces pour se mettre debout.

— Les autres sont partis depuis environ trois heures, continua Skeip. Je crois qu'ils seront bientôt de retour. Veux-tu manger quelque chose en attendant ?

Vonth'ak accepta la pomme que lui tendait le keenox et se dirigea vers l'entrée. Depuis le porche, le warrak constatait les ravages de la tempête. La grange que ses compagnons et lui s'étaient efforcés de réparer n'était plus qu'un amas de débris. Seules quelques fondations demeuraient solidement enfoncées dans le sol. Au loin, les récoltes étaient saccagées. Cette terre ne donnerait rien de bon cette année. Il n'y avait aucun doute que tout le royaume avait connu le même sort.

Vonth'ak et Skeip attendirent leurs compagnons pendant près d'une heure, durant laquelle le keenox posa d'innombrables questions auxquelles il n'obtint malheureusement que de vagues réponses. En voyant Elwym, Fork et Simcha revenir en compagnie de la fermière, le rongeur retrouva espoir. Ses camarades sauraient peut-être soutirer davantage d'informations au warrak qu'il n'avait su le faire. Son souhait fut exaucé par Simcha. À peine madame Finch était-elle entrée dans la maison que le pirate jeta un coup d'œil interrogateur en direction de Vonth'ak.

— Je crois que tu nous dois quelques explications, lança-t-il sans prendre aucun détour. Peux-tu nous dire ce qui s'est réellement passé la nuit dernière ?

Sous le regard inquisiteur de ses quatre compagnons, Vonth'ak comprit qu'il ne pourrait plus leur cacher la vérité. Le moment était venu de dévoiler son secret, même si cela impliquait de perdre leur confiance à jamais. Le warrak avait besoin de leur aide et il espérait que leur réaction ne serait pas trop négative.

D'une certaine façon, Vonth'ak était soulagé qu'Ithan'ak ne soit plus à la tête du groupe. À plusieurs reprises, le jeune chef avait montré des sentiments hostiles envers la magie. Avec son tempérament explosif, il n'aurait pas hésité à trancher la tête de Vonth'ak en apprenant que ce dernier lui avait dissimulé sa véritable nature. Simcha, malgré son côté rustre et autoritaire, serait plus facile à amadouer.

— Comme vous avez pu le constater, commença Vonth'ak, je maîtrise la magie.

Cette révélation arracha un éclat de joie au keenox. Irrité, Simcha lui fit signe de se taire afin que Vonth'ak puisse continuer.

— Vous ne devez pas m'en vouloir d'avoir passé cette vérité sous silence, continua le warrak. Pour que vous puissiez comprendre mes raisons, je dois d'abord vous expliquer d'où je viens et de quelle façon je suis devenu magicien.

Avant de continuer, il prit le temps de s'asseoir sur l'une des chaises de bois qui se trouvaient sur le balcon, signe que son histoire durerait un bon moment.

— Jadis, lorsque je n'étais encore qu'un jeune warrak, j'appartenais au clan des okeinans. Comme tous ceux de mon âge, je suivais un entraînement rigoureux visant à faire de moi un féroce combattant. Sous le climat glacial de la pointe d'Antos, nous pratiquions le maniement du glaive. Pour nous endurcir, on nous envoyait seuls dans la forêt sans aucune nourriture, à la merci des bêtes sauvages et de la température. Chaque étape de notre formation était plus difficile que la précédente. Malgré tous les efforts que je déployais pour devenir un grand guerrier, je n'étais pas à la hauteur. Durant les entraînements, des enfants beaucoup plus jeunes que moi parvenaient à me vaincre sans aucune difficulté. Je n'avais tout simplement pas le physique requis. Ce fut l'époque la plus douloureuse de ma vie. Nos maîtres s'acharnaient sur moi alors que ceux de mon âge m'évitaient comme la peste. Plus encore, ils s'amusaient à me torturer et à me ridiculiser. Vers l'âge de vingt ans, je pris la fuite avant d'être soumis au chemin du guerrier. Je savais que si je n'exécutais pas cette dernière épreuve avec succès, c'était la mort qui m'attendait. Le test comprenait deux étapes. La première, celle de la force physique, consistait à demeurer éveillé durant trois jours et trois nuits tout en gardant notre glaive à la main, sans jamais le déposer. Bien qu'il n'y ait aucun moyen de le savoir, j'aurais peut-être triomphé de cette première étape. En revanche, la seconde m'était assurément fatale. Axée sur l'adresse au combat, elle consistait à affronter le chef de clan en combat singulier. Après avoir effectué quelques parades, il jugeait si l'apprenti était digne de devenir un véritable guerrier. En cas d'échec, le duel se terminait de façon funeste. Je ne suis donc jamais devenu un véritable guerrier. Lorsque j'ai rencontré Ithan'ak, je lui ai dit que je m'appelais Vonth'ak. En vérité, comme je n'ai jamais terminé mon apprentissage de guerrier, je ne mérite pas de porter le « ak » à la fin de mon nom. Vous pouvez m'appeler simplement Vonth.

— Il n'en est pas question, intervint Skeip en sanglotant. Je comprends pourquoi tu as fui. Nous continuerons de t'appeler Vonth'ak. Les gens de ton clan étaient très vilains. J'aurais fait la même chose à ta place. Ma vie est beaucoup trop importante.

— Détrompe-toi, reprit le warrak, sans se laisser distraire. Il est coutume de sacrifier les jeunes warraks qui n'ont pas la force de défendre leur clan. D'ailleurs, j'ai regretté amèrement de ne pas m'être plié aux traditions de mon peuple. Ce n'est qu'après ma fuite que j'ai vraiment connu ce qu'était la solitude. Assoiffé, sans nourriture et presque mort de froid, tous les jours je priais Kumlaïd de venir prendre ma vie. Pourtant, je savais qu'il ne m'accorderait jamais ce privilège. Le dieu de la guerre n'accepte pas les couards dans ses rangs. J'étais donc condamné à errer dans la neige, isolé des miens, me nourrissant des carcasses que laissaient les prédateurs derrière eux. Misérable charognard, j'étais devenu la honte de mon peuple. Pendant plus de dix ans, je crois n'avoir jamais parlé à autre chose qu'aux arbres qui peuplaient nos forêts. Il m'arrivait parfois d'apercevoir au loin la palissade d'un camp, mais j'évitais rigoureusement de m'en approcher. Un jour où je m'aventurais sur les rives de l'océan Golphost, j'aperçus une petite embarcation se diriger dans ma direction. D'abord pris de panique à l'idée qu'on m'avait repéré, je conclus ensuite qu'il ne pouvait s'agir d'un warrak. Comme vous le savez déjà, nous sommes en quelque sorte allergiques à l'eau. Ma curiosité prit le dessus sur la peur. Je n'avais que neuf ans lorsque le clan des okeinans s'était réfugié sur la pointe d'Antos et les souvenirs que je conservais à propos des autres races d'Anosios n'étaient plus que de vagues images ternies.

Décidé à découvrir l'identité de l'individu qui se dirigeait vers moi, je m'assis sur une pierre d'où j'observai la barque qui rivalisait avec les vagues.

— Qui était dans la barque ? demanda Skeip, impatient.

— J'y viens, répondit Vonth'ak un peu agacé. Il s'agissait en fait d'un vieil homme. Comme il ne me paraissait pas très dangereux, je m'approchai de lui au moment où il tirait sa barque sur le sable. Je me trouvais à quelques pas de lui lorsqu'il se retourna soudainement. Je vous laisse imaginer ma surprise lorsqu'il m'appela par mon nom. Comment ce vieillard pouvait-il me connaître ? Il m'expliqua qu'il avait entendu parler de moi et qu'il avait décidé de me venir en aide. Déstabilisé par cette première discussion après dix ans d'isolement, j'acceptai tout ce qu'il me raconta sans poser de questions. J'étais bien sûr très naïf et surtout très heureux de me retrouver avec un individu plus loquace que les arbres. Le vieil homme commença par nous préparer un savoureux repas tiré de l'océan. Il attendit que j'aie mangé à ma faim avant de m'annoncer qu'il m'emmenait chez lui. Croyant qu'il voulait m'entraîner dans le monde des hommes, je protestai en disant qu'il m'était impossible de voyager sur l'eau. J'étais loin d'imaginer qu'un homme pouvait habiter sur la pointe d'Antos. Son refuge, disait-il, se trouvait à une semaine de marche vers le nord. Sans plus attendre, nous prîmes la route vers cette improbable demeure. J'avais du mal à croire que ce vieillard puisse habiter au cœur de la péninsule et que jamais un clan warrak n'ait remarqué sa présence. En vérité, il existe sur ces terres glacées un endroit où la neige ne cesse jamais de tomber et où le vent ne reprend jamais son souffle. Il est impossible de s'y aventurer, même pour le plus coriace des guerriers. C'est en arrivant à ce lieu que je découvris la véritable nature de mon bienfaiteur. Sans m'avertir, il leva les bras et entama une incantation que je n'étais alors pas en mesure de comprendre. Stupéfait, je vis apparaître dans la tempête un tunnel au bout duquel se trouvait un impressionnant château argenté. C'est ainsi que je m'engouffrai dans le repère du magicien Antos, unique survivant de l'Érodium.

Vonth'ak marqua une pause pour observer la réaction qu'il avait suscitée. Déconcertés, ses quatre compagnons tentaient de digérer l'information qu'ils venaient de recevoir. Aucun d'entre eux ne se serait douté que le nom donné à la péninsule avait une signification. Encore moins qu'elle était directement liée à un magicien et à une guerre qui avait eu lieu il y a plus de mille ans. Même Fork, âgé de quatre cent trente ans, devait admettre que sa connaissance concernant cette histoire était très limitée.

— Comment se fait-il que personne ne se souvienne de l'existence de ce magicien ? demanda le bosotoss. S'il était assez important pour que son nom soit donné à la péninsule, pourquoi n'avons-nous jamais entendu parler de lui ?

— Parce que le savoir n'est pas laissé entre les mains du peuple, répondit tristement Vonth'ak. Ce sont les rois et les puissants qui régissent l'information. Certains événements sont glorifiés à l'aide de fêtes et de monuments, alors que d'autres gagnent à être passés sous silence. Les monarques savent tirer parti de la gloire de leurs ancêtres et camoufler leurs actes les plus répréhensibles. Depuis longtemps, Antos était à la recherche d'un apprenti qui prendrait sa relève après sa mort. Contrairement à ce qu'il m'avait dit lors de notre rencontre sur la grève, ce sont ses facultés qui lui avaient permis de connaître mon existence. Depuis le soir où j'avais fui mon clan, il avait suivi mes mésaventures. Craignant d'enseigner à un élève indigne de ses pouvoirs, il avait laissé passer plus de dix ans avant de se présenter à moi. Les premières années passées à ses côtés furent très peu excitantes. Bien que le vieux magicien ait résolu de m'emmener dans son château, il n'était pas encore prêt à me faire totalement confiance. En effet, il m'apprit à lire et me présenta différents ouvrages sur le continent, l'histoire, la politique et bien d'autres sujets qu'il considérait comme importants dans mon éducation. Comme moi, il avait perdu l'habitude de communiquer et nos discussions s'avéraient toujours brèves et rationnelles. Après huit ans à dévorer tout ce que mon maître me donnait comme lecture, je devenais impatient de commencer mon apprentissage de la magie. Incapable d'attendre plus longtemps, je lui fis un jour part de mes sentiments. S'il ne se décidait pas à m'apprendre son art, je n'avais plus aucune raison de moisir dans la bibliothèque de son château.

— Tu n'avais pas peur qu'il te chasse ? demanda Elwym.

— Bien sûr, répondit le warrak. Et j'ai regretté cet acte de défi bien des fois depuis. Inquiet de me voir le provoquer, il accéda à ma demande sans pour autant relever sa garde. Le rythme auquel il m'enseignait était aberrant. La chose la plus importante que j'ai apprise sous la tutelle d'Antos est sans aucun doute la patience. Les années passaient et j'avais l'impression de n'apprendre que les rudiments de la magie, rien de vraiment sérieux. Le magicien m'empêchait littéralement de progresser. Il m'interdisait de lire ses livres d'incantations, d'enchantements et de sortilèges. Ce manège continua jusqu'à ce que la fièvre s'empare du vieil homme. Conscient qu'il n'en avait plus pour très longtemps, il consentit à m'apprendre ses secrets. Malheureusement, la mort l'emporta quelques mois plus tard. Juste avant de quitter ce monde, il me révéla qu'un terrible mal menaçait le continent et que c'est pour cette raison qu'il m'avait formé. Évidemment, il ne s'attendait pas à ce que la maladie vienne faire obstacle à ses projets.

— T'a-t-il révélé quelle était cette menace ? demanda Elwym, sans chercher à cacher son inquiétude.

— Il n'en a pas eu le temps, répondit amèrement Vonth'ak. Après la mort de mon maître, quatre années s'écoulèrent, durant lesquelles j'essayai de trouver des indices dans les livres. Aucune réponse ne se présenta à moi. Lorsque les warraks quittèrent peu à peu la péninsule, il devint évident pour moi que je devais faire de même. J'avais encore beaucoup à apprendre, mais l'intuition me disait que je devais les suivre. J'ai consulté une ancienne carte géographique que possédait Antos. Elle indiquait un chemin qui passait dans la chaîne de montagnes. C'est à cet endroit que j'ai trouvé Ithan'ak, presque mort dans la neige. Ensemble, nous avons traversé les monts Himlash pour regagner le reste du continent. À plusieurs reprises, je dus faire preuve d'une extrême délicatesse pour dissimuler mes pouvoirs. Lors de nos différents combats, je venais à bout de mes adversaires à l'aide de la magie, pendant qu'Ithan'ak avait le dos tourné. J'ai aussi dû intervenir subtilement pendant le combat qui l'opposa à un des sintoriens. Un simple sortilège de confusion. Quoi qu'il en soit, Ithan'ak avait du mal à croire qu'un warrak d'une consistance aussi faible que la mienne soit apte à se défendre. C'est pourquoi j'utilisais une grande partie de mes forces pour camoufler l'aura argentée qui m'entoure jour et nuit. Voilà pourquoi j'étais sans cesse épuisé.

Simcha, remarquant qu'aucune aura n'émanait du corps de Vonth'ak, l'invita à laisser tomber son masque.

— Il n'est pas prudent pour moi de me révéler au grand jour, déclara le warrak. Je préfère ne courir aucun risque.

— Comme tu voudras, lança Fork, mais tu dois savoir que nous sommes tous disposés à accepter ta véritable identité.

Vonth'ak hocha la tête en signe de remerciement. Les cinq camarades restèrent un moment silencieux, réfléchissant aux récents événements.

— Croyez-vous que la tempête que nous avons essuyée était un phénomène naturel ? demanda finalement Elwym.

Tous les yeux se tournèrent vers Vonth'ak.

— Je suis maintenant presque certain que le roi Limius dispose d'un magicien à son service, répondit le warrak.

— Impossible, intervint Simcha. Les lois de Kalamdir sont très claires à ce sujet : toute personne faisant usage de la magie ou encourageant sa pratique sera punie par la mort. Cette loi n'est plus vraiment utile aujourd'hui, mais elle est toujours en vigueur.

— Ça ne change rien, rétorqua Vonth'ak. Comme je viens de vous l'expliquer, les souverains contrôlent l'information et vont à l'encontre de leurs propres lois sans le moindre scrupule. Ithan'ak, lors de son combat contre l'un des sintoriens, avait senti que le soldat était protégé par un enchantement. Hier soir, en discutant avec le défunt mari de madame Finch, un second indice est venu confirmer mes soupçons. Le fermier avait entendu dire que quatre sintoriens étaient décédés. Ce que je n'arrive pas à comprendre, c'est la façon dont cette nouvelle a pu se répandre si rapidement.

— Il y a un bon moment qu'Ithan'ak s'est occupé du premier sintorien, fit remarquer Simcha.

— Je sais, répondit Vonth'ak, mais nous avons fait la rencontre des trois autres il y a deux jours à peine. La seule explication est qu'ils sont tous reliés par un enchantement très puissant.

— Est-ce vraiment possible ? s'étonna Elwym. Tu crois qu'ils arrivent à échanger des informations d'un bout à l'autre du continent ?

— Ça ne fonctionne pas exactement de cette façon, intervint Fork.

Sans se laisser troubler par les regards déconcertés qui se posaient sur lui, le colosse continua de sa voix caverneuse.

— Je ne connais rien à la magie, admit-il, mais les bosotoss sont tous reliés en permanence par la pensée. Nous ne pouvons échanger aucune information concrète. Ce sont en quelque sorte notre conscience et notre âme qui transmettent notre perception du monde par delà les plaines et les montagnes. Il doit en être de même pour les sintoriens. Ne croyez-vous pas ?

— Je suis d'accord avec Fork, renchérit Vonth'ak. D'après ce que j'ai étudié à ce sujet, seul un puissant magicien peut dialoguer par la pensée. Mais il n'en reste pas moins que seule une personne maîtrisant très bien la magie pouvait lancer cet enchantement sur les gardes du roi. Et je crois que c'est ce même individu qui a provoqué accidentellement un ouragan la nuit dernière.

— Après un tel désastre, dit Simcha, les troupes de Kalamdir envahiront la région pour venir en aide à leurs voisins. Le roi Limius a besoin de l'appui du royaume de Küran pour mener sa guerre contre les nains. Il fera tout pour solidifier les liens entre les deux peuples. Nous ne pouvons plus nous rendre directement à la forêt de Lelmüd sans risquer d'être repérés.

Contrairement à son habitude, Skeip n'essayait pas de prendre part à la conversation. Le keenox était étrangement calme. L'idée de tomber entre les mains d'un magicien ne lui plaisait pas du tout. Qui pouvait savoir ce qui l'attendait si une telle chose advenait ? La mine défaite, il se contentait d'écouter les spéculations de ses camarades.

— Ne t'en fais pas avec ce magicien, ricana Simcha, qui avait remarqué l'angoisse du rongeur. Tout près d'ici, dans la ville de Chrysmale, j'ai quelques amis qui pourront nous aider. Nous devons nous mettre en route sans tarder. Avec un peu de chance, nous l'atteindrons avant que les chemins deviennent impraticables.

Chapitre 12

Depuis plus d'une heure, le général Karst faisait les cent pas dans l'antichambre de la salle d'audience du palais. Fatigué par le paysage qu'offraient les monts Himlash, il s'était lui-même octroyé une permission afin d'échapper à la guerre durant quelques semaines. Son répit avait été de courte durée. Il n'était rentré chez lui que depuis deux jours lorsque le roi Limius l'avait fait appeler expressément. Fidèle à son suzerain, il n'avait pas hésité à quitter sa femme et ses enfants qu'il n'avait pas revus depuis plus d'un an.

Le général était originaire de la province d'Henlor, et son domaine ne se trouvait pas très loin de la cité d'Ymirion. Initialement un royaume à part entière, Henlor avait été annexée à Kalamdir lors d'une guerre menée par le père du roi Limius. Afin de calmer la conscience des royaumes qu'il avait trahis, le vieux roi s'était assuré de sélectionner un général dans chacune des provinces conquises. De cette façon, les habitants avaient l'impression que leur royaume avait toujours une force politique, ce qui n'était qu'une supercherie. En vérité, les généraux étaient soigneusement choisis pour leur fidélité à la grande cité.

Depuis l'antichambre, le général pouvait entendre le vacarme provoqué par la colère de son souverain. Le roi, d'une humeur noire, fracassait des objets d'art sur le zimz qui recouvrait les murs de la grande salle. Comme un fauve en colère, il rugissait contre ses serviteurs :

— Qu'on m'amène cet incapable de Xioltys, aboyait-il sans cesse. Est-ce trop vous demander que de trouver un homme qui habite dans mon propre château ?

« J'ai mal choisi mon moment pour prendre des vacances », pensait Karst, qui regrettait déjà ses lointains champs de bataille.

Lorsque le roi était en colère, nul ne savait de quoi il était capable, même envers son plus grand général. Pour se calmer, Karst se forçait à croire que sa contribution était indispensable à la victoire contre les nains. Il n'avait pas vraiment tort. À plusieurs reprises, son audace et ses ruses de guerre avaient su renverser la situation devant une défaite imminente. Mais est-ce que ses hauts faits sauraient le protéger contre la fureur de son roi ? Il n'en était pas certain.

La porte qui s'ouvrit fit pénétrer un air frais dans l'antichambre.

— Si le général veut bien me suivre, dit un vieil homme qui semblait avoir passé une journée difficile, le roi est prêt à le recevoir.

Karst laissa ses armes dans un coffre de bois prévu à cet effet et suivit le petit homme aux cheveux gris jusqu'au centre de la salle d'audience. Comme la coutume le voulait, il s'agenouilla devant les quelques marches menant au trône de son suzerain.

Limius, sans dire un mot, observait l'homme qui s'inclinait devant lui. Il aimait prendre son temps avant de permettre à ses vassaux de se relever. Ainsi, il éprouvait leur fidélité en leur rappelant qui détenait le pouvoir.

Quatre saisons s'étaient écoulées depuis que le général était au front. Cet excès de zèle inquiétait le roi qui n'avait jamais fait confiance à personne. Lentement, il prenait soin d'analyser en détail les changements qui s'étaient opérés depuis la dernière visite de Karst.

Au début de la quarantaine, le soldat avait les tempes qui commençaient à grisonner. Grand et musclé, il n'avait toutefois pas l'allure du meneur d'hommes qu'il était. En plus de ses vêtements qui commençaient à tomber en loques, de nombreuses cicatrices ravageaient son visage. Si Limius ne l'avait pas si bien connu, il aurait cru avoir affaire à un voleur de grand chemin.

Sa détermination restait la même, mais le roi sentait une pointe de lassitude dans l'attitude du soldat. Il n'y avait rien de plus normal après plus d'une année sans revoir sa famille. Limius continua son inspection quelques minutes avant de conclure que tout était en ordre. Le plus important pour lui était que Karst inclinait toujours la tête bien bas devant le trône royal.

— Vous pouvez vous relever mon ami, dit-il d'une voix aimable. Comme vous devez être heureux d'être de retour après une si longue absence.

Karst se leva sans prononcer un mot. Il savait que son roi aimait meubler la conversation à lui seul.

— Vous avez mauvaise mine, lui dit Limius. Il n'est pas sage pour vous de pousser votre corps à ses limites. Je crains que je doive prendre des dispositions pour que vous preniez du repos.

Ces paroles cinglèrent aux oreilles du général. Il savait que quelque chose ne tournait pas rond. Dès son entrée dans la grande salle, le roi avait dissimulé sa rage. Karst reconnaissait bien l'attitude sarcastique qu'adoptait son suzerain. Le serpent s'apprêtait à cracher son venin.

— Un terrible ouragan s'est déchaîné sur nos voisins de Küran, confia Limius. Le roi Filistant attend sans aucun doute que je lui envoie mon plus grand général pour porter secours à son royaume. Qui pourrais-je désigner de plus qualifié que vous ? Votre venue ici est une bénédiction. Vous partirez demain dans la matinée.

En une minute, Karst s'était vu retirer son commandement. Hier encore, général en chef des armées de Kalamdir, il se retrouvait aujourd'hui à la tête d'une milice d'hommes inexpérimentés. De surcroît, il devait jouer les bienfaiteurs auprès de paysans trop empotés pour se secourir eux-mêmes. Karst demeurait général, mais sans la gloire qui accompagne le titre.

— Monseigneur, tenta-t-il dans un dernier espoir, ne serais-je pas plus utile au front à combattre vos ennemis ?

— Depuis quand mes généraux se permettent-ils de défier mes ordres ? tonna Limius, hors de lui. Si seulement je n'avais pas besoin de vous pour cette mission, c'est la corde qui vous attendrait. Soyez heureux que je sois aussi clément envers vous. Sortez d'ici et ne revenez pas avant d'avoir accompli ma volonté.

Karst fit une dernière révérence et se dirigea rapidement vers la porte. Frustré, il connaissait les motivations du suzerain. Inquiet de voir l'un de ses généraux acquérir une renommée importante au sein de l'armée, Limius avait préféré lui retirer son commandement plutôt que de tirer profit de ses aptitudes. En temps normal, le général aurait eu droit à un sévère avertissement. Malheureusement, quelque chose avait mis le roi de mauvaise humeur ce jour-là.

« Cet homme n'a vraiment confiance en personne », se répétait tristement Karst en pénétrant de nouveau dans l'antichambre.

Il récupérait ses armes lorsqu'il remarqua un jeune homme étrange assis sur le banc de pierre le long du mur opposé. Ce dernier avait les yeux bleus argenté et de longs cheveux blonds et soyeux. Grand et solide, l'inconnu avait l'allure d'un soldat. Seuls ses vêtements trahissaient le fait qu'il n'appartenait pas à l'armée. Il était vêtu d'une ample pièce d'étoffe noire ornée de symboles rouges et retenue par une ceinture en cuir vert.

À plusieurs reprises au cours de ses visites au château, le général avait aperçu cet individu sans jamais lui adresser la parole. Dans tous les cercles, de nombreuses rumeurs couraient au sujet de ce singulier personnage. Pour sa part, Karst s'en tenait à ce dont il était certain : le roi l'avait recueilli lorsqu'il n'était encore qu'un enfant et avait toujours refusé de le présenter à la cour. Ce mystère était devenu l'un des sujets favoris circulant dans le palais du roi et même jusqu'aux lointains champs de bataille. Le général avait entendu cent fois ce nom murmuré à voix basse sous les tentes de ses soldats : Xioltys.

Mal à l'aise devant cet individu dérangeant, Karst était soulagé que celui-ci ne lui adresse pas la parole. Contrarié par les récents événements, le général s'empressa de quitter l'étroite pièce. Il s'apprêtait à refermer la porte derrière lui lorsqu'il aperçut du coin de l'œil une fine lueur argentée s'échapper de l'antichambre. Curieux, il s'arrêta brusquement et risqua un coup d'œil à l'intérieur ; il n'y avait plus personne. Décidément, ce Xioltys faisait l'objet d'un grand mystère.

En proie à ses propres tourments, Karst décida de ne pas s'y attarder davantage.

Chapitre 13

En quatre jours à peine, Simcha avait conduit la petite troupe aux portes de Chrysmale. Ils auraient pu effectuer le trajet plus rapidement, mais ils avaient pris soin de conduire madame Finch chez des parents, qui avaient accueilli la pauvre veuve à bras ouverts.

Située à la frontière de deux royaumes, la ville n'était sous la gouverne d'aucune juridiction. De ce fait, elle était devenue le repère des assassins, des voleurs, des contrebandiers ; de tous les rebus que recelait la société. Des quatre coins du continent, les malfrats venaient y tramer leurs plus infâmes méfaits. Selon Simcha, il était aisé de passer incognito dans une ville comme celle-ci même pour un groupe aussi étrange que le leur.

— Tu es bien certain que nous ne risquons pas d'être repérés par les soldats de Kalamdir ? s'inquiéta Vonth'ak. Au nombre de patrouilles que nous avons dû éviter depuis notre départ de la ferme, j'ai peine à imaginer qu'il n'y ait aucun danger à déambuler dans une ville en plein jour.

— Ne t'en fais pas, répondit le pirate, nonchalant. Ce ne sont que des troupes de réserve commandées par le premier venu. Le roi Limius est peut-être un tyran, mais pas un idiot. Il n'enverrait pas ses meilleurs éléments jouer les nounous avec ces paysans. Crois-moi, il n'y a aucun risque.

Rassuré, Vonth'ak tira Skeip par le bras en se dirigeant vers les énormes portes de bois, suivi de près par Fork et Elwym. Débouchant tout droit sur la place du marché, ils restèrent bouche bée devant le spectacle qui se présentait à eux. Vonth'ak comprenait à présent pourquoi Simcha ne craignait pas d'attirer l'attention. Entre les kiosques des vendeurs, des centaines de personnes se bousculaient pour se frayer un passage. En un clin d'œil, on pouvait apercevoir des hyliann s, des hommes, des nains et bien d'autres races moins familières au warrak. Skeip remarqua un homme aux doigts palmés dont tout le corps était recouvert d'une peau verte et visqueuse. Sa tête était surplombée d'une mince crête semi-transparente et son visage ressemblait davantage à celui d'un poisson qu'à celui d'un homme. Il discutait avec un individu de son espèce qui lui ressemblait en tous points, outre que ce dernier avait la peau bleue. Skeip s'empressa de demander à Fork de quelle race il s'agissait. Le bosotoss dut admettre qu'il n'en avait pas la moindre idée.

— Il existe d'autres terres et d'autres peuples par-delà le désert et les océans, expliqua-t-il. Il est très difficile de s'y rendre. De la même façon, seuls quelques aventuriers téméraires parviennent à atteindre notre continent. Peut-être aurons-nous la chance d'en croiser quelques-uns durant notre séjour ici, avança le colosse.

— Vraiment ? demanda le keenox, excité.

— Nous ne pourrions pas trouver un meilleur endroit pour ça, renchérit Simcha. Chrysmale possède un des nombreux ports de liaison entre le continent et le désert. De plus, la ville a l'avantage de ne posséder aucun agent de contrôle des débarquements. C'est un atout important pour les voyageurs qui ne désirent pas divulguer trop d'informations à leur sujet.

— Ce qui est tout à fait notre cas, ricana Elwym. Si nous allions visiter un peu les environs, pendant que Simcha s'occupe de nous trouver un transport sûr pour nous rendre à la forêt de Lelmüd ?

— C'est une très mauvaise idée, trancha Vonth'ak. Nous devrions trouver une chambre pour prendre du repos et nous mettre à l'abri des regards indiscrets.

Cette nouvelle perspective n'enchantait guère le keenox. La chance de rencontrer des étrangers venus de lointains pays était à sa portée et il n'était pas question qu'il aille s'enfermer dans une sombre auberge. Même lorsque Vonth'ak lui rappela que sa tête était mise à prix, le rongeur ne voulut rien entendre. D'une manière ou d'une autre, il avait la ferme intention de visiter la ville. Se tournant vers Simcha, il le supplia de ses gros yeux globuleux en espérant ainsi obtenir l'appui du pirate.

— Je crains que Vonth'ak ait raison, dit aimablement l'homme, en s'adressant au keenox comme s'il s'agissait d'un enfant. Nous ne voudrions pas qu'il t'arrive quelque chose, tu comprends ?

Dépité, Skeip suivit le reste du groupe à la recherche d'une auberge à prix modeste. *Le Chant du Coq* semblait un endroit tout indiqué pour y passer la nuit. Au fond d'une ruelle peu fréquentée, l'établissement n'était pratiquement pas occupé. Seuls deux fermiers occupaient l'une des trois chambres du haut. Puisqu'il n'y avait que Simcha qui possédait de quoi payer l'aubergiste, il fut convenu entre lui et Elwym que cette somme lui serait rendue au moment de recevoir sa récompense. Ces négociations irritaient beaucoup l'hyliann, qui n'avait jamais accordé d'importance aux biens matériels. Ce n'était pas vraiment le fait de s'acquitter de sa dette envers Simcha qui le dérangeait. L'homme l'avait amplement mérité en les libérant tous des griffes des cavaliers de la plume argentée. Elwym souhaitait simplement que le pirate se joigne véritablement au groupe, sans avoir toujours en tête le butin qui l'attendait à la fin du voyage.

— Pendant que vous vous installez confortablement, déclara Simcha, je vais tâter le terrain et voir si je ne pourrais pas nous trouver un convoi clandestin qui va dans notre direction.

Un court instant, Fork pensa accompagner le pirate et essayer de retrouver un ami qu'il avait entrevu à la place du marché. Il se ravisa en voyant le pauvre keenox qui était presque au bord des larmes.

Les deux chambres que Simcha avait louées communiquaient ensemble. En colère contre Vonth'ak, Skeip refusait catégoriquement de partager la sienne avec le warrak. Le magicien soutenait qu'il voulait simplement protéger le keenox et que, pour cette raison, il n'était pas question de le laisser dormir dans une autre chambre que la sienne. Afin de calmer les esprits, Fork insista pour partager sa chambre avec le rongeur tout en promettant de bien le surveiller. À bout d'arguments, Vonth'ak fit volte-face et pénétra furieusement dans sa chambre en claquant violemment la porte.

— Ça lui passera, soupira Elwym, fatigué de toutes ces chamailleries enfantines. Je vais le rejoindre et dormir un peu. Vous devriez en profiter pour en faire autant en attendant le retour de Simcha.

Pour toute réponse, il reçut la grimace colérique du keenox.

L'humidité et la chaleur étouffante de l'après-midi s'engouffraient dans les étroits passages de l'auberge. Trois heures s'étaient écoulées depuis l'arrivée des derniers clients. À moitié endormi, l'aubergiste se berçait tranquillement dans un coin de la salle à manger. Il était impossible de travailler par un temps comme celui-là. Confortablement installé, le gros homme fut un peu irrité de voir descendre un des occupants d'une des chambres jumelles.

— Que puis-je faire pour vous, mon petit bonhomme ? demanda-t-il sans cacher sa lassitude.

Le rongeur se contenta de placer son index devant son museau et de continuer son chemin en marchant sur la pointe des pieds.

Pendant un moment, Skeip avait cru que Fork ne s'endormirait jamais. Heureusement, la chaleur avait eu raison du colosse. Conscient que ses amis ne pouvaient se passer de sa présence très longtemps, le keenox s'était juré de ne pas s'éloigner de l'auberge, ou peut-être du quartier. Il avait la ferme intention de revenir avant que ses compagnons se réveillent. Il ne voulait surtout pas mettre Fork dans l'embarras.

Skeip commença par remonter l'allée, puis se dirigea vers la droite en direction de la place du marché. À cette heure, les marchands faisaient la sieste et les rues étaient pratiquement désertes. Refusant de se laisser décourager, le keenox pensa qu'il aurait davantage de chance de faire des rencontres intéressantes en se rendant dans une taverne, ce qui n'était pas chose manquante dans cette ville. Le rongeur ne mit que quelques secondes à repérer la porte de l'une d'entre elles et s'y rendit au pas de course.

En s'engouffrant dans l'épaisse couche de fumée qui remplissait l'établissement, le keenox comprit qu'il ne s'était pas trompé. Accoudées au comptoir et assises autour de nombreuses tables dispersées dans la pièce principale, des dizaines de personnes discutaient et riaient aux éclats.

Tout comme sur la place du marché, la clientèle présente était composée de gens d'une multitude d'espèces. Lorsqu'il distingua l'homme aux doigts palmés qu'il avait entrevu plus tôt dans la journée, Skeip oublia toute notion du temps. Puisque l'étrange individu était seul à sa table, le keenox décida d'aller lui tenir compagnie.

— Bonjour, dit-il joyeusement. Je suis Skeip et je vous offre la chance de m'inviter à votre table. Mais d'abord, j'aimerais savoir d'où vous venez. Comment s'appelle votre race ? Serait-il possible que l'on devienne amis ?

D'abord étonné par l'approche loufoque de la petite créature, le voyageur finit par éclater de rire devant les innombrables questions du rongeur et l'invita à boire une chope de bière avec lui.

Skeip apprit que son nouvel ami, Diranof, appartenait au peuple des yaltas. Il était originaire d'une île située au sud du continent d'Anosios. Désireux de découvrir de nouveaux horizons, il s'était engagé comme mercenaire il y a plus de vingt ans et avait visité une grande partie du monde.

— J'ai un ami qui était lui aussi mercenaire, dit Skeip, enthousiasmé.

— Quel est son nom ? demanda Diranof. Peut-être que j'ai déjà travaillé avec lui.

— Il s'appelle Simcha et il est borgne, répondit le keenox.

— Simcha ! s'exclama le yaltas. Bien sûr que je le connais. Il y a un peu plus d'un an, je cherchais un navire pour traverser discrètement le Danimphe du Nord en direction du port de Loastream. Avec les vaisseaux de Kalamdir patrouillant dans le secteur, aucun capitaine ne voulait courir le risque de me prendre à son bord. J'avais entendu parler d'une bande de pirates qui avait jeté l'ancre dans une baie peu fréquentée au sud de la ville. C'est à cet endroit que ce vaurien de Simcha m'extirpa une fortune pour m'embarquer sur son navire. Les dieux devaient être contre moi ce jour-là. Malgré toutes les précautions prises par le pirate pour éviter les voies commerciales, nous fûmes pris en chasse par le bâtiment amiral de

Kalamdir. Inutile d'expliquer que nous n'avions aucune chance de le distancer. Je proposai aux pirates de prendre les armes, mais nous étions trois fois inférieurs en nombre. Engager le combat aurait été un pur suicide. Nous n'avions d'autre choix que de nous rendre. Il est surprenant que les soldats de Kalamdir nous aient laissé la vie sauve. Simcha et son équipage devaient avoir infligé des pertes considérables à la flotte royale, car nous eûmes l'insigne honneur de croupir dans les cachots de la grande cité.

— Vraiment ! s'étonna le keenox. Comme ce devait être excitant. J'aurais aimé participer à cette aventure.

— Je ne crois pas, coupa le yaltas. Je ne sais pas si tu as déjà entendu parler des sintoriens. Ce sont eux qui étaient chargés de notre châtiment. Durant des semaines, ils nous ont torturés sans relâche. À la fin, j'étais au bord de la folie. Je perdais le contrôle de mes sens et j'avais du mal à me souvenir de mon nom. Quelques jours de plus à subir ce traitement et j'y laissais ma peau.

— Comment avez-vous réussi à fuir dans un état semblable ? interrogea Skeip.

— C'est ce qui est le plus étonnant, répondit Diranof. Nous n'avons pas eu à fuir. Simcha, un soir où il n'était pas trop mal en point, entendit nos geôliers discuter à propos d'une créature que le roi tenait absolument à faire prisonnière. Rusé comme il l'était, le pirate réussit à convaincre nos ennemis qu'en échange de notre liberté il trouverait la bestiole pour eux. Loin de lui faire confiance, les sintoriens n'acceptèrent de relâcher que deux prisonniers : lui et moi. Les autres furent gardés en otage. Conscient que je ne l'aiderais pas dans sa quête, Simcha me laissa partir sans essayer de me retenir. C'est la dernière fois que je l'ai vu. De toute façon, je ne crois pas qu'il ait vraiment essayé de retrouver la créature. Ces pirates sont sans honneur.

Sur sa chaise, Skeip était pétrifié. Afin de s'assurer qu'il ne faisait pas erreur, il tenta une dernière question :

— Quel était le nom donné à la créature ? demanda-t-il en frissonnant.

— Je n'en suis plus certain, répondit Diranof, en passant sa main droite sur sa crête. C'était un keenox, si mes souvenirs sont exacts.

D'un seul coup, tous les rouages se placèrent dans la tête du rongeur. Il comprenait pourquoi Simcha s'était immédiatement intéressé à lui lorsqu'il était prisonnier des cavaliers de la plume argentée. Mécontent, le pirate s'était vu contraint d'emmener les warraks et les hylianns. Plus tard, gêné dans ses projets, il avait tenté d'éliminer Ithan'ak. Son plan avait échoué, mais le jeune chef était mort peu après. Sans lui, plus personne n'empêcherait le pirate d'accomplir sa besogne. Il suffisait à Simcha de laisser croire à ses compagnons qu'il les emmenait à la forêt de Lelmüd.

— Oh non ! s'écria Skeip. Il nous attire dans un piège. Je dois avertir les autres avant son retour.

— Est-ce que tout va bien ? s'inquiéta Diranof.

Skeip regarda timidement le yaltas en remerciant les dieux que celui-ci ne soit pas natif du continent. Son compagnon n'avait donc aucune idée de l'apparence d'un keenox.

— Je crois qu'il est l'heure pour moi de rentrer, dit poliment le rongeur en reculant sa chaise.

Il se levait lorsqu'il aperçut quatre soldats pénétrer dans la taverne. L'un d'entre eux, dont le visage était creusé par de nombreuses cicatrices, s'avança pour prendre la parole.

— Écoutez-moi tous, dit-il impérieusement. Je suis le général Karst et je mène mes hommes vers le royaume de Küran. J'ai pensé faire une halte dans votre charmante cité, car je suis aussi à la recherche d'un keenox. J'ai appris que l'un d'eux avait été vu dans cette ville et j'offre une généreuse récompense à quiconque aurait des informations à me fournir.

Tous les regards se tournèrent en direction d'une fenêtre par laquelle le rongeur tentait de s'échapper.

— Il est ici ! s'exclama le général. Attrapez-le !

Skeip courait de toutes ses forces pour échapper à ses poursuivants. Fâcheusement, ses courtes pattes ne lui permettaient pas de les distancer. Traversant la place du marché, il repéra la rue qui menait à l'allée de l'auberge où il logeait et s'y engouffra sans oser regarder derrière lui.

À bout de souffle, il monta l'escalier qui menait à sa chambre et ouvrit la porte à toute volée. À l'intérieur, tous ses camarades étaient rassemblés, y compris Simcha, ce traître. Affolé, le keenox fit quelques pas vers l'arrière et se heurta aux soldats qui l'avaient rattrapé. De toute part, ses ennemis l'entouraient.

Furieux, Fork voulut s'élancer contre les trois archers qui venaient de faire irruption dans la chambre. Rapidement, ils élevèrent leurs arcs et l'un d'eux décocha une flèche en signe d'avertissement.

— Que personne ne bouge, dit une voix forte provenant du couloir.

Le général Karst pénétra dans la chambre et passa en revue tout ce qui s'y trouvait. La prise s'annonçait encore plus belle que ce qu'il espérait. Sans aucun doute, il venait de mettre fin à un complot. Pendant un court instant, il savoura sa victoire, avant d'être interrompu dans ses pensées par un cri de détresse.

Derrière lui, l'un de ses soldats avait été happé dans le couloir et son arc gisait sur le plancher. Sans prendre le temps de réfléchir, les deux confrères du malheureux tirèrent leurs épées et se portèrent à son secours. Le son étincelant du métal se fit entendre, suivi de deux chocs sourds sur le sol. Karst, désemparé, s'avança vers la porte pour voir ce qui se passait. Avant même qu'il n'ait mis un pied dans le couloir, une épaisse lame fracassa le côté gauche de sa figure. À la façon d'un arbre que le métal sans pitié d'une hache vient d'abattre, l'homme s'effondra sur le sol sans bouger.

Doucement, tel un fantôme revenant tout droit du royaume des morts, une silhouette familière s'avança dans le cadre de la porte.

Chapitre 14

Ithan'ak savait que son heure était venue. Malgré tout, il avait l'intention de mourir en guerroyant. D'un œil farouche, il avisa la créature la plus près de lui et décocha un coup de glaive qui la tua sur-le-champ. Cette action eut pour effet d'aggraver la blessure du warrak. À peine conscient, il avait du mal à distinguer ce qui se trouvait devant lui. La mort viendrait le cueillir d'un moment à l'autre.

Les sifflements s'amplifièrent au point que le jeune chef dut laisser tomber son arme pour se couvrir les oreilles. Lorsqu'il devint incapable de tolérer une seconde de plus les lames aiguës qui lui transperçaient les tympans, les sifflements cessèrent d'un seul coup.

Une lueur verte avança tranquillement vers lui, jusqu'à ce que les yeux du warrak n'arrivent plus à supporter son éclat. À ce moment précis, un hurlement s'échappa des poumons du jeune chef. Même dans ses pires cauchemars, il n'avait jamais imaginé que la mort puisse être si douloureuse.

Pendant un moment qui lui sembla être une éternité, Ithan'ak endura la lumière aigüe, dont l'intensité ne semblait pas vouloir diminuer. Au contraire, elle s'obstinait à scruter son corps dans ses moindres recoins. Lorsqu'il sentit que son esprit ne pourrait plus endurer davantage ce traitement, la lumière s'éteignit enfin.

Ithan'ak, dont les yeux ne voyaient plus, dut se fier à ses autres sens pour comprendre ce qui lui arrivait. Couché dans un lit moelleux, il entendait des oiseaux gazouiller. Ses doigts touchaient les draps fins sur lesquels il était étendu et son nez se délectait d'une délicieuse odeur de pain qui flottait dans l'air. Ce n'était pas l'idée que le jeune chef s'était faite de la mort. Peut-être était-ce un rite de passage avant de rejoindre les champs de bataille éternels ? Une autre explication vint à l'esprit du warrak. Se pouvait-il qu'il n'ait pas été accepté auprès du grand dieu de la guerre ?

— Vous n'êtes tout simplement pas mort, intervint une voix maussade qui appartenait sans doute à un vieillard.

Sur ses gardes, Ithan'ak jeta un regard en direction de son interlocuteur. Les yeux du warrak ne lui permettaient toujours pas de voir quoi que ce soit.

— Votre vue reviendra d'ici quelques heures, assura la voix. D'ici là, j'aimerais que vous me racontiez d'où vous venez, ainsi que ce que vous faisiez dans ma forêt.

Le jeune chef n'aimait pas la situation dans laquelle il se trouvait. Aveugle, il n'avait aucun moyen de défense contre cet individu qui pouvait l'attaquer à tout moment.

— Ne comprenez-vous pas que c'est moi qui vous ai sauvé la vie ? demanda la voix offusquée. C'est grâce à moi si les chunks vous ont laissé la vie sauve et si vous n'avez pas succombé à vos blessures. Un peu de reconnaissance de votre part ne serait pas de trop.

De toute évidence, l'individu disait la vérité. Vu la situation dans laquelle il se trouvait, Ithan'ak décida de lui faire confiance jusqu'à ce que sa vision revienne.

— Je me nomme Ithan'ak et je suis le chef du clan des kourofs, annonça-t-il.

— Un chef de clan, ricana la voix. C'est un bien petit clan que vous aviez sous vos ordres.

Comprenant qu'il ne pourrait pas s'en tenir à quelques simples explications, le warrak décida de raconter tout ce qui lui était arrivé depuis son départ de la pointe d'Antos. Un peu plus d'une heure défila avant qu'il ait achevé son récit. À ce stade, ses yeux commençaient à percevoir de nouveau la lumière du jour. Comme Ithan'ak l'avait présumé, la voix à laquelle il s'adressait appartenait à un vieil homme barbu confortablement installé dans un trône de pierre rembourré à l'aide de coussins et d'épaisses étoffes de tissu. L'étranger était coiffé d'une mince couronne argentée, ornée de quatre petites gravures représentant les principaux cycles de la lune. Plusieurs pendentifs étaient suspendus à son cou et ses doigts étaient tous parés, à l'exception de ses pouces, de bagues finement taillées dont les yeux affaiblis d'Ithan'ak ne parvenaient pas à distinguer la splendeur. Le warrak était ravi de constater qu'il avait retrouvé l'usage de tous ses sens, mais un détail continuait à l'irriter. Dans sa splendide tunique bleue et dorée, le vieil homme dégageait une aura argentée qui dansait autour de lui comme un feu glacé. L'espace d'un moment, le jeune chef crut que ses yeux avaient encore besoin d'un peu de repos, mais il comprit rapidement que ce n'était pas le cas. Sans avoir besoin d'explications, il savait qu'il était en présence d'un magicien.

— Je dois avouer que vous avez un bon instinct, sourit le vieil homme en se relevant avec agilité. Je crois aussi comprendre que vous êtes affamé. Pourquoi ne pas me suivre sur la véranda ? Nous y continuerons cette discussion devant un bon repas chaud.

L'estomac d'Ithan'ak était en effet en proie à de sévères rugissements. De toute évidence, le vieillard avait la faculté de lire dans les esprits.

Dans sa jeunesse, lorsqu'il s'entraînait pour devenir un grand guerrier, Ithan'ak avait entendu de terribles mythes concernant la magie. Comme tous les warraks, ces légendes l'avaient conduit à détester et même à renier tout phénomène surnaturel. Ithan'ak avait toujours cru que s'il se retrouvait en présence d'un véritable magicien il n'hésiterait pas un instant à lui retirer la vie. Ce qu'il ne s'était jamais figuré, c'était d'être un jour secouru par l'un d'eux.

Face à un dilemme, le jeune chef se leva et souleva son glaive posé sur une chaise en bois près du lit. Il sortit l'arme de son fourreau pour observer les inscriptions ornant la large lame : L'honneur dans la mort. Ithan'ak ne savait pas lire, mais la signification de ces signes était gravée dans sa mémoire. Bien avant qu'il ne devienne chef de clan, le warrak avait fait inscrire cette maxime sur son arme afin de ne jamais oublier quelle était sa première vertu, celle qui était la plus importante à ses yeux. Lorsque son esprit s'embrouillait et qu'il devenait difficile de prendre une décision éclairée, il avait pris l'habitude de répéter plusieurs fois cette phrase dans sa tête et la solution se présentait généralement d'elle-même.

— L'honneur dans la mort, pensa Ithan'ak à voix haute.

Il rengaina son arme et tourna les talons vers le couloir dans lequel le vieillard avait disparu. Il n'était plus question pour le jeune chef de tuer le magicien qui l'avait tiré d'une mort certaine. Ce geste n'aurait pas été digne d'un grand guerrier. Par prudence, il prit soin de faire le vide dans sa tête avant de rejoindre son hôte.

Le vieil homme, occupé devant un grand fourneau, invita Ithan'ak à admirer la vue. La pièce circulaire débouchait sur un balcon surplombant la cime des plus hauts arbres de la forêt. En s'y rendant, le warrak comprit que la demeure du vieil homme était creusée dans un énorme conifère dont la taille ne pouvait s'expliquer que par une intervention magique. Il était impossible d'en apercevoir le pied. À en juger par le nombre de fenêtres incrustées dans l'arbre, à intervalles réguliers, la résidence comptait plusieurs centaines de pièces. Réchauffé par la délicieuse lumière du soleil, le jeune chef gravait dans son esprit chaque détail susceptible de lui être utile lorsqu'il quitterait cet étrange endroit.

— Ne vous inquiétez pas, intervint la voix du vieil homme, qui avait sans doute lu de nouveau dans l'esprit du warrak. Je n'ai pas l'intention de vous garder ici contre votre volonté. Je vous aiderai même à quitter cette forêt sans encombre lorsque le moment sera venu.

— Pourquoi pas maintenant ? répliqua sèchement le warrak.

— Parce que vous ne souhaitez pas vraiment partir, répondit le vieillard. N'ai-je pas raison ? Trop de questions resteraient sans réponses si vous partiez aujourd'hui. Des questions dont vous ignorez même l'existence.

— Qu'attendez-vous de moi ? s'enquit Ithan'ak. Quel intérêt avez-vous à me garder avec vous ?

— Tout d'abord, venez vous asseoir à l'intérieur pour déguster un bon repas avec moi. Je ne me souviens plus de la dernière fois où j'ai partagé mon goûter avec quelqu'un. Je vous expliquerai tout lorsque nous serons rassasiés.

Ithan'ak, affamé, ne se fit pas prier et s'installa devant le copieux dîner que le vieillard avait préparé. Lorsqu'il demanda si les aliments qu'il savourait étaient magiques, son hôte lui expliqua qu'il lui était en effet aisé de faire apparaître la nourriture. Par contre, la saveur était nettement supérieure lorsque le repas était préparé de façon plus traditionnelle.

L'estomac du warrak se régalait du festin qui se trouvait devant lui, mais sa curiosité demeurait insatiable. Durant sa jeunesse, pour arriver à ses fins, le jeune chef avait appris à observer les pratiques de ses rivaux et à en tirer parti. Espérant que le vieil homme s'introduise de nouveau dans ses pensées, il répétait sans cesse une série de questions dans sa tête. Son stratagème ne mit pas longtemps à donner ses fruits.

— L'attitude des belwigs à votre égard, dit le vieil homme d'une voix irritée. Voilà la raison qui me pousse à vouloir en connaître davantage sur vous. À présent, suivez-moi ; il semble que votre curiosité ne puisse pas attendre une minute de plus.

En un clin d'œil, tout ce qui se trouvait sur la table avait disparu. Devant la mine hébétée du warrak, le vieillard ricana en expliquant que, si la nourriture était meilleure lorsqu'elle était préparée à la main, les couverts ne méritaient pas autant d'attention.

Derrière le vieil homme, Ithan'ak descendit un étroit escalier en colimaçon qui se trouvait vraisemblablement au cœur de l'arbre gigantesque. Ils passèrent devant plus d'une trentaine de portes avant de s'arrêter devant l'une d'elles. À bout de souffle, le vieillard expliqua au warrak qu'il se déplaçait généralement par magie, mais qu'il lui était impossible de transporter une autre personne avec lui sans sacrifier pour un long moment une grande partie de ses forces.

Lorsque le magicien toucha la poignée argentée, Ithan'ak entendit une série de cliquetis, signe qu'un système complexe de serrures s'était déclenché derrière la porte.

« Évidemment, pensa le warrak ; il y a tellement de portes qu'il serait impossible de conserver une clé pour chacune d'elles. Et que pourrait-il y avoir de plus sécuritaire qu'une protection magique ? »

— Bien entendu, répondit tout haut le vieil homme à la réflexion de son invité. Entrez dans cette pièce. J'ai quelque chose de beaucoup plus intéressant que ce petit tour de passe-passe à vous montrer.

La pièce dans laquelle Ithan'ak venait de pénétrer ne comptait aucune fenêtre. Elle était sombre et lugubre, et l'air qu'elle contenait était chargé d'une telle humidité que le warrak avait du mal à respirer.

— Désolé pour l'inconfort que cette pièce vous procure, s'excusa le vieil homme. Elle est construite de façon à conserver une grande quantité d'eau dans l'air. Je crois savoir que votre race a des rapports difficiles avec l'eau. Croyez-vous pouvoir tenir le coup le temps que notre besogne ici soit achevée ?

Ithan'ak hocha la tête en signe d'approbation, puis jeta un regard autour de lui. Mise à part une pierre transparente qui émettait une faible lumière dorée, la salle était complètement vide. Le warrak, qui n'avait aucune idée de l'utilité de cet endroit, se contenta d'observer le magicien qui effectuait d'étranges mouvements devant la pierre. Graduellement, celle-ci devenait plus brillante.

La pièce, plongée dans l'obscurité au début, devint aussi claire que le jour. Stupéfié, Ithan'ak vit apparaître de petits animaux qui grimpaient sur des arbres. Plus loin, un ruisseau s'écoulait paisiblement, disparaissant par moment sous une épaisse couche de végétation. Le chant des oiseaux et le sifflement du vent dans les arbres égayaient l'ouïe du warrak. Amusé par le jeu d'un papillon qui tournait autour de lui, Ithan'ak essaya de l'attraper, mais sa main traversa l'insecte comme s'il s'agissait d'une hallucination.

— Ne soyez pas si stupide, intervint une voix amusée. Ne comprenez-vous pas que tout ceci n'est que le miroir du monde extérieur ? Vous êtes en vérité toujours dans la même pièce sombre dans laquelle vous vous teniez quelques instants plus tôt. D'ailleurs, vous avez toujours du mal à respirer.

Le vieil homme disait vrai. Ithan'ak cherchait sans cesse son souffle et redoutait de s'évanouir à chaque instant.

— Que voulez-vous me montrer ? demanda péniblement le jeune chef.

— Patience, mon ami, vous comprendrez dans un instant.

Ithan'ak n'avait aucune idée de ce que toute cette mise en scène signifiait, mais quelque chose lui semblait familier. Sans réfléchir, il leva les yeux au ciel et comprit enfin où il se trouvait. Au loin, traversant un petit nuage solitaire, un groupe de belwigs volaient en direction de la forêt. Comme ils approchaient, le jeune chef put distinguer des silhouettes sur le dos des hybrides. L'une de ces silhouettes lui ressemblait comme son jumeau.

— Tout ceci n'est qu'une reproduction des événements qui se sont déjà passés ? observa-t-il à bout de souffle.

Sans répondre, le vieil homme lui fit signe de continuer à observer. Les belwigs s'étaient posés en bordure de la forêt et l'un d'eux s'inclinait poliment devant la réplique d'Ithan'ak. À ce point précis, tout ce qui composait la reconstitution projetée par le magicien se figea dans le temps. Le chant des oiseaux, le sifflement du vent dans les arbres, tous ces détails qui rendaient le paysage si réaliste s'étaient immobilisés. Fasciné, le vieillard se tenait juste à côté du belwig qui était incliné devant le jumeau du jeune chef.

— C'est pour cette raison que vous m'avez amené ici ? demanda Ithan'ak d'une voix étranglée. Parce qu'un animal s'est incliné devant moi ?

— Ce qui s'est passé en bordure de la forêt est une énigme pour moi, admit le magicien. De toute évidence, vous ne comprenez pas la portée de tout cela.

Le vieil homme leva une main et la pièce reprit son apparence d'origine. Le warrak, sans attendre les instructions de son hôte, se hâta vers la porte qu'il ouvrit à la volée. Il fut soulagé de sentir l'air frais s'engouffrer dans ses poumons. Le magicien vint le rejoindre quelques secondes plus tard.

— Il y a une autre pièce que je suis impatient de vous montrer, dit-il en poussant le warrak devant lui.

— Cela ne peut pas attendre que je reprenne mon souffle ? soupira Ithan'ak.

— Vous aurez tout le temps de vous reposer lorsque que vous serez mort, objecta le vieillard amusé. J'ai des questions auxquelles je veux des réponses et j'ai besoin de vous pour les obtenir. Nous amorçons aujourd'hui votre apprentissage, durant lequel vous en apprendrez beaucoup sur le monde qui nous entoure ainsi que sur vous-même. Nous n'avons pas de temps à perdre.

Intrigué, Ithan'ak prit une grande respiration et suivit le magicien qui descendait rapidement l'interminable escalier circulaire. Ils s'arrêtèrent au bout d'une centaine de marches sur un palier ne comportant aucune porte. Curieusement, le magicien se retourna vers la fenêtre qui faisait face au mur et ferma les deux volets de bois massif. Dans chacun d'eux étaient gravés un soleil et une lune.

— Observez bien, dit le vieillard en posant ses mains sur chacun des volets. Il suffit de réunir au centre le soleil de gauche à celui de droite afin d'activer le mécanisme de cette porte.

Stupéfait, Ithan'ak vit les deux gravures du soleil se déplacer sur la surface du bois pour former une seule et unique image. Elle s'effaça peu à peu pour laisser passer un minuscule faisceau lumineux. Le warrak s'écarta pour que traverse la lumière. Derrière lui, une porte s'était dessinée dans l'épais mur de brique. Sans attendre d'y être invité, le jeune chef entra dans cette nouvelle pièce dont l'ambiance était beaucoup plus attrayante que la précédente.

Baignée d'une mystérieuse lumière jaune provenant du plafond, la salle était chaleureuse et réconfortante. Même sans l'usage de ses yeux, Ithan'ak aurait su qu'il se trouvait dans une bibliothèque. L'odeur du vieux papier lui chatouillait les narines. Son peuple n'avait jamais eu un grand intérêt pour la tradition écrite, mais Ithan'ak savait qu'une mine inestimable de renseignements se trouvait dans ces livres. Pour la première fois, il regrettait de ne jamais avoir appris à lire.

— Combien de warraks le peuvent ? ricana le vieillard, qui avait lu les pensées de son invité une fois de plus. Je doute qu'ils soient bien nombreux. Nous remédierons à cette lacune durant votre séjour ici.

Ithan'ak se contenta d'approuver d'un signe de la tête et attendit la suite.

— Bienvenue dans ma bibliothèque, s'exclama le vieil homme. Ici se trouvent non seulement tous les ouvrages de magie que j'ai pu sauver de l'extermination, mais aussi plusieurs livres portant sur le continent d'Anosios, les différentes races, les anciennes alliances et une multitude d'autres sujets. Voici celui qui nous intéresse aujourd'hui.

Le vieillard tira d'une étagère un épais livre vert puis le déposa devant le jeune chef. Ithan'ak protesta qu'il ne savait pas lire. Sans un mot, le magicien lui fit signe de se taire. D'un geste de la main, il ordonna au livre de se rendre à la page de son choix.

Le warrak, intrigué par les agissements de son hôte, se pencha pour examiner de plus près le bouquin. Il fut soulagé de constater qu'aucune écriture n'était couchée sur les deux pages brunes ouvertes devant lui. Seule une illustration finement détaillée y était dessinée. Ithan'ak n'eut aucune difficulté à reconnaître les deux créatures représentées. Par contre, la signification de l'illustration lui échappait totalement. Refusant de montrer son ignorance, il analysa une nouvelle fois les différents éléments du dessin.

À la droite d'un belwig mâle se tenait un homme à la peau dorée muni d'une couronne de lilas et d'un long bâton brun. De sa main gauche, il désignait un autre belwig que le jeune chef avait identifié comme étant une femelle.

Levant ses yeux verts en direction du magicien, Ithan'ak tenta une explication.

— Comme un père qui donne sa fille à un prétendant, l'homme à la couronne offre le belwig femelle à l'autre animal ; est-ce bien cela ?

— En partie, répondit simplement le vieil homme.

Le visage exaspéré du warrak afficha clairement que le guerrier n'aimait pas les devinettes et qu'il commençait à s'impatienter.

— Très bien, dit le magicien comme s'il s'adressait à un enfant, je vais vous expliquer. En premier lieu, vous devez savoir qu'il y a fort longtemps une multitude de dieux constituaient notre panthéon. Au cours des millénaires, les différentes races s'approprièrent ceux auxquels elles s'identifiaient davantage et rejetèrent peu à peu les autres. De ce fait, la majorité d'entre eux furent oubliés du monde des mortels.

— Mais ils existent toujours ? demanda le warrak dont la curiosité était piquée.

— Bien sûr, rétorqua sèchement le magicien, mécontent d'avoir été interrompu. Le personnage que vous avez pris pour un homme est en vérité le dieu berger Kylien. C'est à lui que revient la tâche de s'occuper des animaux célestes. À l'époque où les dieux prenaient fréquemment part aux affaires du monde des mortels, Kylien créa une créature qui servirait de messager auprès des fidèles. Ce fut le premier belwig, un spécimen fort différent de ceux que vous connaissez aujourd'hui. Tout comme les dieux, il était doté de l'immortalité. Durant des siècles, l'animal s'acquitta fidèlement de la tâche qui lui avait été confiée. Lorsque les dieux furent satisfaits du monde qu'ils avaient créé, ils décidèrent de laisser la terre bienfaitrice entre les mains des mortels. En récompense pour sa fidélité et son dévouement, le belwig acquit sa liberté, ainsi qu'une compagne pour partager sa vie. La créature, devenue mortelle, engendra une lignée qui a survécu jusqu'à notre ère. Néanmoins, ces créatures sont de descendance céleste et c'est pour cette raison que vous êtes ici aujourd'hui.

— Que voulez-vous dire ? interrogea Ithan'ak.

Le vieil homme s'efforça de rappeler au warrak qu'un belwig s'était incliné devant lui. La signification de ce geste inhabituel demeurait un mystère et c'est pour cette raison que le magicien avait secouru le jeune chef. Il désirait savoir pourquoi une créature de descendance céleste avait accordé à Ithan'ak un tel respect. En fouillant les recoins les plus sombres de sa mémoire, le magicien n'arrivait pas à se rappeler avoir déjà observé pareil miracle.

Le warrak s'excusa auprès de son hôte de ne pouvoir lui fournir de réponse sur ce qui s'était passé. Le vieillard le rassura immédiatement en lui avouant que cela ne le surprenait nullement.

— Ce qui s'est passé, nous le découvrirons ensemble.

D'un geste de la main, il balaya le livre qui se referma de lui-même et qui s'envola ensuite vers la tablette d'où le magicien l'avait tiré.

— À présent, annonça le vieil homme, il est temps de quitter la bibliothèque.

Sans poser de question, le warrak suivit le magicien hors de la pièce. Ce dernier ouvrit les deux volets de bois pour laisser passer l'éclat rouge du soleil sur le point de céder sa place à la lune. De ce fait, la porte menant à la bibliothèque disparut.

— Ne vous inquiétez pas, dit le vieillard d'un ton se voulant rassurant. Elle se trouvera au même endroit demain et le jour suivant. Vous aurez l'occasion d'explorer ces livres de fond en comble si vous le désirez.

Cette remarque aurait dû faire plaisir à Ithan'ak, qui avait soif de toute cette connaissance. Pourtant, il ne pouvait s'empêcher de se rappeler qu'il ne savait toujours pas lire et qu'il faudrait un temps colossal pour y arriver. De plus, il ne pouvait s'attarder plus longtemps dans cette étrange demeure. Il ignorait ce que ses compagnons étaient devenus et il partirait à leur recherche dès que sa guérison serait complète. D'ailleurs, toute cette journée avait considérablement affaibli le warrak. Il pria son hôte de l'excuser, puis se retira dans la chambre qui lui était assignée.

CHAPITRE 15

Le jour suivant, Ithan'ak se leva à l'aube pour explorer seul la gigantesque demeure du magicien. Sa première idée fut de retourner visiter la bibliothèque. Il chassa rapidement cette pensée, accablé d'ignorer l'art de la littérature. Il se consola en se disant que, sans le magicien, il lui était impossible d'entrer dans cette pièce.

Le jeune chef se contenta donc de parcourir les pièces déverrouillées l'une après l'autre en descendant tranquillement l'escalier principal. Chacune d'elles contenait une merveille, un secret qu'elle protégeait précieusement. Ithan'ak s'arrêtait plus longuement dans certaines pour essayer de comprendre l'utilité d'un instrument particulier ou observer un phénomène étrange. Malgré son courage imperturbable, il sentit sa fourrure se hérisser lorsqu'il arriva devant la salle des illusions. Le souvenir de sa lugubre humidité poussa le warrak à presser le pas.

Environ deux heures devaient s'être écoulées lorsque le magicien rejoignit le vagabond. Celui-ci se trouvait dans une pièce étroite tapissée de cartes géographiques. Incapable de déchiffrer les différents noms de lieux, le jeune chef essayait de trouver ses repères à l'aide des principales caractéristiques topographiques du continent. Absorbé par sa besogne, il ne remarqua pas l'arrivée du vieil homme.

— Ne vous fatiguez pas inutilement, intervint le magicien. Le monde est beaucoup plus vaste que vous l'imaginez. La carte que vous tentez de déchiffrer est celle d'un continent dont vous n'avez sans doute jamais entendu prononcer le nom. Un jour, si vous le désirez, je dénicherai pour vous les différentes cartes d'Anosios. Pour l'instant, nous avons beaucoup de travail.

Entraîné par le vieillard, Ithan'ak dut quitter à contrecœur les précieuses cartes. Le kourof n'aimait pas toutes ces énigmes et tous ces mystères que laissait planer le magicien.

« Dans quel endroit étrange m'emmène-t-il cette fois-ci ? » pensa-t-il.

— À la cuisine, répondit le vieil homme, qui avait une fois de plus lu les pensées du warrak. Si je ne me trompe pas, vous n'avez rien avalé depuis que vous avez quitté votre lit.

Ithan'ak se rendit compte qu'il avait atrocement faim. Il voulut remercier son hôte pour cette courtoisie, mais se rendit compte qu'il ignorait toujours son nom. Le warrak savait qu'il lui suffisait de penser à la question pour obtenir une réponse. Cependant, il jugea qu'il était plus poli de le demander à voix haute.

— Pourrais-je savoir à qui je dois toute cette bienveillance ? demanda-t-il.

— J'ignore pourquoi les noms sont si importants pour vous, répondit le magicien. Je n'ai pas utilisé le mien depuis plusieurs centaines d'années et je ne m'en porte pas plus mal.

Cette révélation étonna quelque peu le warrak. Les hommes n'avaient jamais été pourvus d'une si longue vie. Était-ce différent pour les magiciens ?

— Si vous y tenez, continua le vieillard, on m'appelait autrefois Nicadème.

Ithan'ak promit qu'il n'oublierait pas ce nom et la courtoisie qui l'accompagnait. Nicadème et lui se rendirent à la cuisine où un magnifique poulet assorti de fruits variés les attendait.

Le magicien profita de ce moment pour annoncer à son invité que l'éducation commencerait le jour même. Les blessures du jeune chef guérissaient rapidement et Ithan'ak n'avait pas l'intention de demeurer dans cet endroit très longtemps. Il se contenta donc de continuer à manger pour ne pas contredire son hôte. De toute façon, il était probable que ce dernier connaisse déjà les intentions du warrak.

Comme le jour précédent, les couverts disparurent d'eux-mêmes ainsi que les dernières miettes de nourriture. Sans plus attendre, le vieil homme décida qu'il était temps de passer à la première leçon.

L'exercice se déroulait dans une salle très simple ne contenant presque aucun mobilier. Seuls de gros coussins rembourrés reposaient sur le plancher. Plusieurs fenêtres laissaient pénétrer la lumière du jour. La pièce jouissait d'une ambiance sereine et décontractée.

Le professeur fit signe à son élève de s'asseoir sur le coussin de son choix. Ithan'ak s'exécuta en estimant que cette première leçon ne devrait pas être trop épuisante.

— Il ne faut jamais se fier aux apparences, rectifia le magicien.

D'un coup, Ithan'ak sentit une douloureuse pression sur l'ensemble de son corps. Sa peau et ses muscles se contractèrent comme si des dizaines de mains faisaient pression sur chaque parcelle de sa chair. Ses yeux menacèrent de s'extirper de leurs orbites. Le phénomène dura quelques secondes interminables pour le jeune chef, puis il s'arrêta aussi subitement qu'il était apparu.

Courroucé, Ithan'ak accusa le magicien de l'avoir attaqué. Il voulut se lever pour châtier son agresseur, mais ses jambes ne répondaient plus.

— Que m'avez-vous fait ? s'exclama le warrak. Quel est ce maléfice ?

— Calmez-vous, dit doucement le vieil homme. Vos forces reviendront d'ici quelques minutes. Faites-moi confiance.

Le warrak n'était pas du genre à faire confiance au premier venu. Cependant, il laissa la chance à son précepteur d'expliquer ce qui venait d'arriver. Ce dernier lui avait transféré une petite partie de sa puissance magique dans le but d'apprendre au jeune chef à maîtriser les principaux éléments immatériels.

— Vous pouvez lire dans les esprits, s'échauffa Ithan'ak. Ne voyez-vous pas à quel point j'exècre la magie ? En vérité, j'accepte de jouer votre jeu, car vous êtes mon hôte et je vous dois la vie. Par contre, je refuse que vous pervertissiez mon corps et mon âme.

Sans broncher, Nicadème écouta les propos du warrak comme s'il s'était attendu à chacune de ses paroles. Il se leva et se dirigea vers l'une des nombreuses fenêtres par laquelle il laissa s'introduire l'air frais de la forêt.

— Rassurez-vous, commença-t-il, je n'ai pas l'intention de faire quoi que ce soit à votre âme. Vous seul avez le pouvoir de la mouvoir. Quant à votre corps, il est vrai que mon intervention le changera irrémédiablement. Ne vous en faites pas, rien n'y paraîtra physiquement. Néanmoins, quelque chose en vous sera infiniment différent.

Le vieillard s'avança pour faire face à Ithan'ak.

— Accepterez-vous de suivre cette voie qui s'offre à vous ?

— Jamais, répondit Ithan'ak.

— Même si cela pouvait assurer la survie de votre race ? insista le magicien.

Nicadème ne connaissait pas le jeune chef depuis longtemps. Il était pourtant certain que cet argument pèserait lourd dans la balance. Et il ne s'était pas trompé. Le warrak, jusque-là sur ses gardes, considérait à présent très sérieusement la question.

— Qu'en tirez-vous pour vous-même ? lâcha-t-il finalement.

— Je croyais que nous avions réglé la question, s'impatienta le vieil homme. Je veux découvrir ce qu'il y a en vous de si spécial.

— De quelle façon cette intervention pourrait-elle assurer l'avenir de mon peuple ? continua Ithan'ak.

— Vous le découvrirez avec le temps, s'exaspéra le magicien. Prenez votre décision à présent.

Ithan'ak n'avait plus le choix. Il savait qu'une telle occasion ne se présenterait qu'une seule fois.

— Reprenons l'exercice, annonça-t-il enfin.

Satisfait, le vieil homme afficha un sourire malicieux. Une fois de plus, une douloureuse pression s'exerça sur le corps du warrak. Ce manège se répéta d'innombrables fois durant la journée.

Au crépuscule, le magicien décida que cette première leçon était terminée. Le warrak s'était montré à la hauteur. Il n'essayait plus de repousser la charge magique. Au contraire, il arrivait même à en tirer un certain contrôle. Ravi par les progrès de son élève, le magicien disparut dans un éclair, oubliant qu'Ithan'ak ne pouvait le suivre par la voie qu'il empruntait.

Comprenant que Nicadème ne reviendrait pas, le jeune chef escalada péniblement l'escalier circulaire jusqu'à la cuisine. Une odeur de nourriture s'en dégageait déjà. Le vieil homme mettait toute son ardeur à la préparation du repas. Las des efforts de la journée, Ithan'ak ne pensait qu'à regagner son lit. Il avala quelques bouchées en vitesse puis s'excusa auprès de son hôte, qui ne s'offusqua pas de son départ précipité.

Les jours suivants, Ithan'ak supporta toutes les épreuves que son précepteur jugeait nécessaires à son apprentissage. Les blessures que lui avaient infligées les soldats de Kalamdir n'étaient plus que de vulgaires cicatrices. Le warrak se savait capable de repartir à la recherche de ses compagnons. Cependant, il s'était laissé prendre au piège de Nicadème. Une nouvelle soif de connaissance coulait en lui, inspirée par l'espoir de sauver son peuple.

Au bout d'une semaine, le jeune chef arrivait à maîtriser une importante charge magique, mais il ne pouvait pas pour autant la créer. Il avait également étudié plusieurs autres aspects théoriques et pratiques. À plusieurs reprises, il avait émis le désir de visiter de nouveau la bibliothèque. Chaque fois, le vieil homme répondait qu'il y avait plus urgent à faire.

Ithan'ak était un individu extrêmement obstiné ; il ne se laissa pas décourager pour autant. Il finit par contraindre le magicien d'accéder à sa requête, sans quoi il refuserait catégoriquement de recevoir tout autre enseignement. Au pied du mur, Nicadème emmena son élève devant les volets ornementés par les astres du jour et de la nuit. Une fois arrivé, il rassembla une petite charge magique qu'il transféra au warrak. Si son élève têtu désirait à ce point entrer dans la bibliothèque, il lui faudrait le mériter.

Ithan'ak prit le temps de maîtriser parfaitement l'énergie qu'on lui avait transférée, puis se concentra sur les volets de bois. Il se remémora les gestes qu'avait faits le magicien une semaine plus tôt et les reproduit de son mieux. À sa grande surprise, il n'eut aucune difficulté à réunir les deux soleils qui laissèrent passer un mince faisceau de lumière. La porte apparut aussitôt.

— Vous avez dit que vous m'apprendriez à lire, rappela Ithan'ak au magicien, en entrant dans la pièce.

— Pas tout à fait, répliqua ce dernier. Je vous ai dit que je remédierais à la situation.

Le vieillard prononça quelques mots dans une langue inconnue du warrak. Un filet argenté s'échappa de la bouche du vieil homme et se dirigea vers la rangée de livres la plus proche, puis passa à une autre. Presque transparent au début, il gagnait rapidement en robustesse et couvrit bientôt la totalité des ouvrages. Nicadème referma la bouche et le filet tomba en poussière.

— Vous pouvez maintenant lire tout ce qu'il vous plaira, annonça-t-il, puis il disparut dans un éclair.

Confus, le jeune chef s'avança à deux pas d'une table ronde sculptée dans un magnifique bois de chêne. Un vieux livre rouge recouvert de poussière y reposait. Sur la couverture, il put y lire *Traité d'entomologie agricole*. Étonné de pouvoir déchiffrer ce qui était écrit, le warrak s'empressa d'ouvrir le bouquin et d'en lire plusieurs pages. Le sujet ne faisait pas vraiment partie des champs d'intérêt du jeune chef. Néanmoins, enchanté d'arriver à lire pour la première fois de sa vie, il eut beaucoup de mal à refermer le volume pour trouver une lecture plus appropriée à ses besoins. Des heures durant, il dévora tout ce qui lui tombait sous la main.

Lorsque Nicadème vint le chercher pour dîner, Ithan'ak refusa carrément de bouger. Peu de temps après, du moins semblait-il au lecteur, le vieil homme réapparut derrière lui et annonça que le souper était prêt. Encore une fois, le warrak resta plongé dans sa lecture.

— Votre temps ici est écoulé, insista le magicien. Vous ne pouvez rester plus longtemps.

— Vous devrez utiliser toute votre magie pour arriver à me tirer d'ici, répondit le jeune chef, sans lever les yeux de son livre.

— Attardez-vous ici si vous y tenez, lâcha sèchement le magicien. Je vous aurai prévenu...

Lorsqu'Ithan'ak jeta un coup d'œil par-dessus son épaule, le vieil homme avait disparu.

« "Votre temps ici est écoulé", pensa le warrak. Que voulait dire le vieil homme ? »

Agacé, Ithan'ak effaça la question de son esprit et replongea dans *Les machines de guerre et leur maniement*.

Il n'avait pas lu plus d'une dizaine de pages lorsque le livre s'évapora devant ses yeux. Ithan'ak se leva et constata qu'une grande partie de la bibliothèque était vide. Ce qui restait ne tarderait pas à disparaître. Ne connaissant pas la peur, le warrak n'eut pas le réflexe de paniquer. Il se mit à la recherche de la porte ; elle aussi s'était volatilisée.

« Peut-être se dérobe-t-elle seulement à mes yeux. »

Le jeune chef sonda les murs l'un après l'autre, sans résultat. Ses différents sens ne répondaient plus. La lumière diminua peu à peu jusqu'à s'éteindre totalement. La conscience du warrak disparut avec elle.

CHAPITRE 16

Ithan'ak reprit connaissance sur le sol de la bibliothèque. Il se releva et s'aperçut que tout était rentré dans l'ordre. Livres, meubles, rien n'avait bougé. Le warrak se demanda s'il n'avait pas rêvé. Il chercha un indice qui prouverait qu'il n'avait pas perdu l'esprit ; rien. Quelque chose était différent, mais il n'arrivait pas à l'identifier. Il décida qu'un peu d'air frais lui ferait le plus grand bien et se dirigea vers la fenêtre la plus près. La preuve qu'il cherchait l'y attendait. Sidéré, il quitta la bibliothèque à toute vitesse à la recherche du propriétaire des lieux.

Nicadème apparut devant le jeune chef, qui stoppa si brusquement qu'il faillit basculer vers l'arrière. Le vieil homme sourit sans s'excuser et fit signe à Ithan'ak de le suivre à l'extérieur. Une ouverture pratiquée dans l'arbre géant débouchait sur un modeste balcon. Face à l'est, l'homme et le warrak observèrent l'aube naissante.

— Vous êtes très matinal ce matin, commença le magicien. Avez-vous passé une bonne nuit ?

Ithan'ak n'avait pas le cœur à rire. En un instant, l'éclat rouge vif du soleil couchant avait cédé la place à l'aube dorée, comme si la nuit n'avait jamais eu lieu. Le warrak savait qu'il n'avait pas simplement dormi durant tout ce temps. Quelque chose de beaucoup plus étrange lui était arrivé.

— Vous avez quitté le monde matériel, expliqua Nicadème, avant qu'Ithan'ak ne lui pose la question.

— Où suis-je allé ?

— Le monde immatériel comporte plusieurs niveaux, expliqua le magicien. La plupart d'entre eux sont presque illusoires. Ils ont tout de même leur importance, car ils servent de fondation à notre monde, un peu comme les fondements d'une forteresse. Ces différents niveaux ne sont régis par aucune limite temporelle ou physique. S'y retrouver s'apparente à cesser d'exister. Les rêves et les pensées n'y sont pas admis. En fait, il est surprenant que vous ayez survécu à ce voyage.

Ithan'ak fut scandalisé d'apprendre que le vieil homme l'aurait laissé mourir sans rien faire. Il ne lui avait pas dit ce qui lui coûterait de demeurer dans la bibliothèque après la tombée de la nuit.

— Je vous avais pourtant dit que votre temps était écoulé, observa Nicadème, qui lisait les pensées du warrak.

— En effet, admit Ithan'ak. Par contre, vous ne m'avez pas dit que cette pièce se volatilisait à la tombée de la nuit.

— La vérité est qu'elle ne disparaît pas vraiment, objecta le magicien. Seulement ce qui s'y trouve. Vous devriez y retourner de nuit quand vous en aurez l'occasion. Vous pourriez y découvrir plusieurs livres intéressants qui n'y sont pas le jour. Mais n'oubliez pas de ressortir avant l'aube.

Le vieil homme ricana en regardant le soleil maintenant haut dans le ciel.

— Les champs de bataille éternels, que sont-ils ? demanda le warrak sans se laisser déconcerter. Font-ils partie de l'un de ces niveaux dont vous parlez ?

— Vous apprenez rapidement, apprécia Nicadème. Seuls deux niveaux ont leur propre densité. Les terres célestes, dont font partie les champs de bataille que vous venez d'évoquer, et le gouffre éternel. Quant à moi, je préfère ne me retrouver dans aucun des deux pour l'instant. Je ne suis pas le bienvenu auprès des dieux sur les terres célestes. Et l'idée de pourrir éternellement sous un amoncellement de corps en décomposition dans la puanteur et la honte ne me semble pas très attirante. Quoi qu'il en soit, pour votre part, vous venez de passer une nuit dans le néant. Ce tour de force met en évidence qu'il est temps de passer à l'étape finale de votre apprentissage. Nous découvrirons enfin quel est ce secret vous concernant que vous-même ignorez.

Le magicien conduisit Ithan'ak tout en bas de l'escalier circulaire. Des torches au mur éclairaient le passage. Le jeune chef estimait que son tuteur l'avait entraîné sous terre. Il traversa un long couloir baignant dans une intense lumière argentée. Bien qu'aucune porte ne protégeât le passage, Nicadème s'arrêta quelques pas avant la fin du tunnel et empêcha le warrak d'aller plus loin.

— Contrairement aux apparences, avertit le magicien, cet endroit est le mieux protégé de toute ma demeure. S'y introduire sans désamorcer les différentes défenses conduirait irrémédiablement à la mort. Heureusement, c'est moi qui ai installé ces protections et moi seul connais leur secret.

Le vieil homme retira une des bagues qu'il portait à la main gauche et l'inséra au bout d'une torche qu'il alluma en un claquement de doigts. Un écran d'énergie apparut devant lui, agrémenté d'une serrure translucide en son centre. Nicadème retira ensuite de sa ceinture une clé faite de la même matière que la serrure et l'y inséra. Celle-ci se fragmenta en plusieurs morceaux qui s'évaporèrent aussitôt.

Ithan'ak comprit que tout danger était écarté et suivit le magicien. En examinant les lieux, le warrak constata qu'il s'agissait d'une caverne naturelle. Aucun aménagement n'y avait été apporté. Hormis un gros rocher et quelques stalagtites, elle était complètement vide.

« Qu'y a-t-il de si particulier dans cette grotte ? » pensa le jeune chef.

— Qu'y a-t-il de si particulier dans cette grotte ? s'indigna Nicadème. Cet endroit est l'un des plus puissants sur Nürma. La magie qui s'en dégage m'a permis de survivre des centaines d'années. De toute mon existence, le seul autre endroit que j'ai visité comparable à celui-ci se trouvait sur la pointe d'Antos. Il n'en existe certainement pas plus d'une dizaine sur toute la terre bienfaitrice. Comment osez-vous demander ce que cet endroit a de particulier ?

Le warrak dut admettre qu'il ressentait en effet une forte énergie concentrée dans l'air. Il examina l'endroit une fois de plus, prenant en compte chaque détail. Il savait que quelque chose lui échappait. Son intuition le poussa à s'approcher du rocher ovale à demi enterré dans le sol. Il en fit le tour plusieurs fois avant d'y appuyer ses paumes. La texture, qui aurait dû être solide, était très élastique, presque spongieuse.

— Il s'agit d'un cocon ! s'étonna-t-il.

Il retira ses mains couvertes d'un liquide visqueux.

— Que contient-il ?

— Un dieu, répondit gravement le magicien. Ou du moins ce qui en deviendra un. C'est pourquoi cet endroit dégage une telle force. Nous sommes dans le berceau d'un être divin.

Ithan'ak n'arrivait pas à croire ce qu'il entendait. Son regard incrédule passait du vieil homme au cocon, ne sachant s'il devait croire cette fable. Troublé, il obligea son cerveau à assimiler cette nouvelle information. Des milliers de questions se bousculaient sur ses lèvres.

— Dans combien de temps prendra vie cette chose ? demanda-t-il finalement.

Nicadème ricana en affichant son singulier sourire.

— Comment le saurai-je ? dit-il enfin. Les dieux ont leur propre calendrier et ne rendent aucun compte aux mortels. Dans deux ou trois mille ans, peut-être plus. À moins que ce soit dans dix jours. Je ne peux qu'attendre patiemment. Cependant, nous avons à notre disposition une infatigable source d'énergie.

— Les dieux ne souhaitent peut-être pas que nous troublions la sérénité de leur descendant, dit Ithan'ak. Leur courroux pourrait être terrible.

— Ils m'auraient puni depuis longtemps si tel avait été le cas, rétorqua le magicien. Il est possible qu'ils me considèrent plutôt comme un gardien. Il y a bien longtemps que je veille sur ces lieux. Tant que je suis en vie, personne ne s'y introduira sans mon consentement.

Ithan'ak, qui assimilait rapidement l'information, demanda si un autre dieu reposait sur la pointe d'Antos. Nicadème lui expliqua que différents phénomènes pouvaient créer des sites d'une prodigieuse énergie. Dans le cas de la pointe d'Antos, il s'agissait d'une très ancienne guerre visant à éliminer les magiciens. Instinctivement, le jeune chef comprit que le vieil homme avait participé à cette guerre.

— Le châtiment de l'Érodium, précisa le vieil homme. C'est en ces termes que les hommes parlaient de ce massacre qui prit fin sur la péninsule enneigée. Menés par Antos, quelques-uns des plus grands magiciens unirent leurs forces pour échapper à l'extinction. Ils arrivèrent à réunir une énergie si impressionnante qu'ils en perdirent malheureusement le contrôle. Bientôt, la terre se mit à trembler, grondant comme un animal blessé. De ses entrailles jaillit un feu liquide qui engloutit tout sur son passage. Lorsque la terre cessa de vrombir, les monts Himlash étaient nés. Tant dans les rangs des magiciens que dans ceux des soldats, il n'y eut aucun survivant, hormis l'inébranlable Antos. Après cette bataille, il ne quitta jamais la péninsule. D'ailleurs, elle porte toujours son nom aujourd'hui.

— Comment savez-vous qu'il a survécu ? s'enquit Ithan'ak.

— Un magicien de sa trempe ne disparaît pas sans créer une certaine vibration. Il n'y a aucun doute qu'il ait survécu à ce cataclysme. Pour ma part, je venais de découvrir un cocon renfermant un dieu quand tout cela est arrivé. Je savais qu'en y construisant ma demeure je serais toujours à l'abri. À quelques reprises, j'ai voulu rendre visite à Antos, mon ancien maître. Mais j'étais simplement trop honteux pour me présenter devant lui. Il est trop tard aujourd'hui, car j'ai ressenti sa disparition il y a quelques années.

— Vous vous êtes terré devant l'ennemi ! cracha le warrak dégoûté. Vous avez abandonné les vôtres pour sauver votre peau.

— Hélas ! soupira le magicien. Qu'aurais-je pu faire ? Notre défaite était imminente et j'étais terrorisé. Avec le temps, une peur différente s'est emparée de moi. En effet, je crains plus que tout de passer dans le monde immatériel. Je sais fort bien que j'ai perdu ma place sur les terres célestes. Je me contente donc de veiller sur un futur dieu qui m'accordera peut-être sa clémence.

— Et d'utiliser son énergie pour vous assurer l'immortalité, compléta Ithan'ak.

— Cessez de me juger, ordonna Nicadème. Je vous assure qu'il est possible d'accomplir de grands prodiges par l'intermédiaire de ce cocon. Je veux que vous y apposiez de nouveau vos paumes. Je vais vous transmettre une dose d'énergie que vous devrez maîtriser pour entrer en symbiose avec le cocon. La décharge que je m'apprête à vous transmettre est infiniment plus grande que toutes celles que je vous ai envoyées jusqu'à présent. J'ai mis plusieurs décennies à maîtriser ce pouvoir. Tout ce que vous aurez à faire est d'arriver à le stabiliser. Un échec pourrait entraîner votre mort.

Cette dernière remarque n'inquiéta pas le warrak. Flegmatique, il suivit les instructions du magicien, puis le fixa droit dans les yeux.

— Pourquoi devrais-je faire confiance à un couard ? lâcha-t-il.

— Parce que vous êtes aussi avide que moi de résoudre ce mystère, ricana Nicadème.

La décharge fut brutale. Le premier réflexe du jeune chef fut de la repousser. Cette grave erreur eut pour effet de le déstabiliser complètement. En quelques secondes, il avait perdu tout contrôle. Seul son esprit luttait pour ne pas sombrer dans le néant. À tout instant, il risquait d'être terrassé par l'incroyable force qui l'entourait. Sa raison ne tenait plus qu'à un fil. Il lui fallait réagir rapidement. Se rappelant les techniques apprises auprès de Nicadème, Ithan'ak tenta de détendre ses muscles et d'accepter l'énergie qui lui était transmise. Peu à peu, ses pensées se réorganisèrent et il put se concentrer sur le cocon.

— Il y a longtemps que je t'attendais, dit une voix grave et transcendante.

Ithan'ak n'avait jamais expérimenté pareille chose. Il ne percevait plus aucune sensation physique. Son esprit s'était dissocié de son corps. Il ne voyait et n'entendait rien. La voix qui s'était adressée à lui utilisait un autre moyen que la parole.

« Je dois communiquer par la pensée », raisonna le warrak.

— Où suis-je ? demanda-t-il humblement.

— Sur les terres célestes, lui apprit la voix.

Ithan'ak avait du mal à croire cette réponse. Toute sa vie, on lui avait décrit les terres célestes comme un interminable champ de bataille où il pourrait servir aux côtés du dieu de la guerre.

— C'est en effet ce qui attend les warraks qui ont prouvé leur valeur durant leur existence mortelle, affirma la voix. Il en va de même pour tous les guerriers, peu importe leur race.

— Qui êtes-vous ? demanda Ithan'ak.

— Je suis Kumlaïd et j'ai une mission à te confier, jeune chef.

Pris au dépouvu, Ithan'ak ne savait quelle attitude adopter. Il était incroyable d'être en présence du tout puissant dieu de la guerre. Plus encore, ce dernier avait une tâche à lui confier.

— Pourquoi moi ? se surprit à demander le warrak.

— Tu n'as pas à connaître mes raisons, le rabroua Kumlaïd. Une grande menace plane sur le continent d'Anosios. Tu possèdes des capacités et une volonté de faire qui pourraient m'être utiles. Combats ce nouvel ennemi en mon nom et ta place sur les terres célestes sera assurée.

— Comment le reconnaîtrai-je ? voulut savoir le jeune chef.

— Tu le sauras le moment venu. Il est temps pour toi de repartir dans le monde matériel.

— J'ai une faveur à vous demander, risqua Ithan'ak. Pourrais-je savoir si mes compagnons sont en sécurité ?

Une image se forma dans l'esprit du warrak. Il vit d'abord le visage de Skeip effrayé, puis ceux de Simcha, Vonth'ak et Elwym. À sa grande surprise, Fork se trouvait avec eux. Sa présence rassura d'abord le jeune chef, puis la scène devint plus nette. Ses camarades étaient pris au piège. Les soldats de Kalamdir étaient sur le point de s'emparer d'eux.

L'image se dissipa et il fut impossible pour Ithan'ak de connaître la suite des événements.

— J'ai accédé à ta requête, dit Kumlaïd. Fais ce que tu peux pour tes amis, mais n'oublie pas la tâche que je t'ai confiée. Voici un présent qui pourrait t'être utile.

Un éclair rouge traversa le bras droit d'Ithan'ak, qui fut propulsé sur le sol rocailleux de la caverne. Nicadème aida Ithan'ak à se relever prestement, impatient de savoir ce que le warrak avait vu.

— Sortons d'abord de cette caverne, dit Ithan'ak. J'ai besoin d'un peu d'air frais.

Ils se rendirent jusqu'au premier balcon où Nicadème écouta attentivement le récit du warrak.

— Incroyable ! s'exclama le magicien. Je ne croyais pas qu'il était possible d'entrer en communication avec un dieu. En général, je n'ai que de vagues visions difficiles à interpréter. Maintenant, je comprends pourquoi ce belwig s'est incliné devant vous. Vous êtes l'élu d'un dieu pour être son champion.

Le magicien fit une pause, comme s'il avait besoin de réfléchir.

— C'est décidé, annonça-t-il. Je vais vous enseigner tout ce que je sais. Avec le temps, vous deviendrez sans aucun doute beaucoup plus puissant que moi. Nous commencerons par...

— Impossible, le coupa Ithan'ak. Je dois partir aujourd'hui. Mes compagnons sont en danger et je dois empêcher le roi Limius de s'emparer de ce damné keenox.

— Pourquoi le roi de Kalamdir voudrait-il capturer un keenox ?

— Je n'en sais toujours rien, avoua Ithan'ak. Pourtant, j'ai l'intuition qu'il faut l'éviter à tout prix.

— Bien, dit Nicadème, sans se laisser décourager. Vous n'aurez qu'à revenir ensuite. Je serai patient.

— Je n'ai pas l'intention de revenir, dit Ithan'ak. Une fois que le keenox sera hors de danger, j'irai à l'ouest et je chercherai le moyen de libérer mon peuple. Je compte sur vous pour m'aider dans cette affaire.

— Savez-vous combien de personnes donneraient tout ce qu'elles possèdent pour obtenir le cadeau que vous refusez si stupidement ? demanda le magicien. Vous ne méritez pas de recevoir mon aide.

— Je vous rappelle que c'est Kumlaïd lui-même qui m'a dit de faire ce que je pouvais pour les miens. Je vous conseille donc de m'aider. Si vous ne le faites pas pour moi, faites-le pour vous. Il y a une chance que ce geste vous aide à regagner l'estime des dieux.

Contre son gré, Nicadème dut céder à la pression du warrak. Il invita ce dernier à rassembler ses affaires puis à le rejoindre sur le balcon supérieur.

— Ce que je m'apprête à faire pour vous me demandera un très grand effort, avertit le magicien. Je serai faible durant plusieurs lunes. Lorsque vous aurez mis fin à toutes vos aventures, je compte sur vous pour me rendre une petite visite.

Ithan'ak hocha la tête en signe d'approbation.

— Concentrez-vous sur l'image que vous a présentée le dieu de la guerre relative à vos amis, exigea le magicien. Je vais altérer pour vous le temps et l'espace.

Chapitre 17

Ithan'ak se retrouva dans le hall d'une petite auberge. Le voyage avait été instantané. De toute évidence, Nicadème était beaucoup plus puissant qu'il n'y paraissait. Sans réfléchir davantage, le warrak fonça vers l'escalier. Un tumulte provenait de l'une des chambres du haut. Le jeune chef s'en approcha sans faire de bruit. Comme dans sa vision, la porte était ouverte. Cela lui simplifierait la tâche.

« Je dois intervenir rapidement pour que les gardes n'aient pas le temps de réagir », pensa-t-il.

Le jeune chef happa le premier soldat, qui émit un cri de détresse avant d'être assommé. Deux autres soldats vinrent immédiatement à son secours, l'arme au poing. Le warrak recula d'un pas et traça un arc avec son glaive, ce qui terrassa les deux assaillants d'un seul coup. Si la vision que Kumlaïd lui avait envoyée était exacte, et elle l'était jusqu'ici, il ne restait plus qu'un seul soldat, probablement le chef. Ithan'ak se colla contre un mur et observa l'ombre de l'homme qui s'approchait. Quand elle fut assez près, le jeune chef souleva son glaive qui s'abattit sur le visage de l'ennemi. Le général Karst fit quelques pas maladroits avant de s'écraser sur le sol.

Tout danger écarté, Ithan'ak pénétra dans la chambre. Son arrivée déconcerta les membres de la petite troupe qui s'y trouvait. Leurs visages étaient figés d'étonnement. Seul Simcha affichait une mine différente. En vérité, le pirate réfléchissait à toute vitesse. Assurément, le keenox avait percé son secret. La résurrection d'Ithan'ak risquait de faire avorter son plan. Avant que les autres ne reprennent leurs esprits, il s'empara du rongeur. Menacé par l'épée du pirate sur sa gorge, Skeip fut contraint de reculer à l'écart de ses compagnons.

— À l'aide ! gémit-il.

Le rongeur était incapable de se défaire de l'étreinte du pirate. Ithan'ak, serrant son arme, fit un pas dans la direction du malheureux keenox.

— N'approche pas, menaça Simcha. Tu connais comme moi la valeur de cette créature. Vous allez tous m'obéir sans résistance ou je n'hésiterai pas à lui trancher la gorge.

Il entraîna le keenox vers la fenêtre et fit signe aux hommes, qu'il venait tout juste d'engager, de venir le rejoindre ; ce qu'ils firent aussitôt.

Moins d'une heure plus tard, captifs et geôliers arrivèrent sur les quais de Chrysmale. Ils tracèrent leur chemin au milieu de centaines de personnes qui s'affairaient autour des nombreux navires. Les passants ne s'inquiétaient pas du fait que deux warraks, un bosotoss, un keenox et un hyliann déambulaient enchaînés, sous la garde d'une demi-douzaine d'hommes à l'air louche. Ces choses étaient courantes dans cette ville sans loi ni tutelle.

— Nous y voici enfin, s'égailla Simcha. Faites-les monter dans les chaloupes. Je vous rejoindrai à bord dès que la marée nous sera favorable.

— Tu sais que les warraks ne supportent pas l'eau, s'indigna Fork. Comment oses-tu leur infliger ce traitement ?

— Je n'ai pas l'intention de les jeter par-dessus bord, s'amusa l'homme borgne, à moins qu'ils ne m'y contraignent. En fait, je me sentirai davantage en sécurité tant qu'ils seront hors d'état de nuire.

Aussitôt installés dans les embarcations, Ithan'ak et Vonth'ak furent au plus mal. Incapable de maîtriser ses pouvoirs, le magicien dut laisser tomber le masque qui voilait sa véritable identité au reste du monde. Une aura argentée apparut peu à peu autour de lui, jusqu'à ce qu'elle recouvre l'ensemble de son corps.

Du sang coulait du nez d'Ithan'ak. Ses os lui faisaient atrocement mal, comme s'ils enflaient à tel point qu'ils menaçaient d'éclater. Malgré ces inconforts physiques, le jeune chef essayait de comprendre ce qui se passait. Il n'arrivait pas à s'expliquer pourquoi Kumlaïd ne l'avait pas averti de la trahison du pirate. Est-ce que les choses devaient se dérouler de cette façon ? Plus étrange encore, une aura semblable à celle de Nicadème recouvrait le corps de Vonth'ak. Ithan'ak revit leur première rencontre sur les monts Himlash. Vonth'ak lui avait en effet paru très singulier. Le frêle warrak n'appartenait à aucun clan et ne paraissait pas être un féroce guerrier. Par la suite, il avait combattu aux côtés d'Ithan'ak à plusieurs reprises, sans que ce dernier puisse observer sa technique. Lors de leur rencontre avec les cavaliers de la plume argentée, le jeune chef aurait juré que son compagnon avait reçu une blessure mortelle, pourtant Vonth'ak avait survécu. Il était certes très mal en point, mais il avait survécu. Tranquillement, le casse-tête s'assemblait dans l'esprit du jeune chef. Il n'y avait plus aucun doute possible. Vonth'ak, ce warrak à la stature fragile, était un magicien.

Dans l'embarcation suivante, Elwym essayait désespérément de trouver un moyen de s'enfuir. Malheureusement, l'eau était très calme et les chaloupes progressaient rapidement en direction d'un sombre vaisseau.

— Voici *L'Ermite*, annonça un des geôliers.

Devant eux se trouvait un vieux bâtiment de transport converti en navire de guerre. Sa coque longue et effilée était toujours gracieuse, malgré les nombreuses réparations qu'elle avait subies au cours des années. Ses voiles, qui devaient autrefois être blanches comme la neige, étaient grises et parsemées de taches noires. Construit pour assurer le transport de lourdes cargaisons, *L'Ermite* demeurait solide et sécuritaire.

— Simcha est-il le capitaine de ce navire ? demanda Elwym.

— Seulement depuis quelques heures, répondit le marin. Il a offert une fortune à notre capitaine pour l'acquérir.

— Tu ne le connais donc que depuis aujourd'hui, s'intéressa l'hyliann.

— Ne croyez pas que cela suffira à me soudoyer, l'avertit le marin. J'ai entendu parler de ce pirate. Il paraît qu'il n'est pas du genre à tolérer les écarts de ses hommes. On dit aussi qu'il est un excellent marin. Je crois qu'il nous sera profitable de servir sous ses ordres.

Un par un, les prisonniers furent contraints de monter à bord du navire à l'aide d'une échelle de corde. Incapables de se mouvoir, les warraks furent carrément hissés sur le pont par deux solides gaillards. Apparemment, Simcha les avait informés de l'intolérance à l'eau caractéristique aux warraks.

Une fois sur *L'Ermite*, Ithan'ak se sentit un peu mieux. Il reprit son souffle et examina l'équipage. Plus de trente hommes se hâtaient à préparer le départ.

— Vous n'êtes pas là pour jouer les touristes, avertit le gros barbu qui les escortait.

— Avez-vous l'intention de nous obliger à travailler ? s'inquiéta Vonth'ak, qui tenait difficilement sur ses jambes.

— Bien sûr que non, répondit l'homme bedonnant. Le capitaine nous a explicitement spécifié de vous enfermer dans la cale. « Qu'ils soient le plus près possible de l'eau », a-t-il exigé. Je crois qu'il veut éviter que nos deux messieurs à fourrure ne causent des problèmes. Suivez-moi à présent.

Les prisonniers s'engouffrèrent dans le panneau de cale pour atteindre le premier entrepont. Skeip ne les accompagnait pas. Le matelot chargé de retenir le keenox avait facilement rempli son mandat. En effet, le rongeur était déjà plongé dans une grande discussion avec lui.

« Cette créature n'a vraiment aucune conscience du danger », pensa Ithan'ak, qui entrevoyait déjà les pires souffrances pour le keenox.

Derrière le jeune chef, Fork était le dernier à pénétrer dans le ventre du navire. Depuis la trahison de Simcha, le colosse n'avait pas émis un son. Cherchant un moyen de renverser la situation, il avait tenté d'élaborer un stratagème durant toute la durée du trajet. Les bosotoss étant des créatures à la réflexion plutôt lente, les efforts de Fork s'étaient malheureusement avérés inutiles. Conscient qu'il s'agissait probablement de sa dernière chance avant que *L'Ermite* prenne le large, Fork attrapa son geôlier par la tête et le projeta violemment contre une poutre. L'homme trouva la mort sur le coup. Son équipier, terrifié par la force du colosse, tenta de dégainer son arme, sans succès. Il eut tout juste le temps d'appeler à l'aide avant de rejoindre son compagnon dans l'au-delà.

Ithan'ak et Vonth'ak, neutralisés par l'emprise que le contact de l'eau avait sur eux, se contentèrent d'observer Fork, qui propulsait les deux hommes dans les airs comme de vulgaires poupées. Malheureusement, les warraks n'étaient ni l'un ni l'autre en état d'échafauder un plan.

— Que faisons-nous à présent ? pressa Elwym.

Il n'eut pas besoin d'attendre la réponse du bosotoss pour comprendre que celui-ci n'en avait pas la moindre idée.

Tout ce tapage n'était pas passé inaperçu. Ce moment d'hésitation avait suffi pour qu'une dizaine d'hommes armés jusqu'aux dents gagnent l'entrepont.

— Toute résistance est inutile, dit l'un d'eux. Vous n'avez aucune chance de fuir.

Il jeta un coup d'œil rapide en direction de ses deux confrères étendus raides morts sur le sol. Un éclat malveillant parcourut son visage et il se tourna vers ses subalternes.

— Emmenez-les dans les cellules et veillez à ce qu'aucun autre incident de ce genre ne se reproduise. Tuez le premier qui résistera.

Par précaution, six hommes escortèrent les prisonniers. Ithan'ak, Vonth'ak et Elwym se retrouvèrent dans la même cellule. Fork fut enfermé seul dans une cellule plus sécuritaire. Son coup d'éclat avait éveillé la prudence des hommes, qui doublèrent les goujons et les barreaux de la porte. De plus, un garde fut assigné pour surveiller en permanence le bosotoss. Derrière ces barreaux, tout espoir de s'évader était vain.

Comme l'avait annoncé Simcha, *L'Ermite* prit le large aussitôt que la marée fut propice. Lorsque le navire commença à tanguer, secoué par les vagues, les warraks sentirent leur malaise augmenter. Il n'y avait aucune chance qu'ils survivent à un tel voyage.

La nuit était tombée depuis un bon moment lorsque Simcha raccompagna Skeip à sa cellule. Il était évident que le pirate n'était pas satisfait de l'entretien qu'il avait eu avec le keenox. Poussant le rongeur, qui faillit trébucher sur Vonth'ak, Simcha l'informa qu'il entendait bien continuer leur petite discussion le lendemain.

— J'ai cru à tort qu'il pouvait y avoir du bon chez les hommes, dit Elwym, avant que son ancien compagnon ne s'éloigne. Je sais maintenant que je me trompais. Il n'y a chez vous que mensonge, trahison et cruauté. Tu ne méritais pas la confiance que nous t'avons accordée. C'est toi qui devrais être enfermé.

Furieux, Simcha approcha des barreaux et regarda fixement l'hyliann, qui soutint son regard.

— Tu ne connais rien au monde dans lequel je vis, cracha l'homme borgne. D'ailleurs, je ne m'attends pas à ce que tu comprennes mes choix. Depuis ta tendre enfance, on t'a fait croire que seules la vérité et la loyauté sont louables. Sache que l'on peut emprunter bien d'autres chemins pour prouver sa valeur.

— Tu mens comme tu respires et tes paroles sont aussi vides de courage que ton âme, l'injuria Elwym.

— Retiens ce que je t'ai dit, rétorqua sérieusement le pirate. Un jour viendra où tu comprendras que la vie n'est pas aussi simple que ce que t'ont fait croire tes précepteurs reclus au fond de leurs forêts.

Sur ces mots, Simcha reprit le chemin par lequel il était venu.

— T'a-t-il fait du mal ? demanda Elwym, inquiet pour la santé du rongeur.

Celui-ci était figé comme une statue. Non pas parce qu'on l'avait malmené, mais plutôt par la vision des deux warraks à l'agonie. La fraternité étant la principale valeur des keenox, Skeip ne supportait pas l'idée de perdre deux amis qu'il ne connaissait que depuis si peu de temps.

— Crois-tu qu'ils vont mourir ? demanda-t-il d'un ton frêle.

— Je l'ignore, mentit Elwym, incapable de s'avouer la mort imminente d'Ithan'ak et de Vonth'ak.

Impossible à décourager, Skeip se dit qu'ils avaient beaucoup de chance d'avoir un équipier tel que lui. Il avait déjà sauvé Vonth'ak une fois grâce à ses plantes médicinales, il n'avait qu'à recommencer. Heureusement, Simcha ne lui avait pas retiré ses effets personnels, probablement pour gagner sa confiance. Le rongeur déposa son sac sur le sol et en sortit une multitude de petits flacons, ainsi que des feuilles emballées dans des morceaux de tissu. Il réfléchissait encore au choix des plantes à utiliser lorsqu'une main velue se posa sur sa patte gauche.

— Ça ne fonctionnera pas cette fois, l'informa Vonth'ak, qui avait pris conscience des intentions du keenox. Tu écouteras attentivement les instructions que je te donnerai. Tu ne devras faire aucune erreur. Penses-tu en être capable ?

— Évidemment, s'offusqua le rongeur en relevant le nez. Il est bien connu que les keenox sont des experts en matière d'écoute. C'est pour cette raison que tout le monde recherche notre compagnie.

Satisfait, Vonth'ak donna ses premières instructions, que Skeip s'empressa d'exécuter. Aux côtés du rongeur, Elwym veillait sur chacun des mouvements afin que son insouciant compagnon ne fasse aucune bêtise.

Au bout d'une heure, Vonth'ak annonça qu'il ne manquait plus qu'un ingrédient pour que son étrange mixture soit terminée. Elwym estimait qu'il commençait à être temps, car la concentration du keenox était facilement épuisable.

— Ajoute une feuille de langlier et ce sera prêt, exigea le warrak, épuisé.

À ces mots, les yeux globuleux du keenox se figèrent. Paniqué, il fouilla tous les coins de son sac en vitesse, sans succès. Terrifié, une première larme apparut sur sa joue. Se recroquevillant sur lui-même, Skeip se mit à pleurer comme un enfant.

— Il ne m'en reste plus, gémit-il entre deux sanglots. Ithan'ak et Vonth'ak vont mourir par ma faute. Il ne m'en reste plus.

— Calme-toi, dit gentiment Elwym. Ce n'est pas de ta faute si ce maudit pirate nous a trahis. C'est à lui que reviennent tous les torts.

— Non ! s'obstina Skeip. C'est ma faute s'ils meurent. J'étais affamé durant mon entretien avec Simcha. C'est là que j'ai mangé mes dernières feuilles de langlier. Elles ont un excellent goût, mais j'ignorais qu'elles avaient des valeurs médicinales.

— Ce n'est pas grave, soupira Vonth'ak, qui essayait de se relever. J'ai encore assez de force pour modifier moi-même le mélange.

Soutenu par Elwym, il s'approcha du flacon dans lequel Skeip avait préparé la mixture et y apposa les deux mains. Une pâle lueur verte apparut et une fumée argentée s'échappa du flacon.

— Tout est prêt, souffla le warrak avant de perdre connaissance.

Utiliser ses pouvoirs avait complètement anéanti le magicien. Elwym souleva la tête du warrak pendant que Skeip introduisait le liquide verdâtre dans sa bouche. Vonth'ak hoqueta quelques fois puis ses muscles se relâchèrent un peu. Il paraissait aller mieux.

— Au tour d'Ithan'ak, décida le keenox.

Accompagné d'Elwym, il s'approcha du jeune chef mal en point.

— Prends un peu de cette potion que nous avons préparée, dit Skeip. Tu iras beaucoup mieux ensuite.

— Il n'en est pas question, protesta difficilement Ithan'ak. Je ne boirai pas une potion concoctée par ce traître de magicien.

— Vonth'ak n'est pas un traître, corrigea Elwym. D'ailleurs, sans sa magie, nous ne serions plus là aujourd'hui. Tu ne peux pas lui en vouloir d'avoir gardé le secret.

— Assez ! Je ne boirai pas, un point c'est tout. Laissez-moi !

Agonisant sur le sol, Ithan'ak ignorait pour quelle raison il refusait de prendre la potion qui lui aurait été bénéfique. Après tout, il avait mangé tout ce que Nicadème lui avait servi. Il avait même accepté l'instruction du vieil homme. En vérité, Ithan'ak était un excellent chef, mais il était également très borné. Il ne digérait pas le fait que Vonth'ak ait réussi à lui masquer sa véritable identité tout ce temps.

Le magicien, ragaillardi par la mixture que Skeip avait préparée, essaya de raisonner le jeune chef. Durant plus d'une heure, il expliqua à Ithan'ak les raisons pour lesquelles il s'était montré prudent. Le jeune chef ne voulait rien entendre.

— Il faudra bien que tu me fasses confiance, déclara Vonth'ak. Dans le cas contraire, c'est la mort qui t'attend.

Exaspéré, le magicien retourna près d'Elwym et de Skeip, où il s'allongea pour la nuit. À la première heure du jour, comme promis, Simcha vint chercher Skeip pour l'interroger de nouveau.

« Qu'espère-t-il obtenir de moi ? se demandait sans cesse le rongeur. Je n'ai aucune idée de la raison pour laquelle le roi Limius désire me capturer. »

Les deux jours suivant le départ de Chrysmale, les choses se déroulèrent de la même manière. Le matin venu, Simcha venait chercher Skeip et l'interrogeait jusqu'au crépuscule, sans obtenir de réponse. De son côté, Ithan'ak refusait de boire la potion de Vonth'ak. Le jeune chef s'affaiblissait constamment.

Au troisième jour, le pirate ne se montra pas. Skeip, qui adorait bavarder à longueur de journée, bien qu'il ne connût pas les réponses aux questions qu'on lui posait, demanda au garde la raison de ce retard.

— Je crois que notre capitaine ne viendra pas vous chercher aujourd'hui, répondit l'homme. Une tempête d'une force inhabituelle approche. Selon le capitaine, il ne s'agit pas d'un phénomène naturel.

Vonth'ak et Elwym échangèrent un regard inquiet. Ils se rappelaient tous deux l'ouragan qu'ils avaient essuyé sur la ferme au royaume de Küran.

— Si notre hypothèse est bonne et qu'il y a vraiment un magicien à Ymirion, dit Vonth'ak, il se pourrait que ce soit plus qu'une simple tempête. Espérons seulement que *L'Ermite* soit assez solide pour la surmonter. Je ne pourrai pas faire usage de la magie pour nous protéger cette fois-ci.

Sans avertissement, le navire se mit à tanguer dangereusement. À la première secousse, les prisonniers s'écrasèrent sur les barreaux de leur cellule. Un bruit sourd attira l'attention du garde qui se retenait à deux mains pour rester sur ses pieds. Il s'agissait probablement de Fork, qui avait lui aussi été projeté contre un mur de sa cellule.

Sur le pont, Simcha aboyait des ordres dans tous les sens. Il savait qu'il n'avait pas droit à la moindre erreur s'il voulait surmonter cette tempête. L'équipage, pourtant composé de marins chevronnés, avait du mal à suivre la cadence imposée par leur capitaine. Ils espéraient tous que Simcha était à la hauteur de sa réputation.

Les secousses devenaient de plus en plus violentes. Le tumulte ne faisait que commencer et déjà un homme était passé par-dessus bord. À cause de ces vagues déchaînées, il était impossible de lui porter secours.

— Capitaine ! cria une voix dans le rugissement du vent.

Simcha reconnut l'homme responsable de veiller sur les prisonniers.

— Je sais que le moment est mal venu, mais je dois vous informer que deux des prisonniers sont au plus mal. L'un d'eux est même à l'agonie.

— Et que veux-tu que je fasse ? répondit sèchement le borgne. Nous sommes en plein milieu de la plus incroyable tempête que j'ai vue de toute ma vie. Quel genre d'idiot es-tu pour venir m'importuner dans un moment pareil ? Retourne immédiatement à ton poste.

La mine défaite, le marin reprit le chemin du panneau de cale en s'accrochant à ce qu'il pouvait pour ne pas être emporté par les flots. De retour à la cellule principale, il put constater que l'état des warraks ne s'était pas amélioré. Étrangement, c'était le plus frêle des deux qui supportait le mieux les bourrasques. Probablement grâce au remède qu'il tentait de faire avaler à son compagnon.

— Nous n'avons plus le choix, s'obstina Vonth'ak. Il doit boire ou il mourra. De toute façon, il n'a plus la force de résister. Je vais l'y obliger.

— Laisse-moi faire, insista Elwym. Tu dois ménager tes forces.

Avec doigté, l'hyliann approcha le flacon de la bouche du jeune chef, qui n'opposa aucune résistance.

« Ce sera plus facile ainsi, pensa l'hyliann. Il n'a plus conscience de ce qui se passe autour de lui. »

Tranquillement, il vida le contenu du flacon jusqu'à la dernière goutte dans la bouche d'Ithan'ak.

— Rien ne se passe, s'inquiéta Skeip. Peut-être que la potion n'est plus bonne.

— Patience, dit Vonth'ak. Ithan'ak est très mal en point et il faudra du temps avant qu'il reprenne ses esprits. Je vous assure qu'il ira bientôt mieux.

* * *

L'éclat des étoiles se frayait un chemin à travers les feuilles. De nobles arbres formaient un corridor taillé dans la forêt. Le jeune chef avait déjà visité cet endroit. Aucun son, aucun mouvement. Un calme déconcertant régnait sur cette sombre verdure. Lentement, très lentement, Ithan'ak posait un pied devant l'autre. À chacun de ses pas, les arbres refermaient le chemin derrière lui. Où se trouvaient les marches de pierre qu'Ithan'ak avait gravies la fois précédente ? Plus loin, toujours plus loin, elles refusaient d'apparaître. Découragé, le warrak prit quelques instants pour renouveler ses forces. Il jeta un coup d'œil derrière lui pour confirmer ce qu'il savait déjà : le chemin avait disparu. Lorsqu'il se retourna, comme par enchantement, les marches de pierre étaient apparues. Revigoré par cette manifestation, Ithan'ak monta à toute vitesse jusqu'au plateau circulaire, puis marcha jusqu'à la stèle enfoncée en son centre. Cette fois-ci, il était bien décidé à découvrir de quoi il retournait. Sur l'une des surfaces de la pierre polie était gravée une inscription. Même s'il ne savait pas lire, le jeune chef était convaincu qu'il pourrait comprendre ce langage. Instinctivement, il s'agenouilla et posa sa main droite sur les écritures. Une lumière argentée traversa le bras du warrak et les signes devinrent clairs dans son esprit. Avant qu'il ne comprenne comment cela était possible, les cornes d'un féroce taureau s'enfoncèrent dans sa peau sombre et le propulsèrent en bas du plateau.

* * *

Lorsqu'Ithan'ak revint à lui, la tempête était passée. Secoué par le rêve qu'il avait fait, il vérifia qu'il n'avait aucune blessure.

« Ce n'était qu'un rêve, pensa-t-il. Je ne peux pas être blessé par un rêve. »

En fait, il se sentait beaucoup mieux. L'inévitable malaise commun à tous les warraks relativement à l'eau était toujours présent, mais ses effets étaient considérablement diminués. Ithan'ak fouilla sa mémoire pour en retirer un quelconque indice pouvant expliquer ce prodige. La dernière chose qu'il arrivait à se remémorer était Skeip préparant une potion selon les instructions de Vonth'ak. Les pupilles du jeune chef se dilatèrent.

« Les scélérats, ils m'ont fait boire cette mixture pendant que j'étais trop faible pour résister. »

— Nous n'avions pas d'autre choix, dit Vonth'ak. Tu serais mort si nous ne t'avions pas obligé à boire ce remède.

Surpris, Ithan'ak se demanda si Vonth'ak avait, comme Nicadème, la capacité de lire dans les esprits. Il n'en était rien.

— Il est facile de deviner ta pensée, continua l'autre warrak. Tu devrais voir ton visage.

— C'est toi qui provoques ces rêves que je fais ! l'accusa aussitôt le jeune chef. Tu attendais l'occasion de me faire avaler un autre de tes poisons.

— Et qu'as-tu vu cette fois-ci ? demanda Vonth'ak sans démentir l'information.

Enragé, Ithan'ak prit quelques respirations pour se calmer. Il essaya de se rappeler le court enseignement qu'il avait reçu de Nicadème. Contrairement à ce qu'il avait toujours cru, tous les magiciens n'étaient pas malfaisants. Selon son mentor, autrefois, la plupart d'entre eux étaient même au service de la population. D'après ce qu'Ithan'ak savait de Vonth'ak, il n'y avait aucune raison de se méfier de lui. De plus, le jeune chef voulait en apprendre davantage sur la signification de ses rêves.

— Te souviens-tu du rêve que je t'ai décrit lorsque nous étions sur les monts Himlash ? demanda Ithan'ak.

Vonth'ak acquiesça d'un signe de tête. Ithan'ak lui rappela rapidement les éléments qu'il avait déjà vus pour en arriver à l'inscription sur la pierre.

— Malheureusement, dit-il, un taureau m'a enfoncé ses cornes dans les côtes avant que je puisse lire ce que cela signifiait.

— Le taureau est l'apparence favorite du dieu du temps, expliqua Vonth'ak. Il s'agissait probablement d'une vision de l'avenir.

S'il a décidé que tu ne verrais pas plus loin, il ne sert à rien d'insister. Il faudra attendre le moment venu pour connaître la signification de ton rêve. Par contre, j'ignorais que tu savais lire, ajouta Vonth'ak en fixant le bras droit d'Ithan'ak. J'aimerais bien savoir si tu nous dissimules d'autres secrets. D'ailleurs, aurais-tu l'obligeance de nous expliquer par quel miracle tu es toujours en vie ?

Ithan'ak dut raconter sa rencontre avec le vieux magicien. Son auditoire fut ébahi lorsqu'il détailla l'épisode du futur dieu qui reposait dans un œuf. Et encore davantage lorsque le jeune chef leur apprit qu'il avait parlé au dieu de la guerre.

Une fois son récit terminé, Ithan'ak exigea que Vonth'ak lui explique comment il était devenu magicien. Une fois de plus, le frêle warrak décrivit son enfance difficile dont l'aboutissement était son apprentissage auprès du magicien Antos. Il fut soulagé de constater qu'Ithan'ak ne pensa pas à lui rappeler que seuls les véritables guerriers avaient l'honneur de porter les deux premières lettres d'Akum, père de tous les warraks, à la fin de leur nom. En vérité, Ithan'ak était d'avis que Vonth'ak avait maintes fois prouvé sa valeur et qu'il méritait d'être considéré comme un warrak à part entière.

— Aimeriez-vous savoir comment je suis devenu le chef d'une tribu d'enfants dans une petite ville du nord de Kalamdir ? demanda Skeip, qui cherchait l'attention.

— Peut-être une autre fois, sourit Ithan'ak en examinant son petit compagnon.

Il devait bien l'admettre, l'intarissable enthousiasme du rongeur lui avait manqué. Comme l'affirmait si souvent ce dernier : « Tout le monde apprécie la compagnie des keenox. » Skeip disait peut-être la vérité après tout. Néanmoins, il était peu probable que ce soit cette raison qui poussait le roi Limius à vouloir s'en emparer. Cette pensée ramena le jeune chef à la réalité.

— Gardien ! dit-il impérieusement en s'approchant des barreaux. Savez-vous de quelle façon nous avons survécu à la tempête ?

— Le capitaine dit que nous avons eu de la chance d'être sur un navire, répondit l'homme. Nous avons pu contourner la tempête sur son flanc gauche et n'en subir que des effets mineurs. Si vous voulez mon avis, ce sont plutôt les dieux qui nous ont protégés.

— Qui t'a permis de discuter avec nos prisonniers ? intervint Simcha, qui était arrivé sans être remarqué.

— Sale traître, l'accusa Ithan'ak. Je n'aurais jamais dû te faire confiance. Depuis le début, tu essayais de t'emparer de Skeip. La récompense que t'offrira le roi Limius pour la capture d'un keenox sera certainement mille fois supérieure à tout ce que nous aurions pu te donner.

— Ce n'est pas aussi simple que ça, rétorqua le borgne. Il y a un peu plus d'un an, j'ai été capturé par les soldats de Kalamdir. Sous le pavillon pirate, j'avais causé d'innombrables pertes dans leurs rangs. Ils avaient l'intention de me pendre pour mes méfaits. Seule la promesse de capturer un keenox a pu me rendre ma liberté. J'aurais pu m'enfuir aussitôt libéré, mais ils ont gardé mon équipage en otage. J'étais donc contraint de tenir ma parole et de trouver un keenox. Quand j'ai entendu dire que les cavaliers de la plume argentée tenaient l'un d'entre eux, je me suis immédiatement enrôlé dans leur cavalerie. J'avais l'intention de déguerpir avec le rongeur durant la nuit. Mon plan était parfait, jusqu'à ce que vous apparaissiez et que Skeip refuse de s'enfuir sans vous. Heureusement, la situation a évolué à mon avantage. En plus d'un keenox, j'ai maintenant un chef de clan, un magicien, un hyliann et un bosotoss à offrir au seigneur d'Ymirion. Avec de la chance, en plus de libérer mes hommes, il acceptera de me récompenser comme je le mérite.

— Tu ignores ce qu'il a l'intention de faire de Skeip ! tonna Ithan'ak.

— Je crois qu'il y a un peu trop d'importance accordée à ce rongeur, se moqua Simcha. Sa compagnie est certes divertissante, mais c'est tout. Nous arriverons en vue d'Ymirion à la tombée de la nuit et le roi Limius aura le présent dont il rêve depuis si longtemps. Je suis venu vous conseiller d'être plus dociles avec lui que vous ne l'avez été avec moi, ou je ne donne pas cher de votre peau.

Le pirate avertit le garde de rester aux aguets, puis remonta sur le pont.

Chapitre 18

Ymirion était réputée pour être la ville la plus prodigieuse d'Anosios. Sa superficie était bien sûr sans égal, mais là n'était pas le principal attribut de cette incroyable cité. Depuis des siècles, musiciens et poètes vantaient son architecture ancestrale et ses innombrables jardins verdoyants, sans oublier l'effervescence enivrante de ses habitants. Des canaux plus ou moins grands serpentaient les rues, permettant aux citoyens d'y puiser une eau douce et limpide, sans avoir à se déplacer sur de longues distances. Les demeures les plus spacieuses étaient même munies d'un réservoir dans lequel l'eau était acheminée directement. Berceau de la pensée philosophique, du développement technologique et de la paix universelle, la capitale de Kalamdir était dépeinte en ces termes par les artistes. La cruauté distinctive de ses derniers souverains n'avait pas réussi à ternir son image.

La lune était déjà haute dans le ciel lorsque *L'Ermite* accosta à l'un des quais secondaires de la capitale. De cet endroit, on pouvait voir les lumières de la ville rivaliser avec les étoiles.

Dès son arrivée, Simcha avait ordonné à ses hommes de trouver un transport sécuritaire pour les prisonniers. Il ne voulait prendre aucun risque. Quelque chose de rapide et discret, voilà ce que recherchait le pirate. En aucun cas les prisonniers ne devaient être aperçus. Simcha n'était pas le seul à rechercher un keenox et il ne laisserait personne lui ravir sa prise.

L'équipage de *L'Ermite* était familier avec les différents quais d'Ymirion et un chariot à esclaves fut déniché en moins d'une heure. Avec toutes les précautions nécessaires, les marins transférèrent Ithan'ak et ses compagnons dans le transport fermé hermétiquement. Bien entendu, les captifs avaient tous déjà entendu parler de la beauté exceptionnelle de la capitale, mais aucun d'eux n'avait vu de ses yeux la cité.

— Quelle désolation que de parcourir ces rues légendaires sans avoir la chance d'y jeter un coup d'œil ! répétait sans cesse Skeip.

À l'étroit dans la noirceur du chariot, les cinq compagnons patientèrent une éternité avant que les secousses cessent de marteler leurs os.

— Il était temps, grogna Fork, qui était recroquevillé à tel point qu'il n'arrivait plus à sentir ses jambes.

Quant à lui, Vonth'ak avait profité de cet intermède pour refaire ses forces afin de dissimuler à nouveau son aura argentée.

Les portes du chariot s'ouvrirent et un grand homme chauve ordonna aux prisonniers de descendre. Il ne faisait pas partie de l'équipage de Simcha. Vêtu de rouge et de noir, sur sa cuirasse était représentée une divinité féminine tenant un manuscrit dans une main et un sceptre dans l'autre. Ithan'ak n'eut aucune difficulté à reconnaître Hélisha, déesse de la connaissance et de la sagesse. Figure importante dans le premier cercle des dieux, elle était l'une des trois sœurs cadettes de Kumlaïd.

— Je suis le chef de la garde d'Ymirion, dit l'homme chauve, une fois que les cinq camarades furent hors du chariot. J'ai pour mission de vous escorter jusqu'au roi Limius et mes ordres sont de vous livrer en vie. Je tiens par contre à ce que vous sachiez que je n'hésiterai pas à vous trancher les mains si vous me causez le moindre souci. Me suis-je bien fait comprendre ?

Les prisonniers ne relevèrent pas la menace. Satisfait, le chef de la garde prit ce silence pour un « oui » et fit signe à ses hommes de faire avancer les captifs.

Flanqués d'une vingtaine de brigadiers, les compagnons n'eurent d'autre choix que d'obéir aux instructions qu'ils avaient reçues.

« Notre moment viendra, pensa Ithan'ak. D'ici là, voyons ce que ce maudit souverain compte faire du rongeur. »

Confortablement installé dans son trône royal, le roi Limius savourait en silence sa victoire. On venait de l'informer qu'un keenox avait finalement été capturé. Avec l'aide de la créature, le souverain espérait triompher dans sa guerre contre les nains et étouffer une fois pour toutes les diverses révoltes des peuples déjà conquis. Plus rien ni personne ne pourrait l'empêcher d'accomplir son dessein.

— Seigneur Limius, suzerain de Kalamdir, désigné par les dieux pour gouverner, je vous présente le capitaine Simcha, qui vient vous offrir un présent digne de votre grandeur.

L'homme borgne s'avança au centre de la salle et mit un genou sur le sol. Derrière lui, les gardes poussèrent les prisonniers sur la gauche où ils les attachèrent à des chaînes solidement ancrées dans le sol. Fork était conscient qu'il pouvait briser ses liens sans difficulté, mais il n'en fit rien. Il serait mis à mort avant même d'avoir posé un pied devant l'autre.

Dès son entrée dans la salle d'audience, Vonth'ak avait repéré un jeune homme aux longs cheveux blonds, entouré d'une aura argentée. À l'écart dans un coin, le magicien prenait bien soin de dissimuler cette encombrante caractéristique. Il ne pouvait naturellement pas déjouer les yeux expérimentés du warrak. Malgré toutes les forces mises en place par Xioltys pour dissimuler ses pouvoirs, Vonth'ak l'avait percé à jour avec autant d'aisance qu'il l'avait fait pour Ithan'ak. En effet, depuis que le jeune chef était miraculeusement réapparu, de petits serpents argentés parcouraient son bras gauche. Comme personne d'autre que lui ne pouvait les voir, Vonth'ak avait décidé de ne pas en parler immédiatement à Ithan'ak.

De son côté, le jeune homme blond avait assurément démasqué Vonth'ak et remarqué le bras du jeune chef. Il ne semblait pourtant pas enclin à communiquer ces informations à son souverain. Quoi qu'il en soit, Vonth'ak devinait qu'il y avait un rapport entre cet individu et le keenox.

— Simcha, voilà un nom qui m'est familier, dit le roi en observant l'étrange cohorte que lui apportait le pirate. Trop souvent, mes amiraux m'ont rapporté les saccages et les pertes engendrés par ce nom. Vous êtes ou stupide ou très courageux de vous présenter ainsi devant moi.

— Si je puis me permettre, Votre Majesté, je ne me présente pas les mains vides. D'après mes informations, vous êtes à la recherche d'un keenox depuis plus d'un an déjà.

— En effet, admit le roi. Je vois aussi que vous m'apportez deux warraks, un hyliann et un bosotoss. Y a-t-il un peuple sur Anosios avec lequel vous n'êtes pas ennemi ? Même les pirates ont besoin d'alliés.

— Vous avez raison, monseigneur. C'est d'ailleurs pour cette raison que je suis devant vous aujourd'hui. Mon bon sens me dicte de cesser ces futiles altercations avec votre puissance.

— Et quoi d'autre vous dicte votre bon sens ? s'intéressa le souverain.

— Qu'il est toujours préférable de joindre le camp du plus fort.

— Voilà qui n'est pas très honorable, dit le roi. Est-ce de cette façon que vous comptez gagner ma confiance ?

— Ce n'est pas l'honneur, mais la vérité que je vous offre. Les flatteries n'ont jamais remporté une guerre. C'est de gens capables dont vous avez besoin. D'ailleurs, depuis plus d'un an, vous détenez dans vos cachots plusieurs de mes hommes, qui seront prêts à vous servir dès que vous les libérerez.

— Nous verrons, répondit le roi.

Il ordonna au chef de la garde d'emporter les prisonniers, en précisant quelques instructions spéciales concernant le keenox.

— Que comptez-vous faire de lui ? interrogea Ithan'ak, qui s'était retenu jusque-là.

À la suite de cette question, un fou rire s'empara du roi.

— Vous protégez cette créature sans savoir pourquoi, railla le monarque. Voilà qui est typique des warraks. À quoi bon savoir vous battre si vous n'arrivez pas à réfléchir ? Je n'ai aucun doute que votre race est appelée à disparaître de la surface de Nürma.

— N'en soyez pas si certain, répondit fièrement le jeune chef. Je remarque que vous avez rappelé vos sintoriens pour assurer votre protection. Peut-être sentez-vous déjà les bouleversements précurseurs de votre chute ? Bientôt, le peuple warrak renaîtra de ses cendres et mettra fin à votre tyrannie.

— Nous verrons si vous en serez toujours convaincu lorsque vous rejoindrez vos semblables à Locktar, se moqua le roi. D'ici là, je vous offre l'hospitalité légendaire de mes cachots.

Sous la menace des gardes, le jeune chef fut contraint de quitter la salle d'audience.

Quelques minutes plus tard, à bout de patience, Xioltys faisait les cent pas dans son atelier, en attendant qu'on lui apporte le keenox. Il y a plus de douze lunes, le jeune homme blond avait informé le roi qu'il ne pourrait pas accomplir sa tâche sans l'intervention d'un keenox. Aussitôt, le souverain avait déployé d'incroyables ressources pour capturer l'une de ces créatures. Il s'était même séparé des sintoriens, sa garde personnelle. Malheureusement, la chasse n'avait pas été aussi rapide que le magicien d'Ymirion l'espérait.

Devant sa propre incapacité à appréhender un simple rongeur, le roi avait perdu patience et exigé de Xioltys des résultats immédiats. Contraint d'obéir, le magicien avait tenté d'accomplir son devoir sans les atouts importants que devait lui fournir le keenox. À deux reprises, ses tentatives désespérées avaient eu pour effet de déclencher une monstrueuse tempête, qui s'était abattue sur les contrées voisines.

À la suite du deuxième échec, le roi avait reproché à son protégé toutes les années durant lesquelles il l'avait abrité. En effet, à l'âge de neuf ans, Xioltys avait été recueilli par le monarque. Le jeune garçon avait d'abord cru qu'il s'agissait d'un geste de compassion, mais il avait rapidement compris que le roi Limius était étranger à ce genre de sentiments. Le souverain avait plutôt dû entendre parler des dons surnaturels de l'enfant. Voyant l'occasion d'en faire une arme offensive, il avait invité le bambin sous son toit. Xioltys le savait : cet homme ne l'avait jamais apprécié.

— Vieillard imbécile, récitait-il sans cesse. Me contraindre à pratiquer cette incantation sans en maîtriser toutes les variantes ! Cette fois, avec l'aide du keenox, il ne devrait plus y avoir de difficultés.

Un bruit de pas interrompit le monologue de Xioltys. Dans l'embrasure de la porte se tenait le chef de la garde d'Ymirion, accompagné de Skeip. Le soldat n'aimait pas avoir affaire avec le mystérieux magicien et espérait prendre congé de lui le plus rapidement possible. Xioltys ne mit pas de temps à exaucer son vœu.

— Laissez-nous, dit-il froidement à l'intention du garde. Ce rongeur et moi avons beaucoup à nous dire. Avance un peu que je te vois de plus près.

Réticent, Skeip fit quelques pas hésitants, puis s'arrêta.

— Mes compagnons croient qu'il y a un magicien dans ce château et que c'est lui qui a déclenché les tempêtes qui se sont déchaînées sur nous. Est-ce qu'il s'agit bien de vous ?

— En effet, reconnut Xioltys. Mais tu dois savoir que ce qui est arrivé était un accident et que cette tempête n'était pas dirigée contre vous. C'était le résultat d'une expérience qui a mal tourné. Mon nom est Xioltys. Quel est le tien ?

Contrairement à son habitude, Skeip n'était pas flatté par l'intérêt que lui portait l'énigmatique individu. La voix aimable du jeune homme blond voilait à peine les intentions nocives de son esprit perfide.

— Pour quelle raison avez-vous envoyé des hommes me chercher dans tout le continent ? sanglota le rongeur. Suis-je un sacrifice pour vos incantations ?

Surpris par les ridicules propos du keenox, Xioltys esquissa un sourire. Il avait devant lui la créature la plus naïve qui pouvait exister. C'est pourtant grâce à elle que le magicien accéderait au sommet de son art.

— Ton aide m'est trop précieuse pour te réduire à néant, expliqua-t-il d'un ton qui se voulait rassurant. Si tu m'obéis aveuglément et que tu remplis ton devoir auprès de moi, il ne t'arrivera rien. Dans le cas contraire, attends-toi à des souffrances qui te feront regretter d'être probablement le dernier de ta race. J'espère avoir été assez clair.

Muet, Skeip comprit qu'il n'aurait pas le courage de s'opposer aux exigences du magicien. Dépité, il suivit son nouveau maître dans un sombre couloir, débouchant dans une pièce connexe. Le jeune homme blond murmura une parole et quelques chandelles dispersées s'allumèrent. La lumière qu'elles dégageaient révélait une modeste bibliothèque munie d'une seule et unique table longue et poussiéreuse.

— C'est ici que tu m'aideras à rivaliser avec les exploits de mes prédécesseurs, dit Xioltys. Il s'agit de la vieille bibliothèque des magiciens d'antan. Commences-tu à comprendre pourquoi j'ai besoin de ton aide ?

— Vous avez besoin de moi pour classer tous ces vieux bouquins ? tenta le keenox.

Une fois de plus, la naïveté du rongeur amusa Xioltys. Il s'empara du premier livre à sa portée et le tendit à Skeip.

— Dis-moi quel est le titre de ce livre, ordonna-t-il.

Skeip essuya la saleté qui recouvrait les écritures avec son avant-bras, puis il lut à haute voix : *Enchantements muets de niveaux avancés*.

Excité par la révélation du keenox, Xioltys lui tendit un autre volume, puis un autre, si bien que son enthousiasme finit par atteindre le rongeur, qui prenait son rôle de plus en plus au sérieux.

— Si j'avais su que vous vouliez que je vous fasse la lecture, dit-il aimablement, je serais venu vous rencontrer bien avant.

— Tu n'as toujours rien compris, se découragea Xioltys. Toi seul es capable de lire ces écritures anciennes. Cette langue que tu déchiffres sans la moindre difficulté est oubliée depuis des siècles. Ces livres contiennent les plus puissants enchantements et les plus dangereux sortilèges qui aient existé. Je suis certain que l'invocation suprême est dissimulée, à l'abri dans ces pages, et j'ai besoin de quelqu'un comme toi pour m'aider à la trouver.

— Quelqu'un comme moi ? demanda Skeip, qui ne comprenait toujours pas.

— Les keenox ont la faculté de parler toutes les langues, expliqua le magicien, exaspéré. Grâce à ton don, je deviendrai le plus puissant des hommes et le continent d'Anosios m'appartiendra.

Cette fois, Skeip ne comprenait que trop bien le rôle qu'il aurait à jouer. Par sa faute, aucun peuple n'aurait jamais plus la force de défier le royaume de Kalamdir. Par sa faute, le monde qu'il connaissait et qu'il chérissait disparaîtrait à jamais pour laisser place à la tyrannie et à la peur.

Chapitre 19

Trois jours s'étaient écoulés depuis que *L'Ermite* avait accosté à Ymirion. Dans les cachots humides du château, Ithan'ak et ses acolytes avaient eu tout le temps du monde pour spéculer sur les intentions du magicien au service du roi Limius. Vonth'ak sondait les moindres recoins de sa mémoire à la recherche d'un quelconque enchantement, d'un sortilège ou d'une potion nécessitant un keenox. Rien ne lui venait à l'esprit. Il savait que la solution devait être évidente, à portée de main.

Les journées étaient longues et Ithan'ak devenait de plus en plus impatient. À plusieurs reprises, Fork et lui avaient tenté de briser les barreaux qui les gardaient prisonniers. Chacune de leurs tentatives s'était avérée un échec. Le jeune chef s'apprêtait à recommencer lorsqu'un garde apparut dans le large couloir. Il escortait un prisonnier dont le visage était recouvert d'un ample capuchon.

— Oubliez le confort des appartements royaux, se moqua le soldat, en projetant le captif dans la cellule face à celle du groupe d'Ithan'ak. Ambassadeur ou pas, voici le sort que nous réservons aux traîtres de votre espèce.

Le garde claqua la porte et reprit le chemin par lequel il était venu.

— Êtes-vous blessé ? demanda Ithan'ak à son nouveau voisin.

— Seulement un peu étourdie, répondit une voix féminine.

— Je dois avouer que je suis un peu confus, dit le jeune chef. Le garde a dit que vous étiez ambassadeur, et pourtant vous êtes une femme.

— Je suis une ambassadrice, rectifia la captive. Je croyais que seuls les hommes étaient suffisamment bornés pour refuser de prononcer ce mot au féminin. Je constate que les warraks n'ont guère l'esprit plus ouvert.

L'hyliann avança dans la lumière et retira son capuchon afin de dissiper la confusion dans l'esprit de son interlocuteur.

— Vous êtes Kamélia de la maison dorée, balbutia Elwym en apercevant le visage de la dame.

Accroché aux barreaux de sa cellule, il n'arrivait pas à en croire ses yeux.

— Je reconnais les traits doux, la chevelure dorée et les yeux rougeoyants de la grande ambassadrice de la forêt de Lelmüd, continua Elwym. Jamais je n'aurais cru rencontrer un jour l'unique descendante d'Ackémios, l'hyliann d'or.

— En effet, répondit gentiment Kamélia. Je suis flattée qu'un de mes lointains cousins de l'est reconnaisse si aisément mon visage.

À ces mots, Elwym ne put empêcher son visage de rougir.

— Pourquoi le roi Limius vous a-t-il mise aux arrêts ? demanda Ithan'ak, qui voulait en finir avec les politesses.

Kamélia expliqua que les hylianns s'opposaient à la guerre des hommes menée contre les nains. Mécontent des négociations, le roi Limius avait cru pouvoir acheter la fidélité de l'ambassadrice. La richesse, les faveurs et le luxe, aucune de ces tentations n'avait pu corrompre la fière descendante d'Ackémios. Lorsqu'il avait compris qu'il ne pourrait jamais obtenir l'allégeance de l'hyliann, le tyran avait envoyé sa distinguée prisonnière au cachot comme un vulgaire voleur.

— C'est une injure à notre peuple ! se fâcha Elwym. Il faut sortir d'ici et venger ce déshonneur.

— La colère est un sentiment répandu chez les jeunots, dit doucement Kamélia. Tu apprendras à la contrôler avec le temps. Pour l'instant, nous n'avons aucun moyen de sortir d'ici.

— Il y a peut-être une façon, dit Elwym avec espoir. Nous avons un magicien parmi nous. N'est-ce pas, Vonth'ak ? Tu peux certainement nous sortir d'ici.

— Je te l'ai déjà répété cent fois, répondit le warrak. Il y a un puissant sortilège qui garde ces lieux. Il s'agit probablement d'une précaution élaborée par le magicien blond. Ce mécréant a sans aucun doute remarqué l'aura argentée qui m'entoure constamment. D'ailleurs, il n'y a plus aucune raison de la masquer, à présent.

Le voile que Vonth'ak opérait en permanence pour dissimuler ses pouvoirs s'atténua peu à peu.

— Vous êtes vraiment un magicien ? demanda Kamélia. Comment est-ce possible ? Cet art est perdu depuis plus de cinq cents ans et voilà que deux magiciens surgissent du néant au même moment.

— Connaissez-vous cet individu au service du roi Limius ? demanda Ithan'ak.

— Son nom est Xioltys, répondit l'ambassadrice. Il m'a obligée à boire différentes potions dans l'espoir d'émousser mon esprit. Heureusement, elles n'ont aucun effet sur les hylianns.

Cette révélation mit Elwym encore plus en colère qu'il ne l'était déjà.

— Ils sont allés trop loin, rugit-il les poings serrés. Nous devons punir immédiatement cette offense. Ithan'ak, je sais que tu peux nous faire évader. Dis-moi ce que je dois faire.

— Silence, ordonna le jeune chef, quelqu'un vient.

Petit, les cheveux gras et la peau écailleuse, un glurpède s'arrêta entre la cellule des compagnons et celle de l'ambassadrice de Lelmüd. Cette race sous-développée s'était vue extirpée des marécages par les hommes, qui en avaient fait leurs esclaves. La fidélité de ces crapauds hideux envers leurs maîtres laissait à désirer, mais cette lacune était compensée par les menaces et la peur.

— Moi approcher de la cage, barbota le visqueux individu. Vous pas faire mal à Gluk. Moi aider vous.

Le glurpède avança et inséra une clé dans la serrure. Un déclic résonna dans le couloir, suivi du grincement familier des vieilles charnières humides.

Ithan'ak se hâta de sortir de la cellule, talonné de près par Vonth'ak et Elwym.

Le glurpède libéra ensuite Fork, qui était dépassé par la situation.

— Qui t'a ordonné de nous libérer ? demanda le jeune chef.

— Maître pas donné nom, répondit la répugnante créature. Beaucoup rîns pour Gluk. Vos armes au bout couloir. Suivre moi.

— Libère d'abord l'ambassadrice, ordonna Elwym, qui ne se contenait plus.

— Non. Pas autre clé. Juste clés vous. Allez ! Suivre moi.

— Nous ne fuirons pas sans libérer Kamélia, s'obstina l'hyliann. Nous devons faire quelque chose.

— Tu as raison, approuva Ithan'ak. Fork, trouve un levier assez solide pour écarter les barreaux. Vous fuirez ensuite avec ce Gluk.

— Que comptes-tu faire ? demanda le bosotoss, qui devinait l'intention de son vieil ami. Tu n'as aucune chance de retrouver Skeip dans ce château sans te faire prendre.

— Il y a une solution, intervint Vonth'ak. Je peux pratiquer un enchantement qui rendra Ithan'ak invisible aux yeux de tous.

Sans porter attention aux visages incrédules qui le fixaient, le magicien se pencha pour ramasser un caillou sur le sol.

— J'enfermerai le même enchantement dans cette pierre que tu donneras à Skeip dès que tu le trouveras. Quand il la touchera, il sera invisible à son tour. Je dois par contre te mettre en garde. Les effets diminueront rapidement au bout de deux heures. De plus, tu ne dois pas attaquer qui que ce soit.

— Pour quelle raison ? demanda Ithan'ak, déçu.

— Les enchantements d'invisibilité sont très instables, répondit le magicien. Une quelconque escarmouche en dissipe les effets à coup sûr. Je te conseille donc d'être très prudent.

— Très bien, acquiesça le jeune chef. Rendez-vous au premier village que vous rencontrerez à l'est d'Ymirion. Tâchez d'être rapides et discrets. Je vous y rejoindrai avec Skeip à la tombée de la nuit. Guettez attentivement notre arrivée.

Sur ces mots, Vonth'ak leva les bras et une lueur verte s'échappa de ses paumes. En un instant, Ithan'ak avait disparu. Le chef des kourofs courut jusqu'au bas de l'escalier et empoigna son glaive qui devint lui aussi transparent. Le jeune chef ne s'était pas imaginé que les pouvoirs de Vonth'ak étaient si étendus. Laisser paraître son aura argentée augmentait considérablement ses forces. Quoi qu'il en soit, le temps était compté et il fallait trouver Skeip le plus rapidement possible.

La tâche ne serait pas aisée. Ithan'ak était certes invisible, mais il devait aussi se montrer silencieux et prendre garde de ne bousculer personne. Avec toutes ces précautions, presque une heure s'était écoulée et le warrak n'avait toujours pas trouvé les appartements de Xioltys. Conscient qu'il n'arriverait pas à retrouver Skeip en comptant uniquement sur sa chance, il s'installa à l'écart dans une pièce achalandée, dans l'espoir d'y trouver un indice. Après un moment, Ithan'ak comprit qu'il se trouvait dans un centre de courrier servant à simplifier les communications dans cet immense château. L'espoir était mince, mais il était possible que l'un des commis le conduise à Xioltys. À court de ressources, le jeune chef misa le temps qu'il lui restait sur cette éventualité.

— Apportez ce livre au seigneur Xioltys, se détacha une voix parmi la foule.

Voilà l'occasion qu'Ithan'ak attendait. Il repéra immédiatement l'homme chargé du courrier et le prit en filature. Après quatre escaliers, deux couloirs et une halte aux latrines, il finit par atteindre les appartements du sombre magicien. Le courrier cogna plusieurs fois à la porte sans obtenir de réponse. Il glissa donc le livre dont il était chargé dans une chute prévue à cet effet et rebroussa chemin.

Dès que l'homme disparut, Ithan'ak ouvrit la porte, qui n'était pas verrouillée. Après un rapide examen des lieux, il comprit que Xioltys était bel et bien absent. Seul Skeip, étendu sur un luxueux sofa, ronflait à pleins poumons. Ithan'ak s'en approcha et posa une main sur lui afin de le réveiller ; rien à faire. Le keenox était épuisé.

— Réveille-toi, chuchota le jeune chef. Je suis venu te libérer.

Incapable de tirer du sommeil son écervelé compagnon, Ithan'ak lui boucha le nez et la bouche pour l'empêcher de respirer.

Cette fois, le rongeur ouvrit de grands yeux ronds.

— Il était temps, ronchonna le warrak.

— Ithan'ak ? Est-ce que c'est toi ? Je n'arrive pas à te voir.

— Ne t'en fais pas, le rassura le warrak. C'est un enchantement de Vonth'ak qui permet d'échapper aux regards. Prends cette pierre et tu seras invisible à ton tour.

Le keenox prit la pierre qu'Ithan'ak lui tendait et s'effaça graduellement.

— C'est merveilleux, s'exclama-t-il avec son habituel enthousiasme. Nous pourrons explorer tout le château et même toute la cité si nous le désirons.

— Je ne crois pas, déplora le jeune chef. Il nous reste moins d'une heure avant que nous redevenions visibles. Il faut faire vite si nous voulons rejoindre les autres sains et saufs. Explique-moi d'abord ce que te voulait ce magicien, puis nous sortirons d'ici.

Afin d'éviter une bourde de la part du keenox, Ithan'ak installa ce dernier sur ses épaules. Le jeune chef trouva facilement la porte principale du château. Ne connaissant pas la cité, il s'élança dans la rue principale, espérant qu'elle le mène aux grilles de la ville. À toute vitesse, il traversa les quartiers en prenant bien soin de ne pas accrocher les passants. Une fois de plus, il parcourait la capitale sans avoir la chance d'y jeter un coup d'œil.

— J'aperçois les grilles devant nous, dit Skeip à l'oreille du warrak.

Comble de malchance, le destin voulut qu'au même moment des picotements traversassent l'ensemble des muscles d'Ithan'ak. L'enchantement jeté par Vonth'ak se volatiliserait d'un instant à l'autre. Habitué d'évaluer la situation rapidement et de prendre la décision adéquate, le jeune chef s'arrêta net pour s'imprégner de ce qui l'entourait.

Machinalement, il se dirigea vers une charrette de foin presque vide. Le marchand avait terminé ses ventes et s'apprêtait à quitter la ville. Sans un bruit, les deux compagnons se glissèrent à l'arrière du véhicule et s'enfouirent dans ce qui restait de foin.

— Tu commences à réapparaître, constata Skeip, qui pouvait voir le bras translucide d'Ithan'ak.

— Silence. Nous sommes en sécurité tant que personne ne nous découvre.

Sans encombre, la charrette traversa la distance qui la séparait des portes de la cité. À l'abri des regards, Skeip s'émerveillait devant les beautés architecturales qui s'étalaient de part et d'autre de la rue, alors que l'esprit militaire d'Ithan'ak s'attardait aux aspects défensifs de la ville.

À lui seul, le mur d'enceinte aurait su repousser les plus redoutables armées. Son épaisseur et sa hauteur démesurée étaient à toute épreuve. Sur les remparts étaient disposés à intervalles réguliers des catapultes et quelques trébuchets. Dans des tours fermées, des archers montaient la garde, prêts à recevoir des renforts au moindre signe d'attaque. Le seul point d'entrée de la ville était protégé par cinq grilles forgées en fer massif, et deux portes de métal pouvaient barrer définitivement l'entrée en cas de crise. Le warrak était très impressionné par ce qu'il découvrait et il essayait de noter chaque détail dans sa tête.

Sous l'œil vigilant des gardes chargés de contrôler le passage des grilles, la charrette dans laquelle s'étaient dissimulés Ithan'ak et Skeip avança tranquillement jusqu'à l'extérieur des murs de la cité, puis bifurqua vers l'est. Comme il s'agissait de la direction qu'il devait suivre, le jeune chef jugea avisé de demeurer à l'abri dans le foin tant qu'il le pourrait. Mieux, cela lui donnerait amplement le temps de considérer les informations qu'il avait recueillies. Ce n'est pas au hasard qu'il se dirigeait vers l'est. Locktar se trouvait dans cette direction et le warrak avait la ferme intention d'y être avant que Xioltys ne puisse mettre à profit ce qu'il avait pu tirer des traductions de Skeip.

Chapitre 20

Dans un grand placard converti en pharmacie, le docteur Claymore rangeait soigneusement la cargaison qu'on lui avait livrée plus tôt dans la matinée. Son équipement était très diversifié. Comme tous les médecins, il utilisait des plantes, différents élixirs, du fil à coudre et du plâtre. Dans les articles moins communs se retrouvaient des plaques de métal, des vis de toutes les longueurs, d'énormes pinces en fer et même un étau. Son attirail aurait fait le rêve de n'importe quel forgeron.

Claymore n'était pas un docteur comme les autres. À l'adolescence, il s'était découvert un don et une passion pour la médecine. Dans ses premières années de pratique, il avait beaucoup voyagé dans le but d'étudier auprès des plus grands guérisseurs. Sa soif d'apprendre était insatiable et il en vint rapidement à surpasser tous ses maîtres. Plus encore, il développait ses propres techniques à l'aide desquelles il arrivait presque à ramener les morts à la vie.

De petite taille, le regard creux et les cheveux gris avant l'âge, Claymore n'avait jamais connu de succès auprès des femmes. Une seule et unique mauvaise expérience avec une certaine Miranda l'avait convaincu qu'il devait se consacrer entièrement à son métier.

Lorsqu'il eut atteint vingt-cinq ans, son art était si développé qu'il n'arrivait plus à trouver des patients à la hauteur de ses capacités. C'est à cette époque qu'il avait décidé d'accompagner les armées, en quête de cas intéressants. Ce fut une période difficile pour le jeune Claymore. De nature honnête et compatissante, il lui semblait tout à fait normal de soigner les blessés, quel que soit leur camp. Il en allait différemment pour les chefs, qui le voyaient remettre l'ennemi sur ses pieds. En échange des soins qu'il dispensait généreusement autour de lui, il ne recevait que mécontentement et parfois même des menaces. Le jour de son quarantième anniversaire, las de ce mode de vie, le docteur avait décidé que l'armée n'était plus pour lui. Il désirait s'installer dans une ville pour y pratiquer la médecine dans un environnement moins risqué pour sa propre personne.

Sa première idée avait été de s'établir à Ymirion. Pour un prix modique, il y avait trouvé un logis où installer tout son arsenal de médecine. Malheureusement, contrairement à ce qu'il avait cru, la capitale de Kalamdir ne sut pas combler ses attentes. Le problème n'était pas l'argent. À tout moment, de riches citoyens se présentaient à sa porte, prêts à payer d'énormes sommes pour les soins du meilleur docteur en ville. Malheureusement, il ne s'agissait principalement que d'incommodités bénignes. Tranquillité, ordre, discipline ; la vie dans la grande cité était trop moderne pour apporter à Claymore des patients susceptibles de mettre son don à profit.

Un après-midi ensoleillé, alors qu'il prenait un rafraîchissement sur une terrasse de la place du marché, il avait entendu parler d'une ville émergente, située à la frontière des royaumes de Kalamdir et de Küran. D'après le voyageur qui en faisait la description, ce bourg n'était sous aucune juridiction. De ce fait, il abritait la pire racaille de tout le continent. Les bagarres y étaient fréquentes et chaque jour plus d'un homme trouvait la mort de façon prématurée. Le soir même, exalté par la description du voyageur, Claymore avait fait ses bagages pour se rendre à Chrysmale.

Moins d'une semaine suivant son arrivée dans cette nouvelle ville, le docteur avait su qu'il avait trouvé son foyer. Il n'acceptait déjà plus que des cas désespérés, seulement ceux qui lui permettaient de pratiquer l'excellence de sa médecine. À sa manière, il avait trouvé le bonheur.

Les années passaient et Claymore conservait toujours un intarissable enthousiasme pour son métier. Son patient actuel était d'ailleurs un cas très intéressant. Il avait fallu les meilleurs soins pour le garder en vie. Une bonne partie des réserves du docteur s'étaient volatilisées. Près d'un mois avant la date prévue, Claymore effectuait l'inventaire de sa dernière commande. Les coûts étaient astronomiques, mais son patient en valait la peine. Ce n'était pas l'une de ces brutes sans cervelle et à la bourse dégarnie dont le docteur prenait habituellement soin. Cette fois-ci, il s'agissait d'un haut général de Kalamdir, rien de moins.

Claymore n'avait jamais été avide de richesses. Néanmoins, il ne rajeunissait pas et il lui fallait penser à assurer ses vieux jours. Les malades fortunés étaient rares sous son toit. Il faisait donc de son mieux pour les garder en vie.

— Docteur ! hurla Karst depuis son lit. Je ne peux supporter davantage cette douleur. Laissez-vous souffrir ainsi tous vos patients ?

— Votre douleur est inévitable, répliqua Claymore, en refermant la porte de la pharmacie. Vous devriez être mort. Vous êtes fortuné que mon bon ami Ciméen, le tenancier de l'auberge où on vous a attaqué, ait eu la présence d'esprit de vous transporter jusqu'ici.

— Me réjouir, grogna le général. Cela n'atténuera pas la douleur.

Claymore fit boire un élixir tranquilisant au soldat afin que ce dernier cesse de le harceler.

— Cela ne donne rien, gémit le militaire. Je ne peux pas faire abstraction de ma souffrance en restant cloué au lit.

Karst jeta ses draps sur le sol et se leva d'un coup. Content d'être de nouveau sur ses pieds, il fit quelques pas en direction de la table occupant le centre de la pièce. Comme les fois précédentes, un malaise le prit, suivi d'un étourdissement général. Claymore, qui avait prévu le manège de son client, le soutint au premier signe de faiblesse.

— Vous marcherez quand je vous y autoriserai, le sermonna le médecin. Je dois constamment vous reconduire à votre lit comme un enfant. J'ai moi aussi besoin de repos à l'occasion. Je vais m'étendre une heure ou deux dans ma chambre. Tâchez d'être raisonnable jusqu'à mon retour.

Le médecin se retira dans ses appartements. Pour se détendre, il avait l'habitude d'allumer plusieurs chandelles, de s'asperger le visage d'eau fraîche et de s'installer confortablement dans son vieux fauteuil vert. Les yeux mi-clos, il pouvait observer son visage fatigué qui se reflétait dans le grand miroir posé au pied du lit. Cette relique de son enfance, habituellement placée dans son cabinet, avait été déplacée par Claymore afin que son colérique patient ne puisse pas constater le lamentable état de son visage. Selon l'expérience du docteur, Karst n'était pas encore prêt.

Deux semaines s'écoulèrent avant que le général arrive à se tenir debout sans l'aide de son guérisseur. Cette nouvelle étape décida Claymore à lui permettre d'utiliser le miroir. Prudent, le docteur préférait que Karst découvre la vérité avant d'avoir recouvré toute sa mobilité. De cette façon, il ne pourrait pas se ruer sur l'homme qui l'avait charcuté.

— Je vous ai déjà expliqué que j'ai dû reconstruire une partie de votre visage, dit Claymore.

— Vous me l'avez dit cent fois, s'impatienta le soldat. Qu'attendez-vous pour découvrir votre saleté de miroir ?

— Savoir n'est pas la même chose que voir, avertit le docteur. Vous voir pour la première fois depuis votre chirurgie risque de vous causer un choc. Je veux simplement vous assurer que vous vous habituerez rapidement.

Incapable de retarder plus longtemps l'inévitable, Claymore souleva le drap blanc qui recouvrait le miroir. Sidéré, Karst mit quelques secondes avant de réagir.

— Qu'est-ce que cela ? demanda-t-il finalement. C'est impossible ! Il y a certainement une erreur.

En dépit des nombreuses mises en garde du docteur, Karst ne s'était pas figuré à quel point on l'avait transformé. Tout le côté gauche de son visage et une partie de son crâne avaient été remplacés par une plaque de métal. Celle-ci tenait à l'aide de vis probablement enfoncées dans ses os. Par miracle, son œil gauche injecté de sang fonctionnait encore.

Comme si cela ne suffisait pas, une profonde cicatrice verticale traversait le côté droit du visage du général. L'homme n'était tout simplement plus reconnaissable.

— Qui suis-je ? demanda le soldat abattu. Qui suis-je ?

Incapable de regarder plus longtemps cet effroyable individu que lui reflétait le miroir, Karst prit sa tête entre ses mains et posa ses coudes sur ses genoux.

— Vous êtes toujours le même, le réconforta Claymore. Seule votre apparence a changé. Je crois que vous devriez retourner au lit. Vous avez besoin de repos.

Docile, Karst laissa le docteur le relever et s'appuya sur lui pour rejoindre sa couche. Il ne prononça plus un mot de la journée.

Les jours suivants, le général explora des sentiments qu'il croyait avoir effacés à tout jamais. La détresse, l'apitoiement, le désespoir, des émotions indignes d'un soldat tel que lui. À quelques reprises, il s'était même laissé aller à pleurer.

Claymore faisait de son mieux pour soutenir son patient dans cette étape incontournable qui suivait toutes les grandes chirurgies du visage. Il espérait voir le soldat remonter la pente le plus rapidement possible. Les finances du médecin n'étaient pas sans fond et il ne pourrait pas continuer à les dilapider plus longtemps.

Difficilement, Karst apprenait à connaître et à accepter sa nouvelle apparence.

— Peut-être seriez-vous plus à l'aise dans les confortables appartements de votre souverain, tenta un jour le guérisseur.

— Je devine que vous désirez que je quitte votre demeure et que j'effectue mon paiement, répondit Karst. Je crois que vous l'avez plus que mérité. Un homme de votre talent ne devrait pas pourrir dans cette ville de truands. Ma décision est prise. À partir d'aujourd'hui, vous m'accompagnerez partout où j'irai. Vous serez logé et nourri comme un prince. En échange, vous devrez prendre soin de mes blessures et de celles de mes hommes.

— Je ne crois pas que nous nous soyons bien compris…

— C'est un ordre ! coupa le général. Rassemblez vos affaires. Nous partirons pour Ymirion demain, à l'aube. J'ai l'intention de retrouver celui qui m'a défiguré et de lui faire payer amèrement son geste.

Impuissant, Claymore comprit que sa vie venait de prendre une nouvelle direction. Il savait qu'il devait faire une croix sur sa paisible retraite pour laquelle il avait travaillé si dur. Jamais le général ne le laisserait partir. Résigné, le pauvre docteur se mit à la recherche de ses vieilles malles de voyage.

Chapitre 21

À la nuit tombée, Ithan'ak et Skeip se risquèrent à pénétrer dans le village d'Horcast. Il s'agissait du premier village à l'est d'Ymirion. En principe, leurs compagnons devaient les y attendre.

Juché à une fenêtre, Elwym épiait l'obscurité avec sa vue perçante. L'hyliann n'éprouva aucune difficulté à repérer les deux silhouettes qui se déplaçaient dans l'ombre.

— Les voilà, annonça-t-il, Ithan'ak a réussi. Je vais à leur rencontre.

L'hyliann descendit la rue principale et tourna dans la ruelle que le warrak et son protégé venaient d'emprunter.

— Tu t'en es sorti une fois de plus, lança Elwym à l'intention d'Ithan'ak.

Sur ses gardes, le warrak pivota rapidement et dégaina son glaive. En voyant le sourire ravi de l'hyliann, le jeune chef comprit que tout danger était écarté.

— Elwym ! s'exclama Skeip, surexcité. Est-ce que les autres vont bien ? J'ai hâte de leur raconter tout ce qui m'est arrivé.

— Ils vont bien, assura l'hyliann. Je suis heureux de constater que tu es toujours le même. Suivez-moi, nous avons une chambre dans l'auberge du village.

Voyant le regard désapprobateur d'Ithan'ak, Elwym lui expliqua que les fils du propriétaire avaient été enrôlés de force dans l'armée. Deux d'entre eux étaient morts et le dernier n'avait pas donné signe de vie depuis plus d'un an. Le vieil aubergiste ne manquait donc jamais une occasion de venir en aide aux ennemis du roi Limius.

Rassuré, le jeune chef suivit Elwym jusqu'à la chambre. Heureux de retrouver son vieil ami sain et sauf, Fork se précipita vers Ithan'ak et l'étreignit à un point tel que le warrak n'arrivait presque plus à respirer.

— Tu es toujours aussi rusé, le félicita le colosse. Nul autre que toi n'aurait su sortir Skeip de ce château.

— Le mérite revient en grande partie à la magie de Vonth'ak, répondit le jeune chef.

Ce dernier accepta le compliment d'une franche poignée de main.

— Toutes mes félicitations, monseigneur, intervint une voix féminine.

Il s'agissait de la même voix qu'Ithan'ak avait entendue dans les cachots d'Ymirion.

— Pourquoi l'avoir emmenée ici ? demanda aussitôt Ithan'ak à Vonth'ak.

— Vous n'avez donné aucune instruction à mon sujet, répondit pour lui la diplomate. J'ai conclu que je devais les suivre.

On pouvait distinguer une pointe d'amusement sur le doux visage de Kamélia.

— Votre place est auprès de votre peuple, la sermonna Ithan'ak. Pourquoi tenez-vous à nous accompagner ?

À ces mots, Kamélia explosa de rire.

— Je veux vous suivre pour la même raison que les autres personnes dans cette pièce. Des personnes ne partageant rien en commun, sinon la lueur d'espoir que vous représentez. Les dirigeants de mon peuple ne sont pas encore prêts à s'opposer à Kalamdir. Je suis persuadée qu'ils ont tort et je veux faire quelque chose. Dites-moi simplement de quelle façon je peux vous aider.

— Nous verrons, dit Ithan'ak. Pour l'instant, je crois que Skeip devrait nous expliquer pourquoi ce Xioltys avait besoin de lui. Je connais déjà les grandes lignes et je suis impatient d'entendre les détails.

Le keenox ne se fit pas prier. D'une voix solennelle, il prit soin d'exposer et de commenter son expérience auprès du magicien d'Ymirion. Contrairement à l'habitude, personne ne l'interrompit. Skeip ne s'en étonnait pas. Il était bien connu que les keenox avaient une adresse innée pour les récits.

— Si vous voulez mon avis, conclut le rongeur, il avait davantage besoin de ma compagnie que de mes précieux services de traduction.

— C'était trop simple, commenta Vonth'ak. Comment n'y ai-je pas songé ? La bibliothèque d'Ymirion doit comporter des centaines de livres de magie. Des livres anciens rédigés dans une langue oubliée depuis longtemps. J'ai moi-même, sans succès, essayé de déchiffrer ces anciens langages dans les livres d'Antos. Je n'ai jamais pensé qu'un keenox le pourrait.

— Nous avons des talents cachés, dit fièrement le rongeur en relevant la tête.

— Un talent qui est tombé entre de très mauvaises mains, reprit Vonth'ak. D'après ce que tu nous as dit, je suis presque certain de savoir ce que le roi Limius et son magicien veulent accomplir : invoquer un dragon céleste.

— Ce sont des créatures mythiques, s'opposa Elwym. Bien que mon père m'en ait souvent parlé, il m'a aussi dit que les dragons célestes n'existent pas.

— Il se trompe, coupa Kamélia. Ils existent et leur puissance est phénoménale. Les archives du haut conseil sont très claires à ce sujet. Elles disent aussi que seule une poignée de magiciens ont réussi à en réveiller un.

— Crois-tu que Xioltys soit capable d'un tel exploit ? demanda Ithan'ak à Vonth'ak.

— J'en doute, répondit le magicien. Par contre, son échec pourrait avoir des conséquences désastreuses. L'ouragan qui a ravagé le royaume de Küran en est un bon exemple. Également la tempête qui a failli nous coûter la vie alors que nous étions prisonniers sur *L'Ermite*.

— Nous devons agir avant que ce fou ne détruise le continent, raisonna Ithan'ak.

Éclairé par les reflets de la lune qui s'infiltraient par une grande fenêtre, le jeune chef exposa son plan. Il avait l'intention de libérer les clans des warraks qui étaient prisonniers à Locktar. Une fois réunis, les warraks auraient la force de défier le roi Limius. Le projet était audacieux et la fébrilité était palpable dans la pièce. Seul Elwym n'était pas emballé. La mission que lui avait confiée Ithan'ak le répugnait au plus haut point.

— Je n'irai pas, s'obstinait l'hyliann.

— Tu es le seul qui sache monter à cheval, argumentait Ithan'ak. Nous avons besoin de toi.

L'un après l'autre, l'hyliann et le warrak répétaient leurs arguments. Cette lutte aurait pu durer des heures si la diplomate de Lelmüd n'était pas intervenue. Avec tact, elle offrit à Elwym de l'accompagner dans son labeur. Enflammé à l'idée de se retrouver seul avec la délicieuse Kamélia, l'hyliann dut se résoudre à accepter.

Familier avec les manœuvres militaires, Ithan'ak jugea qu'il valait mieux partir immédiatement. Après la constatation de l'évasion de Skeip, il était fort probable que plusieurs unités armées sillonneraient bientôt toutes les routes à la recherche du rongeur.

Kamélia avança les coûts nécessaires à l'achat de deux chevaux et prit la route du nord en compagnie d'Elwym. Ce dernier était si envouté par sa compagne de voyage qu'il en oubliât de dire au revoir à ses compagnons. Skeip se promit de lui rappeler les bonnes manières la prochaine fois qu'il le verrait.

Ithan'ak, occupé à préparer son propre voyage, n'assista pas au départ des deux hylianns. Le propriétaire de l'auberge, heureux de pouvoir nuire à son roi, expliquait en détail au warrak comment se rendre à Locktar. Il était hors de question d'utiliser les routes.

— En suivant ce tracé qui est à peine plus long, expliquait le vieil homme, vous pouvez être certains de passer inaperçus. Je vous donne ma parole.

Ithan'ak remercia le vieillard pour ses précieux conseils, puis ordonna à sa petite troupe de se préparer à partir.

La pluie s'acharnait sans répit sur toute la partie sud d'Anosios. Dans la boue engendrée par l'averse, les petites pattes du rongeur n'arrivaient pas à suivre la cadence imposée par

Ithan'ak. À tour de rôle, Fork et Vonth'ak prenaient Skeip sur leurs épaules.

À chaque pas, le jeune chef se rapprochait un peu plus de Locktar, il se rapprochait un peu plus de son clan. Conjointement, le tempérament d'Ithan'ak se modifiait. Plus sombre, plus sérieux et surtout plus rude, le chef de clan reprenait le dessus sur le warrak. À deux ou trois reprises, Vonth'ak lui demanda de ralentir un peu pour que Skeip arrive à suivre. Par expérience, Fork savait qu'Ithan'ak n'en ferait rien. Seul le colosse connaissait ce côté tranchant de la personnalité de son ami. Diriger un clan warrak n'était pas une partie de plaisir et la détermination du chef était souvent mise à l'épreuve.

Quoi qu'il en soit, la vitesse adoptée par Ithan'ak leur permit d'atteindre Locktar deux jours plus tôt que prévu. Du haut d'une colline, masqués par l'épais feuillage des arbres, les quatre compagnons purent observer la ville située en bordure de l'océan.

— Ce n'est pas une ville, remarqua Fork.

— Tu as raison, approuva Ithan'ak. Il s'agit d'une prison à l'échelle d'une ville.

Dessinée par les plus grands architectes du continent, Locktar était un vaste labyrinthe. Dans ces innombrables corridors, les prisonniers étaient retenus par des chaînes fixées au sol. Le concept était simple, mais efficace. Du haut des larges murs, les gardiens pouvaient surveiller les captifs, sans courir aucun risque. Dans le cas où un détenu arrivait à briser ses liens, il lui fallait encore trouver la sortie. Comme mesure de sécurité supplémentaire, un profond canal encerclait les infrastructures. Un seul pont-levis, gardé en permanence, permettait de le traverser. Pour un prisonnier ordinaire, il aurait été aisé de franchir cet obstacle à la nage. Pour un warrak, une telle tentative était carrément impensable.

Libérer tous les clans enfermés à Locktar ne serait pas facile. Pour y arriver, Ithan'ak devait recueillir davantage d'informations sur les défenses et surtout les faiblesses de la ville-labyrinthe. Plusieurs jours seraient nécessaires à cet examen. À l'orée de la forêt, le jeune chef établit un camp d'où il pourrait rejoindre rapidement le canal.

À la nuit tombée, de la même façon qu'il avait procédé dans les cachots d'Ymirion, Vonth'ak fit appel à sa magie pour rendre Ithan'ak et Fork invisibles. Les pouvoirs du magicien s'étaient montrés très utiles jusqu'ici et Ithan'ak avait choisi de les mettre à profit plutôt que de les rejeter du revers de la main.

À grandes enjambées, les deux acolytes dévalèrent la colline qui surplombait Locktar. Sans reprendre son souffle, Fork glissa doucement dans le canal afin de ne créer aucune éclaboussure qui aurait pu attirer l'attention. Malgré sa taille imposante, le colosse ne touchait pas le fond. Sans perdre une minute, Ithan'ak monta sur les épaules du bosotoss. Ce dernier fit de son mieux pour tenir son camarade hors de l'eau tout en traversant le canal à la nage.

Lorsqu'il arriva sur la rive opposée, Ithan'ak ne se sentait pas très bien. Il aurait aimé laisser à son corps le temps de se rétablir, mais il devait faire vite ; l'enchantement jeté par Vonth'ak avait une durée limitée.

La première idée du warrak fut d'escalader le mur. Il savait qu'il était peu probable que Fork ou lui y arrive, mais il devait essayer. Après quelques vaines tentatives, il dut y renoncer. La paroi était impraticable. Une autre voie d'accès devait être trouvée rapidement.

Fork, dans sa simplicité, proposa d'examiner la sécurité de l'entrée principale. Celle-ci se trouvait malheureusement très éloignée de leur position actuelle. Même à la course, Ithan'ak et Fork mirent près d'une heure à l'atteindre.

Debout au milieu de la plaine, il était étrange pour les deux compagnons d'être ainsi exposés à la vue de tous.

— Es-tu certain qu'ils ne peuvent pas nous voir ? interrogea le bosotoss de sa voix caverneuse.

— Ils ne te voient pas davantage que je ne peux te voir, le rassura Ithan'ak. D'ailleurs, je crois que c'est ce qui jouera en notre faveur.

— Tu crois qu'il y a un moyen d'entrer ? s'étonna le colosse.

— Évidemment, dit Ithan'ak. Ne vois-tu pas que les grilles ne sont pas fermées ? Ils ne s'attendent pas à ce que nous soyons invisibles. Il suffira d'être très discrets.

Le jeune chef ricana à la pensée de duper tous ces misérables soldats. La vengeance des warraks était à portée de main.

Ithan'ak aurait aimé passer immédiatement à l'action, mais c'était impossible. Ils devaient regagner la forêt avant que le masque d'invisibilité qui les protégeait ne les abandonne.

— Avez-vous réussi à entrer ? demanda Vonth'ak dès leur retour.

— Pas encore, répondit Ithan'ak. Seul le temps nous a manqué. Avec ton aide, nous y arriverons demain soir. Tu nous accompagneras. Sous le couvert de la nuit, nous approcherons le plus près possible de la ville avant que tu utilises ta magie pour nous rendre invisibles. De cette façon, j'aurai tout le temps nécessaire pour y pénétrer et en ressortir sans être repéré.

— Je crains que ce soit impossible, s'opposa Vonth'ak.

L'attitude récalcitrante du magicien prit Ithan'ak au dépourvu.

— Je n'ai pas l'habitude que l'on contredise mes ordres, se fâcha le jeune chef. Tu feras ce que je te dis.

— N'oublie pas que je ne fais pas partie de ton clan, mentionna Vonth'ak. Je ne dois allégeance à personne.

— Alors tu n'es pas un warrak ! tonna Ithan'ak.

— C'est peut-être vrai, répliqua le magicien, mais j'ai au moins mon libre arbitre. J'ai mes propres convictions et elles me dictent de ne pas quitter Skeip une seconde. Le rôle qu'il jouera dans le rétablissement de la magie est beaucoup trop important. De ce fait, tu comprendras que je refuse qu'il soit exposé au moindre danger.

— Pénétrer dans Locktar est notre seule chance de libérer les nôtres, argumenta Ithan'ak. J'ai besoin de ton aide.

Vonth'ak était de glace. Le jeune chef comprit qu'il n'arriverait jamais à faire changer d'avis le magicien. Malgré tout, il avait l'intention de s'infiltrer dans Locktar.

Alors que le soleil effectuait sa course dans le ciel, Ithan'ak préparait sa mission. Aidé par Fork, il essayait d'anticiper toutes les éventualités. La moindre erreur devait être évitée. Si quelque chose tournait mal, tout espoir de s'échapper était vain.

Puisque Vonth'ak refusait de fournir son entière collaboration, il faudrait plusieurs nuits de préparation pour que l'évasion soit un succès. La première serait la plus dangereuse. Ithan'ak n'avait aucune connaissance du terrain, seulement une vague idée des effectifs de l'ennemi.

Un autre problème risquait de faire échouer le plan d'Ithan'ak : la magie. Le chef des kourofs savait que lui-même n'aurait jamais fait confiance à une entité invisible se faisant passer pour un warrak. La magie, qui était essentielle à la réussite du plan, était aussi le plus grand handicap.

Fork, qui connaissait bien les mœurs des warraks vis-à-vis des étrangers, suggéra qu'Ithan'ak prenne d'abord contact avec une femme. Leur nature moins sauvage et leur ouverture d'esprit faciliteraient la communication. Ithan'ak admit que son vieil ami avait raison.

Lorsque les étoiles scintillèrent à travers les nuages, les deux acolytes demandèrent à Vonth'ak d'opérer son enchantement comme promis.

— Pourquoi Fork doit-il t'accompagner ? demanda Skeip à Ithan'ak, qui aurait bien aimé prendre la place du bosotoss.

Le jeune chef, impatient de procéder à sa première infiltration, ignora le commentaire du rongeur.

— Cette prison n'est pas une prison comme les autres, expliqua Fork, afin de consoler Skeip. C'est un labyrinthe soigneusement conçu pour qu'on ne puisse pas retrouver son chemin une fois à l'intérieur. Heureusement pour nous, aucun bosotoss ne peut s'égarer. Par instinct, nous savons toujours exactement quel chemin nous devons emprunter.

— Par instinct, les keenox arrivent à comprendre toutes les langues, compara le rongeur. Je crois que je devrais vous accompagner. Je pourrais être très utile.

— Peut-être une autre fois, trancha Vonth'ak. Cette nuit, tu restes avec moi.

Le magicien fit appel au même sort que la nuit précédente pour rendre Ithan'ak et Fork invisibles. Contrairement à la veille, le jeune chef savait exactement où il se rendait. À toute vitesse, il dévala la colline en direction de Locktar. Sur ses talons, Fork faisait de son mieux pour suivre le warrak en se fiant uniquement au bruit que faisait ce dernier en courant.

Exténués, ils arrivèrent en vue des grilles de la ville. Comme Ithan'ak l'espérait, l'une d'elles était ouverte. Encore mieux, un groupe de soldats s'entraînait à l'extérieur des murs. Le vacarme provoqué par le choc de leurs épées couvrirait la présence des deux indésirables.

Conscient que Fork avait réussi à le suivre jusque-là en se fiant uniquement à son ouïe, Ithan'ak conclut qu'il était plus prudent de se délester de son armement. Dans un petit boisé, il dissimula son glaive, ses bottes et sa cuirasse. Dès que le contact avec le warrak fut rompu, l'équipement perdit la propriété de camouflage édifiée par Vonth'ak. Fork fit de même et se sépara de son énorme masse, la seule arme qu'il avait possédée toute sa vie. La finesse du métal tranchant et des armures scintillantes n'était pas utile aux bosotoss. Ces géants pouvaient compter sur leur force brute pour se tirer d'affaire. Ithan'ak avait souvent pensé qu'une poignée de ces colosses au sein d'une armée saurait infliger des dommages incalculables à l'ennemi.

Plus légers et moins bruyants, les deux compagnons avancèrent jusqu'au pont-levis. Ce dernier, pris d'assaut par les mauvaises herbes et les plantes aquatiques, était probablement abaissé en permanence. Confiant en leur système défensif ingénieux qu'était le labyrinthe, les hommes qui en avaient la garde devaient le remonter uniquement lors des tentatives d'évasion, ce qui ne semblait pas avoir eu lieu depuis un bon moment.

Ithan'ak retint son souffle pour traverser. Il essayait par-dessus tout d'ignorer le malaise causé par l'eau et de se concentrer sur ses pas qu'il voulait aussi silencieux que possible.

L'attention de Fork était davantage portée sur les soldats qui s'entraînaient. Le colosse craignait que sa taille imposante l'empêche de se faufiler par la grille à demi ouverte.

Bien que les deux compagnons prissent les plus grandes précautions pour ne pas attirer l'attention, rien ne se passa comme prévu. Tout faillit être perdu lorsqu'Ithan'ak trébucha sur le pont-levis alors qu'il rejoingnait la rive opposée. Fork, avant de fouiller à l'aveuglette pour aider le warrak à se relever, s'assura que personne n'avait été alerté. Le mauvais sort s'acharna de nouveau lorsque le bosotoss fit grincer l'énorme grille qui lui bloquait le passage. Cette fois-ci, deux soldats s'approchèrent pour voir ce qui avait provoqué ce grincement. Ils étaient si près qu'Ithan'ak pouvait sentir l'haleine de poisson qu'ils dégageaient.

— Probablement le vent, déclara l'un d'eux avant de s'éloigner.

Contrairement à la plupart des créatures, les hommes se fiaient plus à leurs sens qu'à leur instinct. Puisqu'ils ne pouvaient voir la menace, il n'y en avait aucune.

Ces premiers obstacles passés, atteindre l'accès au labyrinthe devenait un jeu d'enfant. À gauche, plusieurs baraques étaient installées, où les soldats pouvaient vivre dans un certain confort avec leur famille. Sur la droite se dressait un immense grenier suffisamment grand pour entreposer de quoi nourrir les milliers de prisonniers qui croupissaient dans les dédales de Locktar, à condition d'être rempli une à deux fois par semaine. Le roi Limius en avait les moyens. Les taxes élevées que ses collecteurs prélevaient aux habitants du royaume assuraient au souverain un crédit presque illimité. En échange, le suzerain protégeait ses sujets de ce qu'il appelait la barbarie des nains.

Derrière le grenier se trouvait ce qui intéressait les deux intrus : l'escalier qui menait sur les murs du labyrinthe. Ithan'ak et Fork s'y rendirent sur-le-champ. Assez large pour que les deux compagnons se tiennent côte à côte, les murs constituant le labyrinthe étaient à toute épreuve. Par ailleurs, ils étaient suffisamment élevés pour qu'aucun warrak ne puisse jamais en atteindre le sommet. Heureusement, Ithan'ak avait un allié de taille à ses côtés. Fork arriverait sans problème à remonter sur les remparts.

— Quelqu'un vient dans notre direction, murmura le bosotoss.

— Descendons immédiatement, décida le jeune chef. Nous ne devons courir aucun risque.

Fork se jeta le premier dans le ventre du labyrinthe. Il se retourna et proposa à Ithan'ak, pour qui la hauteur était plus imposante, de l'attraper en vol. Gonflé d'orgueil, Ithan'ak refusa l'aide qui lui était offerte et s'élança dans les airs. L'atterrissage sur le sol rocailleux fut douloureux pour les genoux du warrak.

Un rapide examen de la situation apprit à Ithan'ak qu'il n'avait rien à craindre. Le soldat qui patrouillait sur le mur avait passé son chemin. La vigilance de ce dernier devait être endormie par l'absence de prisonniers dans cette section de Locktar.

— Par où allons-nous maintenant ? interrogea Ithan'ak, qui se fiait à l'extraordinaire faculté d'orientation de son vieil ami.

— Vers la gauche, pointa le bosotoss. Puis nous prendrons à droite à la première occasion.

Même dans un labyrinthe, Fork arrivait sans difficulté à tracer son chemin. La complexité de l'architecture ne l'impressionnait guère. Ithan'ak, incapable de donner une approximation de l'endroit où il se trouvait, faisait confiance aux capacités de son compagnon.

— Nous y sommes, dit enfin le colosse.

Ayant oublié qu'il était protégé par un voile d'invisibilité, Ithan'ak se colla le dos au mur et jeta un rapide coup d'œil à l'angle que Fork lui avait indiqué.

La lune était brillante cette nuit-là. Malgré les ombres lugubres projetées par le labyrinthe, le jeune chef percevait sans problème les silhouettes étendues sur le sol.

« J'ai enfin retrouvé mon peuple », se réjouit-il.

Il demanda à Fork de l'attendre et avança silencieusement vers les warraks endormis. Ithan'ak aurait aimé retrouver un membre de son clan afin que l'approche soit plus facile, mais il savait qu'il n'avait aucune chance. Son invisibilité était devenue son principal souci. Aucun warrak ne se laisserait approcher par un être désincarné, encore moins par un traître de magicien. Ayant lui-même été presque toute sa vie hostile envers la magie, le jeune chef était bien placé pour savoir qu'il n'arriverait pas facilement à ses fins.

Alors qu'il arrivait à une intersection, il entrevit une ombre qui se déplaçait sur sa droite. Il s'écrasa prestement sur le sol et tendit la main en direction de son glaive. Il se rappela avec horreur qu'il l'avait laissé dans un boisé près du pont-levis.

« Cette malédiction m'a suivi jusqu'ici », maudissait Ithan'ak.

D'après ce qu'il savait des ombres meurtrières rencontrées sur la pointe d'Antos, le jeune chef avait la certitude de n'avoir aucune chance de vaincre sans son arme. Le mieux était de feindre le sommeil et d'attendre qu'elle passe son chemin.

Allongé entre deux warraks qui ronflaient à pleins poumons, Ithan'ak conservait son calme. La peur était un sentiment qu'il ne connaissait pas. Certes, il ne souhaitait pas mourir, mais il était prêt à rejoindre Kumlaïd sur les champs de bataille éternels.

Le vent frais de la mer soufflait dans le pelage du warrak, faisant dresser les poils sur ses bras. Cette caresse ne suffit pas à le déconcentrer. Privé de sa vue, Ithan'ak fixa toute son attention sur son ouïe. Mis à part le tintamarre provenant des guerriers endormis, aucun son ne parvenait à ses oreilles. Sa nature curieuse l'emportant sur la prudence, le jeune chef se risqua à ouvrir un œil. À son grand soulagement, l'ombre avait disparu.

— Qui est là ? demanda une voix féminine derrière lui.

D'un bond, Ithan'ak se retrouva sur ses pieds, prêt à défendre sa vie. Son mouvement fit reculer la femme warrak qui se trouvait devant lui.

— J'ai une requête pour vous, dit-elle d'un ton hésitant. Je vous en conjure, ombre de la mort, permettez-moi de continuer à aider les miens dans leur souffrance quotidienne. Je vous offrirai volontiers ma vie dès que mon travail ici sera terminé.

« Elle croit que je suis une ombre meurtrière, » comprit Ithan'ak.

Comme un aveugle, la warrak cherchait à repérer ce qu'elle ne pouvait voir. Le jeune chef venait d'avoir la preuve que les femmes étaient plus sensibles que les hommes, sans doute grâce à leur ouverture d'esprit. Il décida de mettre ce trait de caractère à contribution. Puisque cette warrak avait senti sa présence, aussi bien l'utiliser comme contact.

— Ne craignez rien, commença le jeune chef.

À ces mots, son interlocutrice émit un petit cri qu'elle retint aussitôt en posant une main sur sa bouche. À une vitesse folle, ses yeux balayaient le mur devant elle.

Malgré la malnutrition, son visage conservait ses traits féminins. Ses yeux, verts comme tous les warraks, étaient particulièrement éclatants. Ils rappelaient à Ithan'ak les pierres précieuses que les nains s'employaient à extraire des montagnes. Son museau peu prononcé et ses minuscules oreilles donnaient à la warrak un air innocent, semblable à celui des enfants. Des colliers de bois pendaient à son cou et se perdaient dans son chemisier brun. Celui-ci épousait parfaitement les courbes de sa silhouette raffinée.

La lune, cachée depuis un moment, fit une brève apparition entre deux nuages sombres. Ce court moment révéla à Ithan'ak un détail qu'il n'avait pu remarquer jusque-là. Chose extrêmement rare, la fourrure de celle qu'il avait prise pour une ombre meurtrière quelques minutes auparavant n'était pas grise comme celle de ses congénères.

« Une celfide », s'étonna le jeune chef.

Ce nom était donné aux femmes warraks que les dieux avaient bénies d'une fourrure colorée. La naissance d'une celfide dans un clan était un signe de prospérité. Les guerriers effectuaient des prouesses mortelles pour courtiser ces perles rares. Leur beauté et le prestige de leur conquête valaient tous les trésors. Envouté par les yeux et la fourrure rousse de la délicieuse celfide, Ithan'ak oubliait tous ses devoirs.

— Êtes-vous bien une ombre de la mort ? bégaya la celfide.

Ces paroles tirèrent le jeune chef de sa torpeur.

— Détrompez-vous, répondit-il à voix basse pour ne pas l'effrayer. Je suis un warrak, tout comme vous. Mon nom est Ithan'ak, chef du clan des kourofs, et j'ai besoin de votre aide.

Cette révélation étonna la celfide. S'il s'agissait bien d'un warrak, comment était-ce possible qu'elle ne puisse le voir ?

— Un enchantement jeté par un magicien me dérobe à vos yeux, expliqua Ithan'ak, qui devinait les pensées de son interlocutrice.

— Impossible, répliqua la celfide. Les magiciens n'existent plus depuis des centaines d'années. Et même si ce n'était pas le cas, aucun warrak n'accepterait de faire équipe avec l'une de ces créatures perfides.

Ithan'ak s'attendait à cette réaction. Néanmoins, il devait trouver un moyen de gagner la confiance de la warrak. Rapidement, il lui relata sa rencontre avec Vonth'ak et de quelle façon il avait découvert que ce dernier était un magicien. Le temps s'écoulait rapidement, mais c'était le seul moyen.

— Puis-je vous toucher ? demanda la celfide, qui n'était toujours pas convaincue.

Doucement, Ithan'ak lui prit la main et la déposa sur son bras. Ce geste sembla dissiper les derniers doutes dans l'esprit de la warrak.

— Comment se fait-il que vous ne soyez pas enchaînée comme les autres ? demanda le jeune chef.

— Certaines d'entre nous sont libres de se déplacer dans le labyrinthe pour distribuer la nourriture. Nous avons bien tenté de libérer quelques guerriers, mais ils ont été presque immédiatement abattus.

— Ne vous en faites pas, la rassura Ithan'ak. Avec votre aide, je suis en mesure de libérer notre peuple. Malheureusement, l'enchantement jeté par mon compagnon n'est pas efficace très longtemps et je dois vous quitter à présent. Je reviendrai vous voir demain, à la même heure. D'ici là, tentez de vous renseigner pour retrouver l'un de mes capitaines répondant au nom d'Yrus'ak. Au revoir et à bientôt.

— Vous ne désirez pas connaître mon nom ? s'enquit la celfide.

— Pardonnez-moi, s'excusa le warrak. Quel est-il ?

— Je m'appelle Mikann.

Ithan'ak lui assura qu'il n'oublierait pas ce nom, puis entreprit de retrouver Fork. Cela ne lui prit que quelques minutes. Le bosotoss aurait aimé savoir ce qui avait retenu si longtemps son compagnon, mais ses questions devraient attendre. Pour l'instant, il fallait regagner rapidement la sortie du labyrinthe.

Chapitre 22

La course du soleil paraissait interminable à Ithan'ak. Il fulminait de devoir rester inactif alors qu'il avait tant à faire. Ses compagnons, impuissants, l'observaient faire les cent pas, tout en maudissant l'astre du jour. Chacun d'eux savait à quel point libérer son peuple était important pour le warrak, mais ils ne l'avaient jamais vu dans un pareil état. Ils auraient immédiatement compris l'impatience du jeune chef si ce dernier leur avait raconté sa rencontre avec la magnifique celfide.

Quoi qu'il en soit, la nuit vint à tomber et Ithan'ak put repartir en direction de Locktar, accompagné par Fork. À nouveau, Vonth'ak dut retenir Skeip pour que le rongeur ne déguerpisse pas avec eux.

Cette fois-ci, les deux intrus n'eurent aucun problème à s'aventurer jusqu'au labyrinthe. Ithan'ak fut soulagé de retrouver Mikann au même endroit où il l'avait quittée la nuit précédente. Sa présence indiquait qu'il avait gagné sa confiance.

La celfide invita le jeune chef à la suivre dans un endroit où ils pourraient discuter à l'abri. Elle apprit d'abord à Ithan'ak qu'elle n'avait pas réussi à retrouver le capitaine Yrus'ak. Vu le nombre incalculable de warraks qui croupissaient à Locktar, ce n'était pas étonnant. À la suite de cet échec, elle avait tenté de convaincre quelques chefs influents qu'un héros, aidé d'un magicien, pouvait leur venir en aide. Tout en restant polis, car ils s'adressaient à une celfide, les guerriers lui avaient fait comprendre qu'ils n'avaient nullement besoin d'aide, encore moins celle venant d'un magicien.

La pauvre warrak était au bord des larmes.

— Ce n'est pas grave, la consola Ithan'ak. Ils ne veulent surtout pas qu'on leur donne de faux espoirs.

— Est-ce le cas ? demanda Mikann, en essuyant une larme sur sa joue.

— Bien sûr que non, la rassura Ithan'ak. Ils seront certainement plus coopératifs lorsque vous leur transmettrez mon plan.

Ragaillardie par la ténacité du jeune sauveur, la celfide l'écouta exposer les différentes étapes de son plan, en prenant bien soin de marquer chaque détail dans sa mémoire.

Une fois de plus, le temps obligea Ithan'ak à regagner son campement. Avant de partir, Mikann exigea de lui la promesse de revenir le lendemain, ce qu'il fit avec plaisir.

Plus serein, Ithan'ak passa la journée étendu sur le dos à revoir le doux visage de la celfide dans sa tête. Il ne pouvait s'empêcher d'imaginer des scénarios dans lesquels il s'unissait à elle pour la vie. Alors que Vonth'ak et Fork commençaient à comprendre ce qui troublait tant le jeune chef, Skeip essayait de lui rendre sa bonne humeur. À plusieurs reprises, le rongeur essaya de tirer Ithan'ak de sa rêverie, sans succès. Ce n'est qu'à la tombée du jour que le warrak s'activa enfin.

Une fois de plus, Vonth'ak pratiqua l'enchantement qui permettait à Ithan'ak et à Fork de passer inaperçus. Presque dans un état euphorique, le chef des kourofs entraîna le bosotoss en direction des grilles de Locktar. Quelle ne fut pas sa déception lorsqu'il constata qu'elles étaient fermées ! Un convoi de ravitaillement était arrivé et des mesures de sécurité supplémentaires avaient été mises en place. Le warrak, la mine déconfite, repartit lentement vers le campement.

D'abord frustré d'être obligé d'attendre la nuit suivante pour revoir Mikann, le doute se glissa peu à peu dans l'esprit d'Ithan'ak. La celfide croirait-elle qu'il l'avait dupée ? Allait-elle lui en vouloir de ne pas avoir tenu sa promesse ? Ces questions le rongèrent toute la nuit et le jour suivant. Lorsque l'obscurité tomba de nouveau sur Anosios, le jeune chef était au bord de la panique.

Arrivé à Locktar, Fork fut soulagé de constater que les grilles étaient ouvertes une fois de plus. Le caractère impulsif de son compagnon n'aurait pas supporté d'attendre plus longtemps. Étonnamment, Ithan'ak prit le temps de faire un détour par le grenier pour s'emparer d'un sac de fruits et de légumes frais sur lequel le charme d'invisibilité s'opéra instantanément. Sans poser de questions sur les agissements étranges du jeune chef, le colosse l'emmena au même endroit que les nuits précédentes. À partir de cet endroit, Ithan'ak agissait seul.

Il retrouva Mikann où elle avait promis de l'attendre lors de leur dernier entretien.

Lorsqu'il huma l'odeur de la celfide, une boule de feu s'alluma dans l'estomac du jeune chef.

— Je suis désolé d'avoir manqué notre rendez-vous la nuit dernière, s'excusa-t-il en s'approchant d'elle.

— Vous êtes là ! s'exclama un peu trop fort la celfide. J'avais peur de ne plus jamais vous revoir, ou plutôt, de vous entendre, puisque vous êtes invisible.

— J'aimerais que vous sachiez à quel point je suis désolé et que…

— Ne vous en faites pas, le coupa Mikann. Quand les soldats nous ont avertis qu'un ravitaillement avait lieu, je me doutais bien que vous n'arriveriez pas à entrer. Ce retard est quand même fâcheux, car j'avais de bonnes nouvelles pour vous.

— Quelles sont-elles ? la pressa Ithan'ak, intéressé.

— J'ai retrouvé Yrus'ak, votre fidèle capitaine. Grâce à son appui, j'ai pu convaincre plusieurs chefs de vous faire confiance. Il ne reste plus qu'à mettre votre plan à exécution.

Ithan'ak félicita sa complice et lui tendit la poche de victuailles qu'il avait subtilisée dans la réserve des soldats. Celle-ci redevint visible aussitôt qu'elle quitta la main du warrak.

— Voici un présent pour me faire pardonner d'avoir manqué à ma promesse, dit Ithan'ak.

— Vous êtes un vrai gentleman, le taquina la celfide.

Ces paroles suffirent à ranimer le feu qui sommeillait dans l'estomac du warrak. Incapable d'ajouter quoi que ce soit, il se contenta de souhaiter bonne chance à Mikann.

Skeip dormait à poings fermés lorsque les deux aventuriers revinrent au campement. Vonth'ak veillait à ses côtés. Ithan'ak demanda à Fork de garder un œil sur le keenox, car il désirait s'entretenir seul à seul avec le magicien.

— L'évasion est prévue pour demain soir, commença le jeune chef. Ton aide me serait très précieuse.

— Tu sais pourtant que je refuse d'impliquer Skeip dans une situation où sa vie serait en danger.

— Tu n'as qu'à le laisser ici, rétorqua Ithan'ak. Je te promets qu'il sera en sécurité.

Vonth'ak hésita un moment.

— Pourquoi me porterais-je au secours d'un peuple qui m'a rejeté dès mon enfance ? dit-il enfin. Ceux de ma race ne m'ont jamais apporté autre chose que souffrance et solitude.

— Voilà la véritable raison de ton refus, comprit Ithan'ak. Laisse-moi te donner un conseil. Tu dois tirer un trait sur le passé ou il te rongera toute ta vie. Le destin te donne la chance de prouver ta valeur ; ne lui tourne pas le dos.

— Qu'est-ce qui te fait croire que ton peuple a une quelconque importance à mes yeux ? demanda Vonth'ak, qui refusait de céder.

— Je le sais parce que tu es ici aujourd'hui, répondit Ithan'ak. Tu as eu mille occasions d'emporter Skeip avec toi et de partir au loin. Tu ne l'as pas fait pour une bonne raison : tu veux être accepté parmi les nôtres.

Le magicien écoutait sérieusement les paroles d'Ithan'ak. Il n'y avait sur son visage aucune émotion. Nul n'aurait pu prédire quelle serait sa décision.

— Seras-tu des nôtres pour la renaissance du peuple warrak ? pressa le jeune chef.

Sans broncher, Vonth'ak exigea quelques heures pour réfléchir à ce qui venait d'être dit. Ithan'ak comprit qu'il ne pourrait rien ajouter de plus.

Mikann était assise à l'écart dans un coin. Après son tête-à-tête avec Ithan'ak, elle n'avait pu fermer l'œil de la nuit. À demi éveillée, la journée lui avait paru sans fin. La pensée que de nombreux warraks allaient peut-être mourir inutilement lui était insupportable. L'évasion devait réussir à tout prix.

D'une minute à l'autre, le calme qui régnait sur Locktar ferait place au chaos.

« Il est trop tard pour reculer, se convainquit la warrak. Je dois avoir confiance en Ithan'ak. Que Kumlaïd déchaîne sa fureur sur nos ennemis. »

En réponse aux prières de la celfide, un tumulte s'éleva des entrailles du labyrinthe. Une à une, les chaînes des prisonniers volaient en éclats. La révolte était commencée.

Fork, invisible, courait dans tous les sens pour libérer le plus de guerriers possible dans un minimum de temps. Avec ses énormes mains, le bosotoss mettait en pièces les chaînes qui retenaient les prisonniers. Ces derniers, enfin libres, étaient impatients de participer à l'action. Fork aidait certains d'entre eux à escalader les murs, afin qu'ils neutralisent les gardes et qu'ils s'emparent des clés. Ainsi, toujours plus nombreux, les warraks nouvellement libérés soulageaient leurs frères d'armes de leurs chaînes. Les geôliers postés sur les murs faisaient de leur mieux pour abattre les fugitifs avec leurs flèches, mais il était déjà trop tard.

— Pourquoi les renforts ne viennent-ils pas ? hurlait l'un des archers.

Pendant que Fork usait de son incroyable force pour accomplir sa mission, Ithan'ak n'avait pas perdu son temps. La première chose qu'il avait faite après avoir traversé le pont-levis avait été de mettre le feu aux baraquements. L'incendie s'était répandu rapidement, obligeant les soldats à venir en aide à leurs familles. Plongés dans la confusion et la peur, les dirigeants de Locktar négligèrent les messages de détresse en provenance du labyrinthe.

« Tout se déroule comme prévu », se réjouit le jeune chef.

Il s'empara d'une charrette, qui avait dû servir au ravitaillement, et se dirigea vers l'armurerie.

Vonth'ak traversa à son tour le pont-levis et s'arrêta à la hauteur des grilles. Contrairement à Fork et à Ithan'ak, il n'était pas protégé par un voile d'invisibilité. En effet, le magicien avait besoin de toutes ses forces pour effectuer la tâche qu'Ithan'ak l'avait convaincu d'accomplir.

Presque en transe complète, il leva les bras devant lui. L'aura argentée qui l'entourait en permanence se teinta de rouge et devint de plus en plus imposante. Le warrak se concentra davantage. Une chouette flamboyante apparut entre ses mains. Il la retint aussi longtemps qu'il le put pour augmenter sa puissance, puis la laissa s'échapper. L'oiseau de feu traversa la cour intérieure et se dirigea droit vers le mur du labyrinthe. L'explosion qu'il provoqua fut démentielle. Le ciel, devenu rouge, déversa une averse de pierres sur Locktar.

Vonth'ak, qui voulait créer une brèche dans le mur, l'avait sans le vouloir fait disparaître en entier. Ce débordement avait malheureusement provoqué la mort de plusieurs warraks. Les féroces guerriers ne s'en souciaient pas le moins du monde. Une charrette bondée d'armes les attendait au centre de la cour. Les plus rapides s'emparèrent du butin et foncèrent sur les hommes qui tentaient de reprendre le contrôle. Ceux qui n'avaient pu s'emparer d'une arme se regroupaient en petits groupes et combattaient à mains nues. Devant cet océan de colère qui se déversait sur eux, les soldats de Kalamdir ne purent résister très longtemps. La plupart furent tués et quelques lâches arrivèrent à disparaître dans la forêt. Seuls les femmes et les enfants furent autorisés à quitter les lieux sains et saufs.

Mikann, comme la plupart des prisonniers, n'avait pu assister au combat. Bien que la brèche créée par Vonth'ak fût suffisamment grande pour laisser passer des dizaines de warraks à la fois, il fallut plus d'une heure à la celfide pour atteindre la cour intérieure. Avec difficulté, elle traversa le pont-levis pour gagner la plaine où des centaines de warraks essayaient de retrouver leur clan. Contrairement à eux, Mikann se mit à la recherche d'un guerrier dont elle ne connaissait que la voix.

Ithan'ak et Fork, connaissant le dédain des warraks pour la magie, avaient regagné leur campement le temps que l'enchantement qui masquait leur présence se dissipe. Ils furent très surpris de trouver Skeip solidement ligoté à un arbre.

— Qui t'a attaché ? demanda Fork.

Il fit sursauter le keenox qui ne pouvait le voir.

— C'est moi, répondit Vonth'ak, qui venait de les rejoindre. Je souhaitais m'assurer que notre précieux compagnon ne fasse aucune bévue.

— Très bien, dit Ithan'ak. Détache-le à présent. Il n'y a plus aucun danger.

Skeip remercia le warrak qui avait déjà l'esprit ailleurs. Il tardait au jeune chef de retrouver son clan. Ses pensées se tournaient également vers celle qui l'avait aidé à réaliser son dessein. L'attente était pour lui insupportable. Le jour se levait lorsqu'Ithan'ak ressortit de la forêt, qui surplombait Locktar. Il était suivi de Fork, Skeip et Vonth'ak. De leur position surélevée, ils pouvaient voir la masse de warraks s'agitant sur la plaine. Yrus'ak, qui avait immédiatement repéré son chef, le pointa du doigt à Mikann. La celfide, qui suivait le capitaine dans l'espoir de trouver Ithan'ak, comprit qu'il s'agissait du warrak à qui elle avait accordé sa confiance.

— Voilà Ithan'ak ! s'écria-t-elle. Applaudissons celui qui nous a tous sauvés.

Tous les yeux se tournèrent vers le jeune chef. Dans la plaine, les acclamations s'élevèrent de toutes parts. Sans réserve, le fier peuple de guerriers montrait sa reconnaissance à son nouveau héros.

Chapitre 23

Les jours suivant la victoire de Locktar, les clans se réorganisèrent. Les warraks avaient une extraordinaire capacité d'adaptation. Ils avaient établi leurs campements sur la plaine entourant le labyrinthe. La nourriture dans les greniers fut rationnée et des chasseurs prirent d'assaut les forêts alentour. Pour remédier à la pénurie d'armes, des forgerons furent recrutés dans les villages voisins. Certains coopérèrent sans rechigner, les autres y furent forcés. Le roi Limius ne mettrait pas longtemps à répliquer à l'affront qu'on lui avait fait. Chaque guerrier se préparait personnellement au combat qui ne tarderait pas à venir.

Ithan'ak avait repris la tête de son clan. Il avait oublié à quel point cette tâche était exigeante. À plusieurs reprises, il avait essayé de rendre visite à Mikann, qu'il n'avait pas revue depuis la grande évasion. À chaque fois, son devoir l'en avait empêché.

Après l'avalanche qui avait failli coûter la vie à son jeune chef, Yrus'ak avait assumé le commandement. Le brave warrak s'excusa à son chef pour les nombreuses pertes que les kourofs avaient essuyées. Plutôt que de le réprimander, Ithan'ak félicita son capitaine d'avoir maintenu l'ordre et la discipline en cette période difficile.

Ce fut ensuite le moment où Ithan'ak annonça à ses guerriers que Vonth'ak ferait partie de leur clan. Il s'agissait d'un sujet délicat. La plupart, heureux d'avoir retrouvé la liberté grâce au magicien, n'eurent aucune objection. Quant à ceux qui n'étaient pas d'accord, ils se contentèrent de garder le silence. Ils savaient ce qu'il en coûtait de défier les décisions de leur chef. Une chose était certaine : aucun kourof n'était vraiment à l'aise de côtoyer un magicien.

Les choses étaient très différentes pour Fork et Skeip. Les jeunes enfants étaient particulièrement heureux de retrouver le géant qui les avait aidés à traverser les monts Himlash. De son côté, le rongeur se fit un devoir de connaître chaque membre du clan par son prénom.

— Je suis le dernier de ma race, répétait-il sans cesse avec fierté. Les warraks ont beaucoup de chance que je sois avec eux.

À quelques reprises, Ithan'ak dut intervenir pour éviter un malheur au keenox. Vonth'ak était censé le garder à l'œil, mais le magicien avait du mal à trouver sa place parmi tous ces guerriers qui se méfiaient de lui.

Pour se préparer à l'inévitable guerre contre le royaume de Kalamdir, un conseil de guerre avait été formé. Tous les chefs de clan, un peu plus d'une centaine, s'étaient réunis. Bien que chacun ait le droit de parole, Ithan'ak et quelques autres chefs renommés bénéficiaient d'une plus grande influence. L'un d'eux, prénommé Kran'ak, dominait particulièrement le débat. Ses yeux injectés de sang en permanence dénotaient sa nature agressive. Un peu plus grand qu'Ithan'ak, il avait une épaisse fourrure foncée, presque noire. Ses bras musclés lui permettaient de porter un glaive beaucoup plus long que ceux de ses semblables. Chef du clan des sciaks, la réputation de ce warrak à l'allure renfrognée n'était plus à faire.

— La plus grande partie de l'armée du roi Limius est dans le nord pour combattre les nains, plaida-t-il. À l'heure qu'il est, ce tyran doit certainement rassembler les forces qu'il lui reste dans le sud pour nous écraser. J'ignore quel sera leur nombre, mais je sais comment les vaincre.

Kran'ak marqua une pause pour s'assurer que ses dernières paroles avaient eu l'effet escompté. Comme il le souhaitait, tous les chefs écoutaient soigneusement son plaidoyer.

— Il est préférable de laisser notre ennemi venir jusqu'à nous, continua-t-il. Vous savez comme moi qu'à la guerre l'attaquant est toujours désavantagé. Quand elles arriveront jusqu'ici, les troupes de Kalamdir seront exténuées par les longues journées de marche qu'elles auront effectuées. De notre côté, nous aurons tout le temps voulu pour nous préparer à les recevoir. Si vous m'appuyez, mes frères, notre victoire est assurée.

Selon les tactiques de guerre habituelles, les propos tenus par le chef des sciaks étaient indiscutablement justifiés. Pourtant, Ithan'ak ne pouvait se résoudre à approuver cette démarche. Selon lui, d'autres considérations devaient être prises en compte.

— Il est pour l'instant risqué d'affronter ouvertement les troupes de Kalamdir, signala le jeune chef, s'attirant le regard méprisant du chef des sciaks.

— Il est vrai que cette idée peut être très effrayante pour les couards, se moqua Kran'ak. Tous les warraks savent que le risque fait partie de la guerre.

Ithan'ak refusa de se laisser aller à la colère.

— Nous ne sommes pas encore prêts, répliqua-t-il. Je ne parle pas seulement des armes et de l'entraînement. Durant des décennies, nous nous sommes entre-déchirés sur les terres glacées de la pointe d'Antos. Aujourd'hui, nous devons former une unité pour vaincre notre ennemi. Cela prendra du temps, un temps que nous n'aurons pas si nous restons ici. Désorganisés, nous devrons faire face à un adversaire probablement supérieur en nombre, mieux équipé et muni d'une chaîne de commandement efficace lui permettant de réagir rapidement sur le champ de bataille.

Le plaidoyer d'Ithan'ak, inattendu, avait déstabilisé les chefs. Un silence complet était tombé sur l'assemblée.

— Maintenant que nous connaissons vos objections, dit finalement le chef des ougandas, qu'avez-vous à proposer de mieux ?

— Une guérilla, répondit simplement le chef des kourofs. Je propose que nous divisions nos forces pour opérer des raids dans tout le royaume de Kalamdir.

— Cela ne ferait que nous affaiblir, méprisa Kran'ak.

— Au contraire, réfuta Ithan'ak. En adoptant cette tactique, nous pousserons le roi Limius à diviser son armée pour venir en aide à ses sujets. Cette diversion nous donnera l'occasion de porter secours aux nôtres qui sont toujours prisonniers au lac Hymrid. Par ailleurs, je sais aussi que l'armée de Kalamdir est alimentée par les récoltes du royaume de Küran. Brûlons leurs champs et emparons-nous de leurs réserves. Quand ce sera fait, nous aurons un net avantage sur notre ennemi. Nous pourrons vaincre sans difficulté les armées du sud. Pour répondre aux ravages que nous causerons sur notre passage, le roi Limius sera contraint de rappeler à lui ses troupes situées dans le nord, mais il sera déjà trop tard. La situation sera à notre avantage.

Le jeune chef s'interrompit et scruta les regards en essayant de deviner l'impact que ses paroles avaient eu sur les autres chefs. Il n'était pas facile de convaincre ces guerriers de renoncer, pour un temps du moins, à la vengeance qui les faisait saliver.

Le farouche chef des sciaks ne leur laissa pas le temps de réfléchir aux arguments d'Ithan'ak.

— Ferez-vous confiance à ce « jeune chef » ? demanda Kran'ak. Il me semble avoir tout juste l'expérience requise pour diriger convenablement son propre clan. Certes, il a réussi à libérer notre peuple de Locktar, mais non sans l'aide de son magicien. Qui sait s'il n'a pas offensé Kumlaïd en s'alliant avec une telle créature ?

Un brasier s'était allumé dans les yeux d'Ithan'ak. Il aurait voulu tirer son glaive et trancher la tête du warrak qui insultait son honneur. Il dut pourtant s'abstenir. En temps de guerre, les affrontements entre les clans étaient strictement interdits.

— Nous sommes prêts pour la grande bataille ! rugissait maintenant Kran'ak, l'arme au poing.

Ne pouvant retenir davantage leur soif de combattre, tous les chefs tirèrent leur glaive et poussèrent des hurlements de guerre. Ithan'ak savait qu'il avait échoué. Il lui faudrait vivre avec les conséquences découlant de cet échec.

Bien qu'il ne fût pas convaincu de la stratégie adoptée par ses confrères, le jeune chef fit tout son possible pour motiver son clan. L'entraînement intensif auquel il soumettait ses guerriers ne leur laissait aucun répit. Il força même Vonth'ak à y participer. Encombré de Skeip qui tenait à participer, le magicien n'arrivait pas à grand-chose. Ithan'ak savait que son compagnon était beaucoup plus dangereux les mains nues. L'exercice qu'il lui imposait n'était qu'un prétexte pour que Vonth'ak puisse s'intégrer plus facilement dans le clan.

Fork, au contraire de Skeip, se tenait à l'écart des warraks. La raison en était simple : le bosotoss en avait assez d'être sans cesse défié en combat singulier. À tout moment, un guerrier en soif de gloire désirait affronter le colosse. Ithan'ak avait sévèrement puni les kourofs qui s'étaient aventurés à importuner son vieil ami. Il ne pouvait malheureusement pas réprimander les membres des autres clans. Le jeune chef rendait donc quotidiennement visite à Fork dans le boisé où ce dernier s'était fabriqué un abri de fortune.

— Tu as déjà fait beaucoup pour nous, lui souligna Ithan'ak. Je sais que tu entends l'appel des sables du désert. Sens-toi libre de retourner chez toi.

— Tu as raison, approuva Fork. Je ressens en effet le besoin de retrouver ma terre natale. Mais détrompe-toi, ce désir n'est pas dicté par la nostalgie ou le besoin d'être seul. Je suis différent de ceux de ma race. J'aime échanger avec les autres cultures. L'ermitage inné des bosotoss ne coule pas dans mes veines. Je ne saurais dire pourquoi. De toute façon, autre chose me pousse à vouloir rejoindre les miens. Tu n'es pas sans savoir que les bosotoss sont tous reliés par un lien télépathique plus ou moins défini. Eh bien, depuis que nous avons quitté la cité d'Ymirion, ce lien est devenu de plus en plus intense. Je ressens un profond trouble chez mes frères du désert. J'ignore ce que cela veut dire, mais je devine que ce n'est rien de bon.

— Cesse de te tourmenter et cours vers le désert dès aujourd'hui, le bouscula Ithan'ak. N'attends pas qu'il soit trop tard.

— Ne t'en fais pas, le calma Fork. Ce n'est pas ma seule présence qui pourra changer quelque chose à leur malheur, quel qu'il soit. J'ai l'intention de me battre une fois de plus à tes côtés. Tu sais comme moi qu'en affrontant sans préparation les troupes de Kalamdir il se pourrait bien que les warraks courent à leur perte. Peu importe le résultat, je ne voudrais manquer cette bataille pour rien au monde.

— Tant mieux, dit Skeip qui les observait depuis quelques minutes. Avec la force destructrice des bosotoss et le génie légendaire des keenox, les warraks ont toutes les chances de leur côté.

— Que fais-tu ici ? demanda Ithan'ak, qui ne pouvait s'empêcher de sourire.

Il ne s'accoutumerait jamais à l'imperturbable enthousiasme du rongeur.

— Je suis porteur d'un message de la plus haute importance, se glorifia Skeip. J'ai eu beaucoup de difficulté à vous trouver. Je suis très déçu que vous m'ayez caché cet endroit.

— Quel est ton message ? le pressa Ithan'ak.

— Des éclaireurs sont arrivés il y a moins d'une heure, lui apprit le keenox. Une armée approche à grande vitesse. Ils seront ici avant la nuit.

— Impossible ! s'écria Ithan'ak. Ils ont dû marcher jour et nuit pour être déjà ici. Je ne croyais pas qu'ils arriveraient avant deux jours.

Le warrak bondit sur ses pieds et incita ses deux compagnons à le suivre. Il y avait une foule de préparatifs à terminer avant l'arrivée de l'ennemi.

— Une dernière chose, dit timidement Skeip qui craignait la réaction du jeune chef.

— Qu'y a-t-il ? s'impatienta Ithan'ak.

— C'est à propos de l'homme à la tête de l'armée qui avance vers nous. Les éclaireurs ont mentionné qu'il était borgne.

Le lien avec Simcha se fit instantanément dans l'esprit d'Ithan'ak et de Fork. Étonnamment, ce fut le bosotoss qui laissa libre cours à sa colère. Le colosse, hors de lui, exprima sa rage sur les arbres qui l'entouraient.

— Quelle traîtrise ! rugit-il.

Un après l'autre, les conifères s'écroulaient sur le sol. Fork, qui avait considéré Simcha comme un ami, n'arrivait pas à accepter la fourberie du pirate. Plus que jamais décidé à participer à la bataille qui s'annonçait, le géant ramassa sa massue et promit à Ithan'ak que son bras servirait la cause des warraks jusqu'à la mort.

Comme l'avaient prédit les éclaireurs, l'armée du roi Limius, commandée par l'ancien pirate, arriva en vue de Locktar au coucher du soleil. La marche forcée à laquelle Simcha venait de soumettre ses soldats l'avait empêché d'apporter des armes de siège. Il avait envisagé d'ordonner leur construction une fois arrivés sur le champ de bataille, mais l'impatience du roi avait mis une croix sur cette idée. Les instructions étaient d'écraser sans délai la rébellion des warraks. Les hommes et les warraks s'affronteraient au corps à corps.

— Dans combien de temps serons-nous prêts ? s'informa Simcha auprès d'un de ses officiers.

— Général, la cavalerie et les fantassins attendent déjà vos ordres. Les chariots de l'armurerie ne tarderont pas à nous rejoindre.

— D'ici là, mes lanciers et mes archers me sont inutiles, déduisit le pirate. Dorénavant, je veux que chaque homme transporte lui-même son équipement.

— Mais nous n'avons jamais procédé de cette façon, se risqua l'officier.

— Cela prouve que vous n'y connaissez rien à la guerre. Je dois avouer que je n'en suis pas étonné. Le roi Limius a envoyé ses meilleurs officiers dans le nord pour exterminer les nains. Je me retrouve donc aux commandes de novices qui ne connaissent pas les règles les plus élémentaires de la guerre. J'ai fait une erreur en me fiant à votre jugement. À l'heure qu'il est, la moitié de mes hommes n'ont comme arme qu'une courte épée dont l'usage leur est pratiquement inconnu. Disposez et ne réapparaissez pas devant moi avant que tous mes soldats soient aptes à combattre.

L'attention de Simcha se fixa sur la tasse d'eau chaude qui bouillait sur le feu, puis revint vers son officier. Voyant que ce dernier n'avait pas bougé d'un pas, Simcha l'avertit que sa patience avait ses limites.

— N'entendez-vous pas ? demanda le soldat.

D'un rythme lent et régulier, un grondement pareil au tonnerre résonnait dans l'obscurité. À chaque fois plus fort, cet inquiétant vrombissement attira rapidement l'attention des différents régiments. Tous cherchaient à repérer d'où provenait ce bruit assourdissant.

« Ils veulent nous effrayer », comprit enfin Simcha.

Le pirate n'avait pas tort. Il s'agissait d'une technique d'intimidation utilisée depuis toujours par les warraks. Le bruit produit par le choc des glaives contre les boucliers augmentait le stress de leurs adversaires. Il avait aussi pour effet de dissimuler le nombre de combattants, ce qui s'avérerait très utile pour déstabiliser l'ennemi.

— Quels sont vos ordres, général ? bégaya l'officier, qui essayait de garder son sang-froid.

— Je veux que les fantassins forment une ligne de combat et se tiennent prêts à attaquer. La cavalerie les rejoindra dès que le combat sera engagé. Je veux qu'ils tiennent jusqu'à ce que les lanciers et les archers soient équipés. Qu'ils combattent toute la nuit s'il le faut !

L'œil valide de l'homme borgne se tourna à nouveau vers Locktar, fouillant l'obscurité à la recherche des warraks ; toujours rien.

À son apogée, le grondement s'arrêta d'un seul coup, faisant place à des hurlements enragés. C'est alors que des dizaines, puis des centaines de points rouges s'allumèrent dans le noir.

— Les voilà ! cria Simcha de toutes ses forces. Ne laissez pas le doute annihiler votre courage. Nous sommes de beaucoup supérieurs en nombre et la déesse Hélisha nous soutient. Fantassins, à l'attaque !

Le pirate n'eut pas à répéter son ordre deux fois. Entraînés à obéir sans réfléchir, les soldats foncèrent sur l'ennemi. Impatients de noyer leur vengeance dans le sang, les warraks s'élancèrent à leur tour. À la façon de deux taureaux qui s'affrontent, les deux factions entrèrent en collision. Aux cris de guerre se mêla le son aigu du métal.

Ithan'ak fut l'un des premiers à enfoncer son glaive dans la chair d'un adversaire. Comme tous les chefs, il était sur la première ligne. C'était pour eux la façon idéale de se démarquer au combat.

Ce fut bientôt la mêlée générale. Au milieu de ce chaos, Fork faisait des ravages avec son énorme massue. Autour de lui, les morts s'accumulaient à une vitesse folle. La haute taille du colosse lui permettait d'observer facilement le champ de bataille. Les warraks, bien qu'inférieurs en nombre, avaient le contrôle de la situation.

Sur une butte surélevée, Simcha observait lui aussi le combat. D'après ses observations, les pertes de ses hommes étaient plus grandes que celles des warraks. Il lui fallait réagir rapidement s'il ne voulait pas perdre le contrôle. Envoyer la cavalerie lui redonnerait l'avantage, mais ce n'était pas suffisant pour le pirate. Il ne voulait prendre aucun risque. Il envoya d'abord les archers et les lanciers. Les chariots d'armurerie n'étant toujours pas arrivés, les soldats durent se contenter de leur courte épée trempée dans un métal de moindre qualité. Les archers n'avaient même pas de bouclier.

Ithan'ak, en plein combat, vit au loin cette horde de soldats déferler vers le champ de bataille. Il s'empressa de mettre fin à la vie de l'homme avec qui il combattait pour se préparer à cette nouvelle vague offensive.

À l'écart de la mêlée, Vonth'ak attendait le moment propice pour entrer en scène. Cette fois-ci, il n'avait pu empêcher Skeip de prendre part à l'action. Il avait donc fait promettre au keenox de ne pas s'éloigner de lui puis l'avait rendu invisible. Pour sa part, le warrak ne voyait pas l'utilité de se doter d'une telle protection. Immobile, il guettait les hommes de Simcha qui couraient vers la mêlée.

— Il faut faire quelque chose, s'alarma Skeip. Ils sont beaucoup trop nombreux.

— Reste calme, lui intima le magicien. Je leur réserve un chaleureux accueil.

Les renforts envoyés par Simcha étaient sur le point d'entrer dans la bataille lorsqu'ils virent une curieuse lumière rouge apparaître en bordure du champ de bataille. À peine une seconde plus tard, un mur de feu s'érigeait devant eux. Il leur était impossible de s'arrêter à temps. Près du tiers des renforts fut perdu dans les flammes.

À lui seul, Vonth'ak venait de tuer plus d'hommes qu'aucun guerrier ne pourrait le faire, même en combattant deux jours durant. Cet exploit lui avait coûté une grande partie de ses forces. Le warrak ne put maintenir plus longtemps l'écran de feu qu'il avait créé.

Effrayés par ce qu'ils venaient de voir, lanciers et archers étaient figés sur place. Peu enclins à subir le même sort que leurs camarades, ils commencèrent à reculer tranquillement.

Simcha savait que cette magie était l'œuvre de Vonth'ak. Il se doutait aussi que le warrak était à bout de force. Il résuma la situation au chef de la cavalerie afin que ce dernier redonne confiance à ses hommes. Loyaux envers leur commandant, les cavaliers étaient prêts à accomplir leur devoir. En formation serrée, ils galopèrent en direction de leurs frères fantassins qui croulaient sous les lames des warraks. Leur arrivée redonna du courage aux lanciers et aux archers qui se mêlèrent enfin au combat.

Comme des fourmis qui submergent leur ennemi par le nombre, les hommes reprirent l'avantage du combat. Les chances de vaincre des warraks devinrent rapidement presque nulles, mais les farouches guerriers tenaient bon. Parmi eux, deux chefs de clan dominaient particulièrement le combat, ce qui redonnait du courage à leurs frères d'armes.

Ithan'ak, plus déterminé que jamais, avait accumulé autour de lui des dizaines de cadavres. Son glaive était d'une vitesse et d'une précision inouïes. Voyant que le warrak faisait de tels ravages parmi les siens, un cavalier fonça sur le jeune chef avec la ferme intention de lui trancher la tête. Le malheureux n'eut pas plus de chance que ses prédécesseurs. Ithan'ak s'esquiva de côté et, par instinct, leva son bras droit duquel s'échappa une éclatante lumière argentée. Celle-ci arrêta brusquement le destrier, qui perdit l'équilibre et roula sur son maître. Ce dernier rendit l'âme sur le coup. Ithan'ak, incrédule, regardait son bras sans comprendre comment il avait pu accomplir un tel prodige. Un jeune fantassin profita de l'inattention du chef des kourofs pour s'approcher de lui dans son dos. Le mécréant allait enfoncer son épée dans la cuirasse du warrak lorsque la mort s'empara de lui par surprise. Ithan'ak tourna rapidement sur lui-même et vit le soldat s'effondrer sur le sol sans raison apparente.

— Je t'avais bien dit que tu avais de la chance d'avoir un keenox avec toi, dit une voix triomphante.

Skeip n'avait pu s'empêcher de profiter de son voile d'invisibilité pour fausser compagnie à Vonth'ak. Ithan'ak aurait voulu lui reprocher son imprudence, mais la désobéissance du keenox venait de lui sauver la vie. Il calcula que Skeip ne courait pas un grand danger et qu'il valait mieux le laisser faire à sa tête. De toute façon, il était trop tard pour le mettre à l'abri.

— Fais bien attention à toi, recommanda le jeune chef avant de reprendre le combat.

Non loin de là combattait Kran'ak. Le chef des sciaks était animé par sa soif de tuer et par l'espoir de gonfler son prestige. Comme une bête, il se ruait littéralement sur ses adversaires. Ses coups étaient si puissants qu'ils traversaient les armures comme si elles étaient de vulgaires pastèques. Kran'ak ne se donnait pas la peine de mettre à mort ses victimes. Derrière lui, deux guerriers de son clan s'occupaient de la triste besogne.

La détermination de Kran'ak et d'Ithan'ak n'avait d'égal que la haine qu'ils avaient développée l'un pour l'autre durant les derniers jours. Ce fut par hasard, ou par un tour du destin, qu'ils se retrouvèrent à combattre côte à côte. Dans l'adversité, ils avaient oublié leurs différends. De leur union résultait une incroyable machine de guerre. À deux contre dix, ils avaient toujours le dessus. Ce n'était pas le cas de tous les warraks. La plupart, obligés de combattre deux ou trois adversaires à la fois, commençaient à faiblir. Les lanciers et les archers, qui n'avaient pas une grande expérience du combat à l'épée, n'étaient pas d'une grande menace. Ils avaient néanmoins l'utilité d'occuper les warraks, pendant que les cavaliers semaient la mort parmi les guerriers aux yeux rouges.

Devant un tel scénario, n'importe quel combattant aurait battu en retraite. Au contraire, tourner le dos à l'adversaire pour s'enfuir ne faisait pas partie des mœurs des warraks.

— Nos frères ne tiendront plus très longtemps, cria Ithan'ak.

— Je sais, confirma Kran'ak qui haletait. Mais si c'est la fin, nous mourrons honorablement.

Sans plus d'explications, Ithan'ak comprit les intentions du chef des sciaks. D'un signe de la tête, il lui indiqua qu'il était prêt à le suivre. Comme des héros sortis tout droit d'une légende épique, les deux guerriers s'engouffrèrent seuls au milieu d'un régiment de soldats. Le seul indice qui laissait croire à leurs frères qu'ils étaient toujours vivants était les hurlements qu'ils poussaient en enfonçant leurs glaives dans la chair de leurs attaquants.

Inondés par les adversaires, Ithan'ak et Kran'ak étaient pris d'une frénésie meurtrière. Ils invoquaient ensemble le nom de leur dieu, certains de le retrouver bientôt sur les champs de bataille éternels. Il n'y avait plus aucune conclusion possible autre que la mort. C'est du moins ce qu'ils croyaient lorsque le son rayonnant d'une corne s'éleva dans la plaine.

Près de trois mille cavaliers, vêtus d'une tunique blanche et argentée, poussaient leurs chevaux en direction du combat. À leur côté chevauchaient deux hylianns qui n'étaient pas inconnus à Ithan'ak. Malgré ses scrupules, Elwym avait accompli avec succès la mission que le jeune chef lui avait confiée.

L'arrivée de Toran et de ses mercenaires changea irrémédiablement l'issue du combat. Entraînés et habitués à combattre sur tous les terrains, les cavaliers de la plume argentée unirent leurs forces à celle des warraks. Cette nouvelle alliance mit immédiatement en déroute les Kalamdiens.

De son perchoir, Simcha avait du mal à croire ce qu'il voyait. Il n'arrivait pas à comprendre pourquoi Toran se portait au secours des warraks. Cette pensée seule lui était inconcevable. Ce fut un de ses lieutenants qui le ramena à la réalité.

— Monseigneur, vous devez ordonner la retraite. Nos hommes périront tous si nous ne réagissons pas immédiatement.

— Très bien, céda le pirate. Faites tout ce qui est nécessaire pour assurer notre départ.

Abattu, Simcha tourna les talons pour ne plus voir la défaite de ses troupes.

Les warraks, n'ayant aucun respect pour les lâches, n'accordèrent pas aux fuyards le droit de rejoindre leur dieu. Les couards méritaient de vivre assez vieux pour ne plus avoir la force de soulever une arme dans le monde immatériel. La fin des hostilités fut signée par les cris de guerre des warraks et le chant victorieux de la corne des hommes de Toran.

Lorsque le calme retomba enfin, les warraks cherchèrent à comprendre pour quelle raison les cavaliers de la plume argentée leur avaient prêté main-forte. Pourquoi ces hommes, qui s'étaient montrés hostiles envers eux dans le passé, étaient-ils soudainement devenus leurs alliés ? C'est Toran lui-même qui apporta la réponse.

— Est-ce que le prénommé Ithan'ak est toujours en vie ? demanda-t-il à haute voix. Je désire m'entretenir avec lui.

La foule s'écarta pour laisser passer le jeune chef. Couvert de sang des pieds à la tête, il n'avait subi que des blessures superficielles. Il s'approcha de Toran, un sourire sur les lèvres.

— Je n'aurais jamais cru possible qu'un mercenaire tel que vous nous offre ses services sans la promesse d'une juteuse récompense, plaisanta Ithan'ak.

— Vous savez très bien pourquoi je suis ici, rétorqua le chef des cavaliers.

Il ouvrit une sacoche attachée sur le dos de son cheval et en sortit un parchemin roulé sur lui-même.

— L'hyliann qui m'a fait parvenir ce document m'a dit que c'est vous qui lui en aviez donner l'ordre.

— Il ne vous a pas menti, acquiesça Ithan'ak.

— Puis-je savoir de quelle façon ce papier est entré en votre possession ?

— J'ai visité des lieux très anciens et très étranges depuis notre dernière rencontre, répondit le jeune chef. Un vieil homme sage dont je tairai le nom m'a remis ce parchemin. J'ai tout de suite compris que je devais vous le faire parvenir.

Toran déroula le document qu'il relut à haute voix pour que tout le monde entende.

Mon nom est Bowen, chef des cavaliers de la plume argentée. Je suis le premier d'une lignée qui, je l'espère, sera longue et prospère.

J'écris ces quelques lignes afin que mes descendants se rappellent de moi et du grand honneur confié à notre famille. Avec le consentement des différents rois d'Anosios, j'ai pu former une unité de combat mobile dans le but de maintenir la paix fragile qui règne sur le continent. Notre fonction est simple, mais très importante. Mes cavaliers et moi devons empêcher tout souverain qui deviendrait trop avide de pouvoir d'empiéter sur le territoire de ses voisins. Nous avons payé trop cher la liberté de notre continent pour nous entre-déchirer.

J'ai confiance en mon propre sang et je sais que mes descendants feront preuve de bravoure et de justesse à la tête de mes cavaliers. Je pourrai ainsi parcourir avec fierté le monde immatériel et prendre soin de leurs guerriers qui auront fièrement péri en accomplissant leur devoir.

Bowen, chef des cavaliers de la plume argentée

Toran remit le document en sûreté puis reprit la parole en fixant Ithan'ak droit dans les yeux.

— Des dizaines de fois, j'ai parcouru ce texte jadis rédigé par mon ancêtre. À chaque fois, la honte qui m'envahissait devenait plus profonde. La culpabilité venait me ronger jusque dans mon sommeil. Il est étrange de constater à quel point un inoffensif parchemin peut modifier le destin d'un homme. La plupart d'entre vous ont déjà entendu parler de moi et certains ont eu le déplaisir de me rencontrer. Je tenais à ce que vous entendiez les mots qui ont bouleversé mon univers, afin que vous sachiez que désormais je ne suis plus votre ennemi. Sous mon commandement, les cavaliers de la plume argentée retrouveront l'honneur qu'ils ont perdu au fil des siècles. J'espère que l'assistance que mes hommes vous ont apportée cette nuit saura vous convaincre de ma sincérité.

— Soyez-en certain, le rassura Ithan'ak. Il est coutume pour les warraks d'honorer le dieu de la guerre lorsqu'il nous accorde la victoire. Serez-vous des nôtres pour le rituel ?

— Je crains de devoir décliner votre invitation, répondit poliment Toran. Je dois retourner dans le nord avec mes hommes pour réparer plusieurs de nos actions. Je suis convaincu que nos routes se croiseront de nouveau très bientôt. Auriez-vous l'obligeance de donner une sépulture à nos morts ?

— Ce sera un honneur, répondit Ithan'ak.

Un court instant, le jeune chef se surprit à penser qu'il aurait fait un excellent diplomate. Il se ravisa en pensant que ses excès de colère ne feraient pas très bonne figure en pleine crise diplomatique.

Les politesses terminées, Toran fit sonner le signal du départ. Ses cavaliers se divisèrent efficacement en plusieurs unités. Ils saluèrent une dernière fois leurs nouveaux alliés avant de se mettre en route.

Dans les bois qui surplombaient la plaine, à l'endroit exact où Ithan'ak avait établi son campement avant la prise de Locktar, le général Karst observait la scène avec une certaine euphorie. Son retour à Ymirion ne s'était pas passé comme il l'avait espéré. Le roi Limius lui avait d'abord reproché de ne pas avoir réussi à lui ramener le keenox, alors qu'un misérable pirate y était arrivé sans difficulté. Plus encore, le monarque avait accordé au forban le commandement des troupes chargées de mater la révolte des warraks. Le général avait longuement plaidé qu'il était mieux placé qu'un pirate pour mener à bien cette mission, mais le roi lui avait recommandé de prendre quelques mois de repos. Buté, Karst n'avait pas dit son dernier mot. Il avait ordonné au docteur Claymore d'acheter deux chevaux rapides en vue de se rendre à Locktar. Le général était convaincu qu'il y retrouverait le warrak responsable de tous ses malheurs.

La bataille était presque terminée lorsque le général Karst et son médecin personnel arrivèrent en vue du labyrinthe. Les cavaliers de la plume argentée avaient mis en déroute les soldats commandés par cet idiot de pirate. Toran, un vieil ami de Karst, avait trahi sa confiance. Peu importait, cette défaite obligerait le roi à reconsidérer sa décision. Il aurait besoin de son plus grand général pour gagner cette guerre qui se menait maintenant sur deux fronts.

Chapitre 24

Comme la coutume l'exigeait, les warraks accomplirent durant toute la nuit le rituel sacré en l'honneur de Kumlaïd. Par la même occasion, les différents chefs se réunirent de nouveau pour procéder à un vote très important. Une bataille venait d'avoir lieu et certains d'entre eux avaient eu l'occasion de prouver leur valeur. Il était maintenant temps de procéder à l'affectation d'un priman'ak.

Une trentaine de chefs posèrent leur candidature. Chacun leur tour, ils vantèrent leurs récents exploits pour convaincre leurs frères qu'ils étaient dignes de participer au tournoi qui aurait lieu le lendemain. Lorsque la parole vint à Ithan'ak, il n'eut pas le temps de terminer sa première phrase que déjà la plupart des chefs s'étaient levés pour l'acclamer. La même chose se produisit lorsque vint le tour de Kran'ak. À la fin de l'exercice, le conseil avait retenu huit candidatures. La séance fut rapidement levée pour permettre aux futurs adversaires de se reposer avant le tournoi.

Ithan'ak ne se rendit pas directement sous sa tente. Il commença par s'assurer que ses guerriers avaient bien accompli les rites funéraires destinés aux cavaliers de Toran morts au combat. Il bifurqua ensuite vers l'immense feu qui resplendissait en l'honneur du dieu de la guerre. Le rituel sacré était terminé, mais la plupart des clans étaient toujours présents. Les femmes et les enfants écoutaient sans se lasser les guerriers réciter les moments forts de la bataille. Fork, Skeip, Elwym et Kamélia prenaient un grand plaisir à participer aux festivités. Plus d'une fois, les warraks glorifièrent la force meurtrière du bosotoss. Ils saluèrent aussi à plusieurs reprises le rôle qu'avait joué Elwym auprès des cavaliers de la plume argentée. Cette tâche avait été pour l'hyliann bien plus difficile qu'il n'y paraissait. Sans le soutien de la belle Kamélia, il n'aurait jamais pu faire preuve de diplomatie auprès des hommes qui avaient tué ses frères. Il ne pourrait sans doute jamais effacer la haine qui se nourrissait de ce souvenir.

De son côté, Skeip attirait autant l'attention qu'il le pouvait. Il n'avait pas besoin qu'un autre raconte ses exploits à sa place. Le keenox se faisait une joie de raconter à quel point sa contribution avait été bénéfique dans la bataille. Les warraks prenaient plaisir à écouter le rongeur se glorifier comme s'il était un ardent combattant.

Ithan'ak se demandait pourquoi Vonth'ak n'était pas présent, lorsqu'il aperçut le magicien assis seul dans la pénombre. Bien que Vonth'ak ait tué plus de Kalamdiens que tous les autres warraks, personne ne glorifiait son haut fait. Les warraks mettraient beaucoup de temps à faire confiance à sa magie. Le chef des kourofs aurait aimé encourager le nouveau membre de son clan, mais une autre affaire retenait son attention. Patiemment, il épiait les visages dans l'espoir de retrouver la jolie celfide qu'il n'avait toujours pas eu l'occasion de revoir. Il chercha plus d'une heure, après quoi il se résolut à rejoindre sa couche. Il commençait à croire que Mikann l'évitait délibérément.

« Pourquoi ferait-elle une chose pareille ? » se demandait Ithan'ak, qui n'arrivait pas à s'endormir.

Conscient qu'il devrait livrer bataille le jour suivant, il s'efforça de détourner la celfide de ses pensées. En dehors de Mikann, une seule chose occupait l'esprit du jeune chef : le prodige qu'il avait accompli avec son bras droit. Il n'y avait aucun doute : Kumlaïd avait donné des facultés magiques à son nouveau protégé. Incapable de supporter plus longtemps cette vérité, Ithan'ak se réfugia dans ses souvenirs d'enfance qui l'entraînèrent peu à peu vers le sommeil.

C'est la voix du capitaine Yrus'ak qui tira Ithan'ak de son repos bien mérité.

— Ai-je dormi si longtemps pour que vous veniez interrompre mes rêves ? grogna le jeune chef.

— Je sais que vous m'avez demandé de ne pas vous réveiller avant le zénith du soleil, s'excusa le capitaine, mais deux hommes se sont présentés avec un drapeau blanc et ils demandent à vous voir. Ils ne sont pas armés.

— Est-ce que Skeip est en sécurité ? s'informa Ithan'ak soudain plus alerte.

— Je l'ai confié à la garde de Fork et de Vonth'ak, répondit Yrus'ak. Vous n'avez rien à craindre.

Ithan'ak enfila ses bottes et attrapa sa cuirasse. Puisque les deux hommes n'étaient pas armés, il décida de ne pas prendre son glaive. Il demanda tout de même à Yrus'ak de l'escorter au cas où les choses tourneraient mal.

Afin d'éviter que les visiteurs attirent trop l'attention, le capitaine les avait fait conduire dans sa propre tente. Lorsqu'Ithan'ak y pénétra, il fut surpris par l'apparence du curieux duo. Le premier homme, petit avec des cheveux grisonnants, ne ressemblait en rien à un soldat. Sans doute était-il un aide de camp. Le second, beaucoup plus grand et costaud, se démarquait par le métal qui couvrait la moitié de son visage. Le jeune chef ne put s'empêcher de le dévisager. Il n'avait jamais vu une chose pareille.

— Une terrible blessure a transformé mon visage à jamais, expliqua l'homme.

— Vous m'en voyez désolé, répondit Ithan'ak.

— N'en soyez pas si certain, railla l'éclopé. C'est vous qui avez fait de moi ce que je suis devenu. Sans l'intervention du médecin qui m'accompagne, je serais mort à l'heure qu'il est.

— Auriez-vous l'obligeance de vous nommer ? tonna Ithan'ak qui n'aimait pas jouer aux devinettes.

— Mon nom est Karst. Je suis le commandant en chef des armées du nord et premier général de Kalamdir. J'effectuais une importante mission dans la ville de Chrysmale lorsque vous avez tristement mis fin à mes activités.

Le casse-tête prenait place dans l'esprit d'Ithan'ak. Le général remarqua aussitôt le changement qui s'opéra sur le visage du warrak.

— Vous comprenez enfin qui je suis, se délecta Karst.

— Comment m'avez-vous retrouvé ? interrogea Ithan'ak.

— Lorsque vous m'avez lâchement attaqué par surprise dans cette auberge, expliqua le général, j'ai à peine eu le temps de voir votre visage. Je savais que c'était un warrak que je devais rechercher. Un autre indice, beaucoup plus important, m'est venu plusieurs semaines plus tard. Alors que je m'efforçais de reprendre des forces et de retrouver le peu de dignité qu'il me restait, un cauchemar venait sans cesse troubler mes nuits. Puisqu'il m'était impossible d'y échapper, ma seule option était d'en tirer parti. À mon réveil, je prenais soin de noter minutieusement chaque détail. C'est ainsi que votre nom m'est finalement apparu. Dès ce moment, je me suis juré d'obtenir ma vengeance. Je n'en ai pas encore eu l'occasion, mais je suis de nature patiente. Je suis venu ici uniquement pour graver votre visage dans ma mémoire. Lorsque vous affronterez à nouveau l'armée de Kalamdir, c'est moi qui la commanderai. Et soyez-en certain, je saurai vous trouver dans la mêlée.

— Qu'est-ce qui vous fait croire que vous repartirez d'ici en vie ? demanda Ithan'ak qui ne se laissait pas impressionner.

— Je sais que les warraks vivent dans l'honneur, répondit Karst. Je suis venu vous rencontrer avec un drapeau blanc et sans arme. Je vais même permettre à mon médecin de prendre soin de vos blessés jusqu'à la nuit. Profitez de cette générosité, car notre prochaine rencontre sera beaucoup plus funeste.

Ithan'ak, qui en avait assez entendu, fit signe à Yrus'ak d'escorter le général hors du campement. Il se tourna ensuite vers le petit homme qui n'avait rien dit jusque-là. Claymore demanda au jeune chef où il pourrait trouver un forgeron et exigea qu'on lui envoie les blessés les plus graves. Ithan'ak, qui désirait se changer les idées avant le tournoi, accompagna le docteur. Intrigué par les méthodes employées par ce dernier, il demeura avec lui toute la matinée. Aucune blessure n'était trop profonde pour Claymore. Au sommet de son art, il avait ressuscité plus d'une trentaine de guerriers lorsqu'Ithan'ak le quitta. La construction des estrades venait d'être terminée et les concurrents se préparaient à faire la démonstration de leur adresse au combat.

Avant de s'y rendre, le jeune chef fit un détour vers sa tente pour récupérer son glaive. Une surprise de taille l'y attendait. Mikann, assise sur le lit de paille, aiguisait avec soin l'arme d'Ithan'ak. Sa présence déstabilisa le warrak qui resta figé, la bouche grande ouverte.

— On croirait que vous avez vu un fantôme, se moqua la celfide. Est-ce si affreux de me revoir ?

— Au contraire, bégaya le chef des kourofs. J'attendais ce moment depuis notre dernière rencontre. Vous saviez pourtant où me trouver…

— En effet, coupa la celfide. Il m'était malheureusement impossible de venir jusqu'à vous. Il semblerait que vous ne soyez pas en très bon terme avec le chef de mon clan.

— Vous êtes une sciak, devina Ithan'ak. Jamais Kran'ak ne me laissera vous approcher.

— C'est vrai, se désola Mikann. Et pourtant, je me sens plus près de vous que de n'importe quel autre guerrier de ce campement.

La celfide s'approcha du jeune chef et déposa un long baiser sur ses lèvres. Ithan'ak n'avait jamais connu une telle ivresse. Son cœur battait à tout rompre et un puissant feu lui brûlait les poumons. Il aurait aimé que cet instant dure à jamais. Mikann, qui avait risqué la colère de Kran'ak en s'aventurant dans la tente d'Ithan'ak, mit finalement fin au baiser. Elle devait regagner son clan.

— Le temps saura peut-être arranger les choses, suggéra-t-elle. En attendant, j'espère que le souvenir que j'ai déposé sur vos lèvres vous donnera le courage et la force de trouver votre chemin jusqu'à moi.

Ithan'ak, abasourdi, esquissa un sourire. Sans rien ajouter, Mikann quitta la tente et laissa le jeune chef seul avec lui-même. Il aurait aimé laisser vagabonder son esprit sur ce qui venait d'arriver, mais il devait participer à un tournoi. Sans plus attendre, il se rendit jusque dans le cercle de combat formé par les estrades. Vonth'ak, Fork et Skeip l'y attendaient pour l'encourager. Le bosotoss lui expliqua que Kamélia ne souhaitait pas assister aux combats. Elle jugeait cette nouvelle effusion de sang inutile. Elwym avait proposé de tenir compagnie à l'ambassadrice.

Ithan'ak n'entendait pas ce que le colosse lui disait. Alors qu'il observait ses rivaux, il ne pouvait s'empêcher de penser aux hommes qui étaient gouvernés par un roi incapable de diriger ses propres batailles. Quoi qu'il arrive, les warraks auraient un priman'ak assez fort pour accompagner ses guerriers au combat.

Un sourire sur les lèvres, Ithan'ak souleva son glaive et avança fièrement vers son premier adversaire.

LEXIQUE

Lieux

Anosios : Continent de Nürma, isolé par des océans et un désert.

Chrysmale : Ville sans juridiction située à la frontière des royaumes de Kalamdir et de Küran.

Kalamdir : Le plus grand royaume d'Anosios, majoritairement habité par des hommes et gouverné par le roi Limius.

Küran : Gouverné par le roi Filistant, c'est le seul royaume habité par les hommes qui n'a pas été annexé à Kalamdir.

Lelmüd : Ce royaume est une gigantesque forêt habitée par les hylianns. C'est là que réside leur haut conseil.

Nürma : Planète à laquelle est associée la plus haute divinité vénérée par les habitants d'Anosios.

Pointe d'Antos : Péninsule enneigée située au nord du continent. Les warraks y vivent depuis qu'ils y ont été repoussés par les hommes.

Vallée de Grick : Royaume des nains.

Ymirion : Capitale de Kalamdir, abritant le palais du roi Limius.

ANOSIOS

Peuples

Bosotoss : Colosses mesurant deux fois la hauteur d'un homme. Ils vivent généralement dans le désert.

Glurpèdes : Race sous-développée provenant des marécages. Ils ont l'apparence de crapauds hideux et visqueux à la forme humanoïde.

Hylianns : Cousins des hommes. Plusieurs caractéristiques physiques, comme leur peau argentée, les rendent faciles à reconnaître. Ils habitent généralement en forêt.

Kalamdiens : Nom donné aux hommes peuplant le royaume de Kalamdir.

Keenox : Petites créatures insouciantes ressemblant à des rongeurs. Ils sont de plus en plus rares.

Kourofs : Warraks appartenant au clan d'Ithan'ak.

Küraniens : Nom donné aux hommes peuplant le royaume de Küran. La plupart d'entre eux sont des paysans.

Warraks : Farouches guerriers dont le physique s'apparente au loup. Ils vivent reclus sur la pointe d'Antos depuis qu'ils ont été vaincus par le père du roi Limius. Leurs yeux sont généralement verts, mais deviennent rouges lorsque les warraks sont submergés par la rage ou la soif du combat.

Personnages

Ackémios (Hyliann) : Il est à la tête du haut conseil des hylianns.

Claymore (Homme) : Docteur ayant voué sa vie à ce qu'il appelle l'art de la médecine.

Elwym (Hyliann) : Jeune hyliann originaire de la forêt d'Eswalm. Il visite le continent pour la première fois de sa vie avec ses deux frères.

Fork (Bosotoss) : Plus social que ceux de sa race, il est un vieil ami d'Ithan'ak.

Ithan'ak (Warrak) : Chef du clan des kourofs. Une menace inconnue le pousse à prendre une importante décision pour son clan.

Kamélia (Hyliann) : Ambassadrice de la forêt de Lelmüd.

Karst (Homme) : Général en chef du royaume de Kalamdir.

Kran'ak (Warrak) : Belliqueux chef du clan des sciaks. Sa soif de pouvoir n'a d'égal que ses méthodes draconiennes.

Limius (Homme) : Roi du royaume de Kalamdir. Ce tyran rêve d'assouvir les différents peuples d'Anosios par tous les moyens possibles.

Mikann (Warrak) : Elle appartient au clan des sciaks. Sa fourrure colorée, plutôt que grise comme la plupart des warraks, en fait d'elle une celfide.

Nicadème (Homme) : Magicien vivant reclus dans la forêt.

Simcha (Homme) : Originaire du royaume de Küran. Ancien pirate qui semble ne s'intéresser qu'à l'argent.

Sintoriens (Hommes) : Garde personnelle du roi Limius. Ces soldats sont reconnus pour être des combattants presque invincibles.

Skeip (Keenox) : Recherché par le roi Limius pour une raison inconnue. Sa principale préoccupation est de faire de nouvelles connaissances.

Toran (Homme) : Chef des cavaliers de la plume argentée.

Vonth'ak (Warrak) : Warrak solitaire et beaucoup trop frêle pour un individu de sa race.

Xioltys (Homme) : Jeune homme mystérieux adopté par le roi Limius.

Yrus'ak (Warrak) : Capitaine du clan des kourofs et bras droit d'Ithan'ak.

Panthéon des dieux

Hélisha : Déesse de la sagesse et de la connaissance.

Konorph : Dieu des moissons et de la végétation, et amant de Nürma.

Kumlaïd : Dieu de la guerre.

Kylien : Dieu berger.

Nalia : Déesse de l'air.

Nenya : Déesse de la mer.

Nürma : La terre bienfaitrice et la plus haute divinité.

Marquis imprimeur inc.

Québec, Canada
2010